北京古籍叢書

[清] 于敏中 主编

瞿宣穎 左笑鴻 于杰 點校

日下舊聞考

第六册

圖書在版編目（CIP）數據

日下舊聞考．第六册／（清）于敏中主編；瞿宣穎，左笑鴻，于杰點校．— 北京：北京出版社，2018.2
（北京古籍叢書）
ISBN 978-7-200-13589-3

Ⅰ．①日… Ⅱ．①于… ②瞿… ③左… ④于… Ⅲ．①北京—地方史—史料 Ⅳ．① K291

中國版本圖書館 CIP 數據核字（2017）第 282829 號

項目策劃：安　東　　項目統籌：許　可
責任編輯：喬天一　張　帥　　責任印製：宋　超
裝幀設計：郭　宇

北京古籍叢書
日下舊聞考
第六册
［清］于敏中　主編
瞿宣穎　左笑鴻　于杰　點校

出　版　北京出版集團公司
　　　　北京出版社
地　址　北京北三環中路六號
郵　編　一〇〇一二〇
網　址　www.bph.com.cn
總發行　北京出版集團公司
經　銷　新華書店
印　刷　北京虎彩文化傳播有限公司
開　本　八八〇毫米×一二三〇毫米　三十二
印　張　九點五
字　數　一七三千字
版　次　二〇一八年二月第一版
印　次　二〇二三年五月第二次印刷

書號　ISBN 978-7-200-13589-3
定價　78.00 圓
如有印裝質量問題，由本社負責調换
質量監督電話　010-58572393

欽定日下舊聞考卷一百一

郊坰 西十一

增 靜明園東有鑲紅旗護軍營房。旗冊

〔臣等謹按〕青龍橋西爲玉泉山，金章宗建行宫於此，元明以來皆爲游幸之所。本朝康熙年間修葺，賜名靜明園，乾隆年間重葺，詳見苑囿門。鑲紅旗營房制度詳見官署門。

增 靜明園東北有七聖庵，西北有淨安寺。五城寺院冊

〔臣等謹按〕七聖庵鑪一，明成化十三年造。鐘一，崇禎十五年造，有香山鄉七聖庵重鑄鐘住持弟子龎正吉等字。淨安寺舊爲西林禪寺，後改今名，僧舍僅數椽。寺後礫壤中明碑一，禮部尚書毘陵胡濙撰，景泰元年立。碑稱寺左右菩提舍利寶塔二座，後又有延壽寶塔一座，今僅存塔址耳。

增 胡濙西林禪寺碑略　西林禪寺在都城西三十里許，去人境殊不遠，而峯巒峭拔，巖壑鬱紆，最爲勝處。古有梵刹蔽翳於榛莽之間。正統三年秋九月，募衆緣，市材僦傭，剪荆除礫，先營大雄寶殿，次及四天王殿，三門廊廡，萬

佛、藏經寶閣，禪室、方丈、齋庖、庫庾，并左右繕治菩提舍利寶塔二座，後有延壽寶塔一座，增飾像設，金碧交輝，照耀山谷，笵銅爲鐘。凡奉佛之儀飯僧之具制所宜有者，靡不精備。外則繚以穹垣，蔭以巨木，儼然祇園之境。以爲大功德禪寺下院，延僧洪永爲住持。正統十一年九月，蒙車駕臨幸，有白金綵緞寶鈔之賜，時以爲榮。乃伐石書之，俾來者得以考見其所自，而知構興之歲月云。

增 静明園西宮門外迤北有妙喜寺、香露寺、普通寺、妙雲寺，四王府北有廣潤廟。五城寺院册

〔臣等謹按〕西山泉脈隨地湧現，其因勢順導流注御園以滙於昆明湖者，不惟疏派玉泉已也。其自西北來者尚有二源：一出於十方普覺寺旁之水源頭；一出於碧雲寺内石泉；皆鑿石爲槽以通水道。地勢高則置槽於平地，覆以石瓦；地勢下則於垣上置槽。茲二流逶迤曲赴至四王府之廣潤廟内，滙入石池，復由池内引而東行。於土峯上置槽，經普通、香露、妙喜諸寺夾垣之上，然後入静明園，爲涵漪齋、練影堂諸勝，詳見苑囿門。妙喜寺正殿恭懸皇上御書額曰香海同源。聯曰：臺相湧祥輝，等成七寶；鏡光澄慧照，合證三摩。後殿額曰菩提普印。聯曰：大圓鏡照三千界；微妙香凝二六時。皆御書。妙喜寺西爲香露寺，又西爲普通寺，普通寺南爲妙雲寺，又西爲廣潤廟，祀龍神，皆乾隆年間勅建。

〔又按〕四王府東北至静明園外垣皆有土山，土山外爲東北一帶洩水河。其水東北流，合蕭家河諸水，經圓明園後歸清河。四王府西南亦有土山，土山外爲西南一帶洩水河。其水流經小屯村、西石橋、平坡莊、東石橋折而南流，經雙槐樹之東，又東南

至八里莊，西滙於釣魚臺前湖内，爲正陽、廣寧、廣渠三門城河之上游。此一洩水河皆乾隆年間奉命開濬，每夏間山水盛發，藉此南北二河分釃其勢，自是田廬道路咸蒙利賴，無復有泛溢沮洳之慮矣。

增 三教寺在四王府南。五城寺院册

〔臣等謹按〕三教寺本朝碑一，大學士兼吏部尚書李天馥撰，康熙三十二年立。鐵磬一，明正德元年造。

原 西山在府西三十里，爲太行山之首。紀纂淵海

〔臣等謹按〕西山乃京西諸山之總名，朱彝尊原書載於甕山、玉泉山各條之後。今甕山奉命改名萬壽山，爲清漪園地；玉泉山自聖祖時已命名静明園，皆應恭載苑囿門。兹卷編次郊西，自静明園西北各條以後，卽按照方位道里所在，繼以西山，凡在苑垣以外者，皆逐條臚載。至香山今奉命改名静宜園，而碧雲寺亦爲御蹕頻臨之地，則敬載於苑囿門，兹不備録。

原 西山内接太行，外屬諸邊，磅礴數千里，林麓蒼黝，谿澗鏤錯，其中物産甚饒，古稱神皋隩區也。盧溝、琉璃、胡良三橋，山水所洩，多歸其中，其水皆藻緑異常，風日蕩漾，水葉遮映，倚闌流覽，令人欣然有欲賦京都之意。西遷注

〔臣等謹按〕盧溝河詳見郊坰西卷二，琉璃河見良鄉縣條下，胡良河見涿州條下。

原 西山，神京右臂，太行山第八陘，圖經亦名小清涼也。長安客話

補 太行首於三危，伏於河，折北而尊爲恒山，支巒複岡，畢赴於燕，秩秩然復纚屬以東數千百里，入於海上。土人以其西來，號曰西山。清容居士集

原 貞祐二年正月，李英乘夜與壯士李雄等四百九十人出城，緣西山進至佛巖寺，令雄等下山招募軍民，旬日得萬餘人，擇衆所推服者領之。金史本傳

〔臣等謹按〕佛巖寺今無考。

原 白雲平章求仙於燕京西山頂，一日適出，滕玉霄訪之不值，因戲題於壁曰：西風短褐吹黃埃，何不從我遊蓬萊？振衣長嘯下山去，後夜月明騎鶴來。竟不留名。白雲公疑吕仙過之，朝野輻輳，寵賚山積。後知爲玉霄題，白雲公戒以勿泄，厚賂之。草木子

〔臣等謹按〕滕玉霄訪白雲平章處今無考。

增 乾隆六年御製望西山詩　迤邐西峯翠靄侵，紗幮閒凭散幽襟。無心最喜雲生岫，得句多因座對岑。黛色烟光相罨畫，卧遊靜賞當登臨。晚來蘭若僧方定，遥想疏鐘度遠林。

〔臣等謹按〕西山御製詩，恭載首見之篇，餘不備録。

原 許衡別西山作　大山如蹲龍，小山如踞虎。烟嵐鬱蒼翠，遠近互吞吐。我來薊門居，遨遊成樂土。策杖望朝雲，卷簾看暮雨。佳意豁塵腥，勝概入談麈。使我鬱陶消，使我勞瘵愈。生平鄙吝心，一洗出千古。回首聲利人，何殊坐囹圄？遠役非素懷，況有跋涉苦。吟鞭裊東風，遲遲如去魯。芳菲二三月，追遊盛梅塢。歸來願無違，一觴期對舉。許文正集

補貢師泰遊西山次周伯温韻　嚴鐘啓城鑰，百辟聯珮紳。斜漢在昴畢，瑶光正當寅。華車出廣陌，鼉采生熙春。陰厓凍猶結，陽谷景已新。雲林白洶湧，石磴青嶙峋。先皇昔遊幸，顧瞻愴茲辰。恍若鐵馬起，空留玉衣陳。鼎湖去雖遠，元化同其神。憑危撫高樹，歷覽窮荒榛。梵宇抗疏嶺，飛閣騰遐津。虚庭潛飇發，白日無纖塵。長楊十二衢，甲第連居民。清時治茲久，天地涵深仁。矧茲風氣完，且復習俗淳。耦耕雜畎畝，獨釣當漪淪。高仙去窈邈，瑞氣留氤氲。於焉契嘉晤，頓覺煩抱伸。騫予敬亭下，清池翳修筠。時時一瓢酒，獨酌不計巡。對此動歸思，江海愁畸人。玩齋集

補郝敬西山絶句　西山三百寺，十日徧經行。歸與家人語，山多不記名。山草堂集

補王惲雨後看山作　西山盡日塵土面，一雨晚來膏沐容。霽色最堪圖畫處，白雲零亂點高峯。秋澗集

原李東陽西山詩　日日車塵馬足間，夢魂連夜到西山。近郊地在翻成遠，出郭身來始是閒。雲裏盪胸看縹緲，溪邊洗耳聽潺湲。秋風忽散城頭雨，先爲游人一解顔。下馬溪橋散步行，暑風絺紵入林清。村殽野飯匆匆發，碧水青山面面迎。踏盡平堤憐草緑，到來幽谷見雲生。西湖勝事年年别，幾日愁多不出城。半嶺香臺石磴斜，懸空縹緲送天花。新開塔寺雄西郭，舊賜經幢出内家。避暑亭前泉帶雨，回龍殿下水明霞。太平天子無巡幸，頭白山僧誦法華。懷麓堂集

原王鏊遊西山詩　賞心多與宦情違，三載來遊一夕歸。樹下杯行殊草草，水邊人去更依依。郊原約略青驄度，天水蒼茫白鳥飛。回首青山應笑我，漫將塵土涴苔衣。王文恪集

原王廷相西山行　西山三百七十寺，正德年中内臣作。華嚴海會走都人，碧構珠林照城郭。憶昔武皇倦機務，金馬門前有權豎。賣官何止金爲堂，通賄能令鬼上樹。六邊將帥多奴賤，未掛兵符先見面。文官細瑣不值錢，鎮守監倉動千萬。熏天氣焰侔天子，噓之者生啐卽死。眼前變故如掌翻，有賄方能保無事。南海明珠不足尚，西域珊瑚闢尋丈。九州珍寶集京都，遂使私門敵内帑。人間富貴爾所有，不慮生前慮生後。高墳大井擬王侯，假借佛宫垂不朽。鑿山九仞平如席，殿閣翬飛照雲日。已請至尊親賜額，更爲諸僧求護勅。東林畫壁千步廊，西林蓮臺七寶妝。南廊日月低浮圖，北寺虹霓垂石梁。金銀何算委溝壑，夜夜中天生寶光。釋迦釋迦定心痗，慈悲反受豪華累。土木横起西山妖，忍見蒼生日憔悴！王氏家藏集

原鄭善夫西山雜詩　西山五百寺，多傍北邙岑。土木春巖盡，樓臺海霧深。僧皆傳玉食，地更累黄金。縱目翻愁極，長安歲歲陰。少谷集

原王慎中遊西山詩　良辰戾首夏，肅軫遊西山。山形何崒嵂，洲渚亘相綿。奔湍既下赴，危峯亦上干。谽谺石洞杳，迤邐飛梁懸。朱葩晞暘谷，翠羽芟陰巒。閟室象霞構，疏甍憑風騫。抗宇凌層基，列楹俯流泉。好鳥揚幽音，弱蕖

濯清漣。豈惟耽遠遊，因兹達大觀。拾乳歷窱窅，擷芳陵巑岏。渟渟出澗淙，靄靄冒隴烟。水碧間清藻，靈飈茁瑶菅。履險神彌豁，入幽情更延。隱巖懷子真，蹈海期仲連。遺形九州外，棲迹萬象顛。崇深惟素秉，神理迷真詮。游心迓沖漠，斯道庶不諼。遵岩集

原顧夢圭招盧駕部遊西山詩　盧生逸興古來少，瘦馬年年踏芳草。聞説東曹公事稀，山川須及鶯花好。蕭條旅館製春衣，拄笏西看冷翠微。與君明日卽偕往，醉逐流鶯花下飛。山中絶與江南似，恐爲春光亂鄉思。未得扁舟訪故廬，且復連鑣修禊事。人生百年幾日春，休將黑髮戀風塵。去年此地君曾至，想見鶯花待故人。疣贅録

原郭文涓秋日游西山詩　緬惟京國游，夙憶西山勝。前期戒朋儕，昧爽理征鐙。連鑣出都門，散轡遵郊徑。旵猶望晴巒，迢遞陟烟磴。蒼茫紫翠分，參差金碧映。雲際鬱層甍，風中發孤磬。山光足怡愉，池色湛清瀅。覺花粲奇馨，慧草紛延亘。梵影空中懸，經聲榻前聽。行恐苔痕穿，嘯聞谷響應。翠巘屢攀躋，朱闌恒眺凭。取適情易酬，息機意初稱。登臨愜賞懷，攬結動幽興。聊兹卻喧囂，庶以慰蹭蹬。亨帚集

補徐中行感舊作　自别燕臺白日徂，華陽碣石總荒蕪。獨留一片西山月，猶照當年舊酒壚。天目山人集

原吴寬答傅體齋約遊西山青玉案詞　西山於我如無分。要遊時，春常盡。住向京華凡六閏。出城偏近。山僧笑我，此事無人信。故人書札勞相問。可惜情懷還不順。冒暑同遊遊也悶。湖堤須待，杏花疏雨，吹濕雙吟鬢。匏翁家藏集

增四王府東北一里許爲普陀山，有天仙庵、普庵塔院。五城寺院册

〔臣等謹按〕天仙庵，本朝建。碑一，無撰人姓名，乾隆十二年立。庵之西卽普庵塔院。本朝碑一，無撰人姓名，乾隆二十一年住持僧照禄立。鐵鐘一，明萬曆三十三年造。院西數十武爲普庵塔，塔制八觚，門南向，内供普庵菩薩像。座前有横石，廣二尺餘，高尺餘，刻嵩雲洞三字，後有正德辛未秋八月七字尚可辨。

增勅建普陀山天仙庵碑　蓋聞鹿苑定慧，婆心開一片之慈雲；鷲嶺止觀，無身見千江之明月。設大法於震旦，真印傳衣；放智光於大千，憑虚飛錫。北平普陀山者，千巖萬壑，積翠凝華。伴佛髻以偕青，共天花而並翠。鐘鳴谷應，

醒歷劫之沈迷；梵喝魚歌，度衆生之熱惱。允矣花宫之勝地，洵哉香阜之名區也。迺者沈氏，德懋珩璜，職優組紃。忽求解脱，遂爾皈依。爰以世胄之名閨，居武夷之綵屋。心鏡面壁，經演三車；吸露餐霞，蓮生五色。坐石則雲生於衲，添泉則月入於鐺。婆娑乎柰苑之場，遁迹乎塵寰之外。其始祝髮自朝陽之洞，厥後乃徙於普陀之山。於是宜壽聞鐘，永興推宅，猶之廬峯之乍闢，挾銀殿以飛來；漢觀之初成，降玉梁以自下。真仙呵護，香界賴以重新；善信捐施，金容因以復煥。可謂絳雲成蓋，人間開舍利之城；緑玉爲階，海上觀辟支之佛矣。故樹無量之碑，用昭盛事於不朽云。大清乾隆十二年且月吉旦立。

增 静宜園東四旗健鋭雲梯營房之制，鑲黄旗在佟峪村西碉樓九座，正白旗在公車府西，碉樓九座，鑲白旗在小府西，碉樓七座，正藍旗在道公府西，碉樓七座。旗册

〔臣等謹按〕香山東四旗健鋭雲梯營房，乾隆十四年奉命建設，後西四旗同。

原 聚寶山在玉泉山西南，行數里，度兩石橋，循谿轉至卧佛寺。寺在唐爲兜率寺，今名永安，殿前娑羅樹來自西域，相傳建寺時所植，今大三圍矣。春明夢餘録

〔臣等謹按〕玉泉山西南平壤中有岡阜隱起，俗稱荷葉山，疑卽孫承澤春明夢餘録所稱聚寶山也。卧佛寺，雍正十二年世宗憲皇帝賜名十方普覺寺。殿前恭立世宗御製文碑。方丈恭懸世宗御書聯曰：花氣合爐香馥郁；天光共湖影空明。其殿檐額曰雙林邃境，卧佛殿額曰得大自在。禪堂聯曰：苔益山文古；池添竹氣清。方丈額曰是地清涼。聯曰：雨花點地成金粟；水月瑩秋貯玉瓶。檐前聯曰：雲開春閣圖書静；雨霽秋窗竹桂閒。皆皇上御書。明碑六：一壽安禪寺記，明禮部尚書毘陵胡濙撰；一檀越題名記，皆景泰三年立。一明憲宗壽安寺如來寶塔銘；一勅諭碑，皆成

化十八年立。一重修記，嘉靖三十五年立。一明神宗壽安寺碑，萬曆十四年立。寺内娑羅樹今尚存。

原 卧佛寺於深山絶澗中乃得。寺以窣波爲門。殿前娑羅樹二株，西有泉注於池，池上有石如碧玉。珂雪齋集

〔臣等謹按〕十方普覺寺山門舊塔今已無存，池與石在寺西觀音堂之下，今尚存，詳見後條。

原 壽安寺白塔卓山門上，入門古檜百章，殿前二娑羅樹大數十圍，左一海松，後殿卧佛一，又後小殿更置卧佛一，俗遂稱卧佛寺。游業

〔臣等謹按〕卧佛今僅存銅佛一尊，其香檀像已無存。

原 卧佛寺名壽安，因山得名，卧佛，俗稱也。寺門有胡濙碑。卧佛凡二：一香檀像，唐貞觀年造；一銅像，憲宗皇帝時造。寺僧云。長安可遊記

原 卧佛寺唐名兜率，後名昭孝，名洪慶，今曰永安，以後殿香木佛又後銅佛俱卧，遂目卧佛云。寺西廣慧庵，東五華閣，西南宏法寺。帝京景物略

〔臣等謹按〕廣慧庵已圮，僅存明萬曆間庶吉士胡尚英碑，詳見後卷。五華閣遺址在十方普覺寺東北山坡上，宏法寺今無考。

原卧佛寺亦以泉勝，層巖夾道，木石散置，可游可坐。兩殿各卧一佛，長可丈餘，其一滲金甚精。寺内娑羅樹二株，子如橡栗，可療心疾。門西有石盤，方廣數丈，高亦稱是。上創觀音堂，周以欄楯。石盤下有小竇出泉，淙淙琤琤，下擊石底，聽之泠然。寺多牡丹，蓋中官所植，取以上供者。長安客話

原卧佛寺今上曾駐蹕，有重修御製碑。燕都遊覽志

原娑羅不茈凡草，不止惡禽。酉陽雜俎

原娑羅花苞大如拳，葉似枇杷葉，凡二十餘葉，相沓捧，苞類桐花，一簇三十餘朵，經月方謝。茅亭客話

原娑羅者，其木葉如海桐，又似楊梅，花红白色，春夏間開。吴船録

原娑羅外國之交讓木也，葉似柟，皮如玉蘭，色葱白，最潔，鳥不棲，蟲不生，子能下氣。通雅

原五臺山僧侈言娑羅樹靈異，至畫圖鏤版，然如巴陵、淮陰、安西、伊洛、臨安、白下、峨嵋山，在處有之。聞廣州南海神廟四本特高。今京師卧佛寺二株亦有干霄之勢。顧或著或不著，草木亦有幸不幸也。淥水亭雜識

原英宗卽位，是年九月建壽安山寺，給鈔千萬貫。十月，命拜珠督造壽安山寺。元史英宗紀 按：拜珠，蒙古語存也，舊作拜住。今譯改。

原至治元年春，詔建大刹於京西壽安山，索約勒哈達默色與御史觀音保、成珪、李謙亨上章極諫，以爲東作方始，而興大役，以耗財病民，非所以祈福也。且歲在辛酉，不宜興築。帝殺索約勒哈達默色與觀音保，杖珪、謙亨，竄諸遐裔。元史本傳 按：索約勒，蒙古語教化之化也。哈達，剛也。

默色義見前，舊作鎖咬兒哈的迷失。今譯改。

原三月，益壽安山造寺役軍。十二月，冶銅五十萬斤作壽安山寺佛像。二年八月，增壽安山寺役卒七千人。九月，給壽安山造寺役軍匠死者鈔，人百五十貫。幸壽安山寺，賜監役官鈔，人五千貫。元史英宗紀

原泰定元年二月，修西番佛事於壽安山寺，三年乃罷。元史泰定帝紀

原天曆元年，立壽安山規運提點所。三年，改昭孝營繕司。元史百官志

原至順二年正月，以壽安山英宗所建寺未成，詔中書省給鈔十萬錠供其費，仍命雅克特穆爾、薩勒迪等總督其工役；以晉邸部民劉元良等二萬四千餘户隸壽安山大昭孝寺爲永業户。元史文宗紀

〔朱彝尊原按〕壽安山卽五華山，果囉洛納延題張文忠諫罷燈山稿詩自注：至治間，御史觀音保諫五華山事棄市，公時爲中書參議，翊曰上諫燈山疏，可證也。今之卧佛寺，疑卽元昭孝寺，當時鑿山開寺，最稱巨刹。五華廣慧其地甚隘，必合卧佛而爲一爾。卧佛銅像雖傳成化時造，而碑記未詳。安知非冶銅五十萬斤所鑄耶？

增世宗御製十方普覺寺碑文　西山壽安有唐時古刹，以窣堵波爲門，泉石清幽，層巖夾峙，乃入山第一勝境。寺在唐名兜率，後曰昭孝，曰洪慶，曰永安，實一寺也。中有梅

檀香佛像二：其一相傳唐貞觀中造；其一則後人笵銅爲之；皆作偃卧相，横安寶牀，俗稱卧佛，見於紀載詩歌者屢矣。歲久頹圮，朕弟和碩怡賢親王以無相悉檀，庀工修建；嗣王弘晈弘曉繼之，捨貲葺治。於是琳宮梵宇，丹雘焕然，遂爲西山蘭若之冠。工既竣，命無閡永覺禪師超盛往主法席。夫象教之設，所以顯示真宗佛身充滿於法界，普現一切羣生前，隨緣赴感，靡不周，而恒處此菩提座。是以造像多爲五色蓮臺，結跏趺坐。而兹獨示卧相者，其義何居？善見毘婆沙律釋佛遊王舍衛城，謂遊有四：一者行，二者住，三者坐，四者卧。以是四法名之曰遊。然則竪窮三際，横亘十方，惟一真心，泯絶對待，應緣現迹，任物成名，凡此四威儀邊在在三摩鉢地，如玉鏡之交照，似寶珠之五色。非同非異，非卽非離，居斯常寂光中，便是毘盧頂上。今者石泉流於舍下，木葉飄於巖間。非王舍衛城行法遊乎？塔鈴少選而聲銷，旛角無風而動息。非王舍衛城住法遊乎？行者住者如是，坐者卧者同然矣。夫虚空無相，不拒諸相發揮；法性無身，匪礙諸身顯見。果能不起有情無情之妄想，不生心内心外之邪思，將一法纔通，萬象悉歸心地；千途並會，光明遍滿恒沙。此七寶牀上古佛，現前丈六金身，蓋覆大地，占斷三際，不往不來，豈非一佛卧遊十方普覺歟？因名之曰十方普覺寺，而勒是語於碑。並記朕弟和碩怡賢親王修寺緣起，以示來者。内閣學士兼禮部侍郎加一級臣勵宗萬奉勅敬書。

增乾隆七年御製秋日普覺寺詩　金飈颭華蓋，露氣逗曉寒。西山景色佳，駕言茲遊盤。羽騎度林樾，和鑾駐禪關。兩峯闢仙路，其背衆嶺環。蘭若百年餘，勝境非塵寰。是時新秋霽，黛色滌遠巒。一川禾黍風，西成誠可觀。金吾莫喧呼，恐妨僧坐禪。屏營禮大士，而無心可虔。卧佛伸其足，萬刼常安眠。菩薩羣擁立，垂垂寶髮鬟。旋憩方丈幽，敲火烹山泉。泠泠來牖下，流爲清鏡瀾。雜英紛砌旁，鳳仙與雞冠。塵心一以灑，迴蹕傳林間。比丘漫凝睇，争如上方閒。

〔臣等謹按〕普覺寺御製詩，恭載首見之篇，餘不備録。

增乾隆八年御製香山示青崖和尚詩　峯舍宿潤黛螺新，一脈曹溪試問津。憩彼來青之梵室，對茲衣紫者山人。却欣觸目皆無滓，不必談元始遠塵。坐久蘭烟消篆字，禽聲樹色總天真。

〔臣等謹按〕是詩御書寶翰恭懸普覺寺方丈，今恭載卷内。青崖，本寺住持僧名也，其屢蒙賜示詩章，例不具録。

增明憲宗壽安寺如來寶塔銘碑　去都城西北半舍許，卽香山鄉，其地與植，沃衍葱鬱。民居、僧舍，聯處而不斷，蓋近圻之勝概也。直鄉西北有山曰壽安。山不甚高，而蜿蜒磅礴之勢來自太行，至此與居庸諸山相接。山之陽有寺曰壽安禪寺。寺創於唐，其始名兜率，後改名昭孝、洪慶，歷年既遠，其規制悉燬於兵，漫不可考矣。正統中，我皇考英宗睿皇帝臨御日久，天下承平，民物蕃庶。因念世道之泰，治化之隆，必有默相陰佑之者，而金仙氏之教實本於慈悲，宏於濟利，歸於正覺，所以勸善化惡咸趣於正者，不無補於世也。乃眷是寺，鼎新修建，構殿宇以及門廡，傑制偉觀，穹然焕然，非復昔之莽蒼比矣。已乃勅賜今名，頒大藏經一部，置諸殿。值佳時擇日，親御六龍以臨幸焉。並賜白金楮幣爲香火之費。於時緇流拜稽，俯伏興念，莫不慶幸千載之一遇。蓋環都城號爲名刹者，曾不及是寺之光顯也。邇來又三十有餘年矣。朕惟皇考之志是崇是繼，乃暇日因披圖静閲，知寺猶有未備者。命卽其前高爽之地營建如來寶塔一座，輂土輸石，重疊甃砌，既周既密，式堅且好，闌檻雲擁，龕室内秘，寶鐸懸其簷，相輪覆其危，丹堊之飾，周匝於内外，諸佛菩薩神天之像層見於霄漢間。蓋其高以丈計者七，而縮其爲尺者一，其濶以丈計者五，而贏四尺，其深比濶殺二丈一尺。蟠固峻峙，巍峩山立，而神光華燈，昕夕露現，屹望於數百里外，真福地之奇蹟也。既又於其下構左右二殿，各高二丈而贏四尺，經始於成化壬寅春三月，落成於冬十一月。既成，藏舍利塔中，若昔阿育真相爲之者。嗟夫！朕建斯塔，非徒以崇觀美也，所以表是寺得其地得其山，又得我皇考恩光之霑被足以傳千載而不朽也。所以揭大法於有象，示萬目之指歸，使夫樂善者知所趨，稔惡者知所悟，而不迷其途也。所以示百千世界，俾皆興其精進之心，皆破其邪惑之見而成其善果，則足以上答天地祖宗之恩，下爲生民造福也。願力所及，欲丕顯丕承，肆捉筆紀成緒以告夫來者。成化十八年十一月立。

原朱國祚卧佛寺詩 傳聞蘭若春三月，花比青彌陀院多。惆悵芳時來獨後，但聞風葉響娑羅。介石齋集

原陳萬言卧佛寺詩 覽眺吾將倦，津梁子亦疲。遠嵐燈焰細，側檜雨聲欹。僧榻禪栖定，薔齋夜供遲。松寮思襆被，不記出山時。鈃園集

原宣和手勅一通，卷首題識四字，英宗皇帝御書也。帝以至治三年正月幸五華山，有以此書獻者，丞相拜珠侍側，就題以賜之。道園學古録

〔臣等謹按〕宣和手勅及英宗御書今無考。

原丞相順寧忠烈王阿實克布哈侍上於五華殿，進寡嗜欲、薄滋味之戒。上嘉其忠忱，命進酒。王曰：陛下既納臣言，不足取信也。上爲罷酒。黃文獻集 按：阿實克，蒙古語利也。布哈義見前，舊作阿沙不花。今譯改。

〔臣等謹按〕五華殿今無考。

欽定日下舊聞考卷一百二

郊坰 西十二

原 從卧佛寺入山一里許有石澗。澗旁仄徑，緣而上爲普福庵。自普福庵上半里有五華閣。山隙一小寺，寺側有亭。兩泉合流於前，一出巨石下，一流細石間。上有蹊，望之若窮，而隱隱復有樓閣。拘虛集

〔臣等謹按〕普福庵、五華閣遺址在普覺寺之東。普福庵俗呼爲紅門，今並廢。山隙小寺及寺側之亭皆無考。

原 觀音石閣而西有隆教寺。又西上，圓通寺。望太和庵前，山中人指曰：水盡頭，泉所源也。又西上廣泉廢寺，北半里爲五華寺。帝京景物畧

〔臣等謹按〕此條所載諸寺宇皆在普覺寺之西。觀音閣即觀音堂，建於大盤石上，閣前爲方池，閣左爲山廟，廟旁有重修水漕碑記，無撰人姓名，嘉靖辛丑年立。隆教寺在觀音閣西半里許，明碑二：一勅諭碑，成化六年立，署云：山場東至五華觀，

南至門頭村，西至滴水巖，北至冷泉穴。一隆教寺重建碑，大學士眉山萬安撰，成化二十二年立，畧云：成化庚子，香山之原，廓舊庵作寺，賜名隆教，陞右覺義本諒右講經，俾主寺事。寺距京城三十里許，與壽安寺相望。寺主濟舟禪師者，精於法華楞嚴之秘，爲一方禪宗。諒往學其門，乃卽兜率寺阯作庵其旁，朝夕講演甚衆。圓通寺、太和庵、廣泉寺今並廢。五華寺本朝碑一，世襲一等子加一雲騎尉張朝午撰，康熙二十五年立。又明碑一，禮部正直郎倪讓撰，嘉靖十一年立，畧云：都城之西，壽安山之北，有古刹圓殿，歷久隳圮。宣德初，有僧成公東洲禪師見其地逕幽僻，山水環繞，遂卓庵於此。迄今五十餘年，棟宇腐撓，遂僦工營之。經始於成化五年，落成於乙未年。水盡頭亦名水源頭，詳見後條。

原 玉蓮池在五華山上。寰宇通志

〔臣等謹按〕玉蓮池疑卽觀音閣前之池，然不可考矣。

原 廣惠寺在府西三十五里，舊名五華寺，正統七年改建。明一統志

補 由卧佛寺殿右側出小門西數十步，有巨石突立，高可三丈，鑿石爲磴以上，爲觀音堂。前臨池，右有泉、有橋。度橋爲隆教寺。泉從寺前度，泝泉行三里，上嶺爲五華寺，下嶺復循水行，再登一嶺爲廣泉寺。循故道、下復上得圓通庵，其右爲太和庵。泉水源於此。一方亭據其上，傍泉多烏椑文杏。度泉有鳥道，行三里許，爲普濟廢寺。寺前一嶺，上有小圃，中一石如鉢，水冬夏不涸，村民都取汲於此。山行雜記

〔臣等謹按〕普濟寺遺址尚存，有斷碑一，明僧道深撰，正統十一年立，畧云：香山

鄉五華之西，層巒巨壑，疊嶂懸崖，雙澗交流，千巖毓秀，可爲梵刹，募衆緣鳩工建造，額曰普濟禪寺。又建尊勝寶塔一座，興工於正統八年，完於丙寅之秋，僧國觀爲住持。又寺西山徑之旁，盤石側立，高廣各丈餘，下有沸泉，深不盈尺，廣尺餘，當卽宋彦山行雜記所稱一石如鉢水冬夏不涸者也。尊勝塔廢址在寺東高三尺餘。

【原】甕山西北越横嶺，白鹿巖在焉。有白石如幢，屹立嶺上，微有字畫，然薄蝕不可辨矣。嶺外連峯不斷，一峯最異，白鹿巖也。巖高數十丈，嵌空欲墮，中虚可旋兩車。巖左一隙如窗櫺，下視深窅，不知所際。相傳遼時有仙人騎白鹿往來斯巖，故名。登巖頂瞷萬壽山，如竪掌指。有古檜一株，根出兩石相夾處，盤旋横繞，倒挂於外，大可百圍，色赤如丹砂。巖角有茅舍，聞有西僧居之，黄眉紅頰，采草根和水以食，語音不通，見人嘻笑而已，不知何年至此，棲遲是山也。大江集

〔臣等謹按〕甕山詳見前卷。白鹿巖相傳普濟廢寺後山巔卽其地云。

【原】水源頭兩山相夾，小徑如綫，亂水淙淙，深入數里有石洞三，旁鑿龍頭，水從龍口歕出。又前數十武，土臺突兀，有石獸甚鉅，蹲踞臺下，相傳爲金章宗清水院。章宗有八院，此其一也。水分二支，其一伏流地中，至玉泉山涌出。春明夢餘録

〔臣等謹按〕水源頭石洞及石獸今尚存，土臺及龍口歕水處不可復辨矣。

【補】西山水源頭，其西水盡頭，爾雅：水醮曰厬，是也。有無名子題鄰寺壁云：雙流決決鳴，石根失其一。棄糠於此中，應從玉泉出。青鞵踏雪志

【增】水源頭一澗最深，退谷在焉。後有高嶺障之，而卧佛寺及黑門諸刹環蔽其前，岡阜迴合，竹樹深蔚，幽人之宫也。天府廣記

〔臣等謹按〕黑門卽普覺寺東之廣慧庵，詳見後條。

增谷口甚狹，喬木蔭之，有碣曰退谷。谷中小亭翼然，曰退翁亭，亭前水可流觴。東上則石門巍然，曰煙霞窟。入則平臺南望，萬木森森，小房數楹，其西三楹則爲退翁書屋。天府廣記

〔臣等謹按〕退翁亭及石門上隸書煙霞窟三字額今尚存，餘蹟俱圮廢。

原隆教寺西越澗有長嶺，嶺半爲金章宗看花臺，臺畔有古松一株。春明夢餘録

〔臣等謹按〕看花臺無考。今澗西崖側有松一株，未知卽臺畔之松否也。詳見後條。

增谷西越澗而過，則長嶺横拖，嶺半古松一株，夭矯磅礴。天府廣記

〔臣等謹按〕澗西古松與退翁亭遥峙，下有盤石，可坐數十人。

原出廣慧庵沿山南行，得宏化寺，門内白松盤槐多古意。游業

〔臣等謹按〕廣慧庵遺址在普覺寺西南，明碑一，翰林院庶吉士清源胡尚英撰，萬曆辛卯年立。宏化寺今無考。

原卧佛寺西南里許爲廣應寺，寺有白松，箕踞其下，望見碧雲、香山諸寺。寺西爲木蘭陀。春明夢餘録

〔臣等謹按〕廣應寺鐵鑪一，明成化乙巳年造。磬一，正德丁丑年造。鐘一，弘治十

二年造。木蘭陀有玉皇閣，詳見後條。

增 廣應寺之西爲木蘭陀，由寺前鳥徑西指，過小橋三四，徑漸峻，盤旋入雲。上建玉皇廟，棟宇潔飾。殿南別院有軒有室，石樓摇摇，踞山之巔。殿北深澗懸崖，水出洞中，旁爲魚池，爲藥欄，爲篁叢。殿側有滿井，水可手掬。西山山頂之井，廣泉寺與此爲二，甘冽似中泠。谷中瀹茗取給二井。天府廣記

〔臣等謹按〕玉皇廟明碑二：一爲中書舍人袁志學撰，天啓元年立；一爲本廟住持全真龔大川勒記於井旁石崖上，後有萬曆四十八年等字。

增 袁志學新建玉皇廟碑畧　都門瞻望西山，葱蘢瑞氣，突兀屏開，迺香山鄉木蘭陀之地也。此山當都門乾亥之地。乾爲天表，亥爲天門，蓋上帝端拱其間，主宰山河下土。今建彌羅閣妥神，而靈祐可知。忽有乳香樹生，清流脈脈，其源不絶，豈非神應而能有此異物乎！

增 佟峪村有關帝廟，西北里許萬華山有碧霞元君廟，煤廠村有關帝廟。五城寺院册

〔臣等謹按〕佟峪村在普覺寺西南里許，關帝廟鐵罏一，萬曆壬寅年造。碧霞元君廟

本朝碑一，進士李枝長撰。煤廠村距普覺寺三里許，關帝廟鐵鐘一，有住持比丘性權等字，正德四年造。磬一，天啓四年造。

〔又按〕煤廠村西有兩城關，皆有石額，東曰兜率真境，西曰紺翠凌虛。並有石刻聯曰：日臨祇樹浮金座；香散天花繞法臺。循城關而西，中有夾道，以通人騎。又西

緣山行，爲天寶山過街塔盤道矣。夾道之南爲静宜園，其北爲碧雲寺。

增 天寶山有茶棚庵、山神廟、七聖廟。五城寺院册

〔臣等謹按〕茶棚庵、山神廟皆本朝雍正七年建。七聖廟本朝重修碑一，任邑林杲撰，乾隆十年立。廟右爲過街塔，塔踞山巔，下爲城關，以通行旅。關上建平臺，中爲塔，方基約高三尺許，中層圓上鋭下，四面佛像各一尊，上層圓下鋭上，以白玉石爲頂。塔左有關帝祠，右有藥王祠。

增 静宜園南樓門外有八旗印房。旗册

〔臣等謹按〕八旗印房四隅皆有碉樓一座，乾隆十四年建。合之東四旗、西四旗各營碉樓，共計六十有七。東四旗詳見前卷，西四旗詳見後條。

增 白衣觀音庵在八旗印房之西。五城寺院册

〔臣等謹按〕白衣觀音庵本朝乾隆十四年建立。

原 狼兒澗在香山東四里許。四溟山人集

〔臣等謹按〕白衣觀音庵南有窪地，土人指爲狼兒澗舊蹟。

原 謝榛狼兒澗歌　狼兒澗東扶杖行，石工斧鑿無停聲。太古棲身衹巢穴，軒皇之後多有營。漸傷元氣非今日，三代相因棟宇成。石工死，石工生，天地不老青山平。四溟山人集

增 静宜園西四旗健鋭雲梯營房之制：正黄旗在永安村西，碉樓九座；正紅旗在梵香寺

東，碉樓七座；鑲紅旗在寶相寺南，碉樓七座；鑲藍旗在鑲紅旗南，碉樓七座。旗册

〔臣等謹按〕健鋭雲梯營房東四旗之制已詳見前卷。

增演武廳西北爲實勝寺。五城寺院册

〔臣等謹按〕實勝寺殿前恭懸御書額曰顯大雄力，並恭立乾隆十四年御製實勝寺記文碑，碑高丈餘，方廣四面如一，刻國書、蒙古、漢字、梵書四體。

增御製實勝寺碑記　去歲夏，視師金川者久而弗告其功，且苦酋之恃其碉也，則創爲以碉攻碉之説，將築碉焉。朕謂攻碉已下策，今乃命攻碉者而爲之築碉，是所謂借寇兵而資盜糧者，全無策矣。爲之憮然。因憶敬觀列朝實録，開國之初，我旗人躡雲梯肉薄而登城者不可屈指數，以此攻碉，何碉弗克？今之人猶昔之人也，則命於西山之麓設爲石碉也者，而簡佽飛之士以習之。未逾月，得精其技者二千人，更命大學士忠勇公傅恒爲經畧，統之以行，且厚集諸路之師，期必濟厥事。賴天之祐，大功以成。此固經畧智勇克兼，用揚我武，酋長畏威懷德，厥角請命。是以敵愾以往者率中道而歸，竊恨未施其長技，有餘怒焉。記不云乎！反本修古，不忘其初。雲梯之習猶是志也，而即以成功。夫則是地者豈非綏靖之先聲繼武之昭度哉！因命擇向庀材建寺於碉之側，名之曰實勝。夫已習之藝不可廢，已奏之績不可忘。於是合成功之旅立爲健鋭雲梯營，並於寺之左右建

屋居之，間亦依山爲碉以肖刮耳勒歪之境，昔我太宗皇帝嘗以偏師破明十三萬衆於松山杏山之間，歸而建實勝寺於盛京以紀其烈。夫金川蕞爾窮番，豈明師比？然睪昆明而穿池，勝僑如而名子，其識弗忘一也。漢書訓碉作雕，碉爲石室而雕則若雕鶚之棲云者，皆非是。蓋西南夷語彼中呼樓居其音爲碉云爾。乾隆十有四年歲在己巳夏五月之吉。

增御製實勝寺後記　歲己巳建實勝寺於西山之下，其緣起已見前記，不復綴。今賴昊天垂祐，宗社篤祜，平準噶爾回部，拓地伊犁、喀什噶爾、葉爾羌一帶二萬餘里，其外羈縻附屬如哈薩克、布魯特、安集延、拔達克山等部不與焉。凡乘機決計、信賞必罰、奉天討罪、藉衆集事諸大端具見太學之碑，開惑之論，西師之詩，亦不複綴。茲記者，寺左近健鋭雲梯營實居之，營之兵是役効力爲尤多，故不可不旌其前勞，以勸夫後進。先是呼爾璊霍斯庫魯克之戰，我師以少敵衆，而賊據險伺隙，故凡行陳糸伍彌縫之際，睪覺旗靡鼓餒處得健鋭兵數十立其間，則屹如堅城，整而復進。遂乃斬將搴旗，用成殊績。蓋索倫兵馬射雖精，以之馳突，乘勝破陣無不如志，而知方守節，終不如我滿洲世僕，其心定，其氣盛。夫人出萬死一生，爲國宣力，而爲之君者事成而忽若忘，獨何心哉？朕豈爲之哉？自己巳設此營，而辛巳即收其效，不啻樹樹十年之得報，是潛移默運有若天授，予亦有所不知其然而然者，而敬繩祖武，丕揚國烈，瞿瞿惴惴，惟盛滿之是懼，猶初志也。是用重勒碑記之，且肖喀喇烏蘇襲迫之狀，築堡其側，歲時幸香山閲健鋭兵，用寓尹鐸晉陽之意，不亦可乎！乾隆辛巳孟夏月之吉。

增 乾隆二十六年御製實勝寺八韻　金川昔奏績，實勝葺祇園。事蹟紀穹碣，營規繕列屯。己巳金川功成，因就西山舊寺葺新之，名曰實勝。簡凱旋之旅，設健鋭營，發帑建屋以居之，勤加訓練。茲西師之役得其力居多。即今平厄魯，更順定花門。允藉鷹揚勇，敢忘鴻祐恩。造功慶維兆，嬉武戒猶存。佛力恃奚可？人爲勉應去聲。敦。聊因觀衆技，便以識衷言。怵惕外寧候，范文有至論。

〔臣等謹按〕實勝寺御製詩恭值大勳懋集，若平定準噶爾回部及平定兩金川，垂示篇詠，昭揭大端者，今並恭録卷内，餘不備録。

增 乾隆三十八年御製過南嶺閲武兼遊實勝實諦諸寺即事成什　健鋭建是營，乃自己巳始。其時定金川，名實勝緣此。畏而赦盡勦，將謂革心矣。十年即漸猖，蠶食鄰弗止。然猶俾安撫，屢撫屢背詭。前此征勦金川，大兵壓境，莎羅奔郎卡窮蹙乞降，冀其誠心湔革，遂允所請，赦弗加誅。甫及十年，即與鄰封土司搆釁，攘奪相尋，屢經督提撫諭而止。郎卡死，其子索諾木兄弟竟敢背恩肆逆，且有蠶食諸番侵及維州橋之意。而小金川逆豎僧格桑與之狼狽爲奸，鴟張自恣，初皆未之知也。庚寅夏，僧格桑與鄂克什修怨稱兵，阿爾泰、董天弼親往誡諭，奏言逆酋已遵教退回，朕以番蠻互相仇殺，既知悔罪息争，姑且釋而不問。孰意阿爾泰等竟以鄂克什之地斷歸僧格桑，希圖遷就完事，匿不上聞。益爲逆酋所輕視。不數月，索諾木遂侵殺革布什咱，僧格桑復攻圍鄂克什，並敢築碉抗拒，逆跡益彰，勢難中止。辛卯冬，始興問罪之師，二酋如此黨惡跳梁，非併力剪滅必貽後患。因悔始之曲原赦罪，繼之不欲加兵，皆未免失之姑息。今不得不爲除惡務盡之舉矣。尾大不可掉，問罪師無已。儹拉雖蕩平，小金川番語謂之儹拉，去年冬攻破美諾，平定其地，僧格桑竄入金川，擒其父澤旺解京。促浸境今抵。促浸，番語謂金川也。今溫福由功噶爾拉移兵昔嶺，阿桂抵當噶拉，豐昇額至日旁山梁，並扼金川險要，連次破碉殺賊，即日可望冞入。徒以春雪多，兼之險可恃。武雖閱於斯，功願成以邇。實勝豈徒然？寶諦力並企。正法如日照，么麽技徒爾。番地春雪本多，蓋山高氣寒所致。即今已交夏令，日色暄暖，自漸雪霽冰銷，易於得進。賊雖有險亦不足恃。藉曰賊能爲札達祈雪，彼邪不勝正，技將安施耶？趂暇縱遊茲，馳念惟壓彼。

增乾隆四十三年御製過南嶺閱武禮寶相實勝諸寺疊癸巳舊作韻　重問罪金川，有征辛卯始。丙申遂蕩定，數典實於此。自己巳年初定金川，立健鋭營，建實勝寺於此。及辛卯歲重征金川，至丙申年蕩定，曩時訓練精鋭，果能出力，用奏膚功，而寺亦名與實稱。今来瞻禮，益深追溯之思云。而此未識詠，則過數年矣。清明舉上陵，迴塗香山止。癸巳年駐蹕香山閲武，兼歷諸寺作詩識事，維時正在用兵。今告功已及三年。展禮山陵，迴塗至此，用賡前韻以紀成勞。餘暇過南嶺，松蒼復石詭。曰武不可忘，曰思曷能已？寶相肖五臺，曾以祝釐抵。曾於辛巳年，恭奉聖母展禮五臺，敬祝慈釐。茲香山寶相寺實肖五臺殊相寺規制，瞻企之餘，益深依慕耳。本擬藉其佑，孰謂捐予恃？歲月不少延，雲山別甫邇。回首望西南，景仰徒成企。一心實茫茫，五字空爾爾。粘壁賡前韻，誰問斯和彼。

增乾隆十五年御製番築碉詩　番築碉，築碉不在桃關之外，乃在實勝寺側西山椒。狼卡稽顙歸王化，網開三面仁恩昭。叔孫名子不忘武，佽飛早已旋星軺。俘來醜虜習故業，卭籠令築拔地高。昔也禦我護其命，今也歸我効其勞。番築碉，不惟効勞，爾乃忘其勞。魋結環耳面顤顱，嗜酒喜肉甘羶臊。但得酒肉一醉飽，渾忘巴朗卡撒其故巢。其婦工作勝丈夫，粉不能白胝且么。不藉繩墨與規矩，能爲百尺森岧嶤。番築碉，侏離番語爲番謡，揚聲强半不可曉，大都慕義懷恩膏。亦不爲汝慕義懷恩膏，我自兩階文德舞戚旄，偶肖汝製役汝曹，賚汝金錢爲錦袍。

原 表忠寺門左右各二松，一石，俱奇古。燕山遊紀

增 表忠寺俗名鮑家寺。青箱堂集

〔臣等謹按〕表忠寺亦稱鮑家寺，今改建實勝寺。

原 循香山之左，歷滕公寺至鮑家寺，寺有古松十株，陰覆石墀，濃翠可愛。長安可遊記

〔朱彝尊原按〕土人所稱鮑家寺，卽延壽庵也。

〔臣等謹按〕滕公寺址在今長齡寺稍西，僅餘白松四株。長齡寺卽延壽庵舊址，東去里許始爲鮑家寺地，今改建實勝寺，朱彝尊誤合爲一耳。長齡寺詳見後卷。

原 鮑家寺兩掖，石樓屹立，青槐百株，交蔭修衢。殿植果松四株，枝葉婆娑，覆陰無隙地。寺下又有滕公寺，石垣周遭，若一縣郭，其中飛樓相望，清渠激户，雜花滿楹。珂雪齋集

原 朱國祚夜宿鮑家寺詩 青豆房低结搆牢，長松静夜卷秋濤。分明一枕谿亭雨，睡起不知山月高。介石齋集

欽定日下舊聞考卷一百三

郊坰 西十三

增 靜宜園之西萬安山有法海寺、法華寺。五城寺院册

〔臣等謹按〕法海、法華二寺前後互相連屬，相傳爲宏教寺遺址，本朝順治十七年修建，改今名。前爲法海寺，門上有小塔，門内爲關帝殿。約半里許爲法華寺，門内彌勒佛殿前恭懸皇上御書額曰德水香林。聯曰：法雨霏空標七淨；慧珠照海啟三明。大悲殿前御書額曰筏通彼岸。聯曰：山色溪聲真實義；天光雲影去來身。後殿恭懸聖祖御書額曰法門通慧，皇上御書額曰十地圓通。聯曰：華海靈源分一滴；金輪妙諦演三乘。寺右精舍五楹，額曰悟色香空。聯曰：妙諦遠空華海藏；勤修長護福田根。皆皇上御書。殿内本朝碑二：一爲順治十七年奉旨示禁碑；一恭勒世祖御書敬佛二字，乃賜僧慧樞者，碑陰鐫歷代佛祖圖。門内本朝碑一，大學士衛周祚撰，康熙五年立。寺後西南爲龍王堂，有泉流通僧院。

原出小碧雲寺而西，有宏教寺，寺在山脊，東上一閣宣廟曾駐蹕於此。余文敏集

〔臣等謹按〕小碧雲寺詳見後條。宏教寺及寺東之閣今並廢。

原朱彝尊西山宏教寺題壁：都城西山宏教寺，正德間中貴晏忠所造。寺壘石爲門，曰道統門。石殿三楹，琢三皇五帝三王像，左鑿周召孔孟諸聖賢，右鑿周程張朱諸儒像，別一石龕以藏五經。殿外一石亭，壁列鐘虡干戚錢鎛弁裳之屬。左龍馬，馬毛旋五十五，數如河圖；右龜，龜甲四十五，數如洛書。東堂三楹，壁列忠臣龍比以下、孝子曾閔以下。按元史，中書省言：養給軍民，必藉地利。世祖建大宣文宏教寺，寺賜永業。今遺蹟無考。觀晏忠祠石像禮器制度渾朴，不類明時所鑿。且元於儒釋初無分別，疑寺卽宣文宏教之遺址，晏忠特修飾之爾。姜應甲詩云：空山石祠堂，落穆跨深壑。肖像古聖賢，高下坐淵漠。殿墀列龜龍，如出自河洛。煌煌先儒語，所爲忠孝作。性理累百卷，題壁見大畧。歷覽感吾心，人傳晏公鑿。厥志在尼山，高邈得所託。媿哉彼檀施，釁血塗丹雘。馮元舒詩云：嗚呼晏常侍，石室存道統。上像皇帝王，其左周召孔。宋之四大儒，一一接其踵。峩峩殿三楹，像皆刻石奉。古人所未門，此是我作俑。猗彼何人斯？卓哉儒者勇。兩君竟謂忠鑿矣。祠堂四壁龕者五，分標五經總。列聖賢像始於文翁趙岐，若司隸校尉魯恭、荆州刺史李剛、從事掾武梁祠皆有之，非忠作俑。曝書亭集

原宏教寺有亭可眺，亦有喬松怪石，佛像清古，爲山中第一。珂雪齋集

原晏公祠，正德中晏常侍忠所立也。過澗石橋，過橋石門，曰道統門。石殿三楹，像皆石，上像三皇五帝三王，左像周召孔孟諸聖賢，右像周程張朱諸大儒。壁五石龕，一龕標一經名，維以藏其經。殿外一石亭，亭壁立鐘簴干戚錢鎛弁裳之屬，一如五經，以便治是經者。左龍馬，馬毛旋五十五，數具一如河圖；右雒龜，龜甲四十五，數具一如洛書。東堂三楹，壁列忠臣龍逢以下、孝子曾閔以下，右圖而左書其行事以告觀者。石像渾樸，不類漢以後及西域像。法堂後壘石爲洞，洞壁標先儒格言及詠道詩。祠今居守者一僧也，仍於其私室設彼教像，誦彼教文字焉。帝京景物畧

補香山南爲門頭村。村後爲萬安山，山門上建白塔爲宏教禪林。入門爲大神通塔院。寺前爲平臺，寬三四十丈，有亭據其陽。寺中殿宇亦高敞。殿後有泉，飛繞方丈而行。下坡不半里有祠，中列聖賢像。祠前上石磴二十級卽中峯庵，庵有方亭，亦名來青軒。山行雜紀

〔臣等謹按〕門頭村詳見後卷。中峯庵舊址當在今寶相寺香林室之西南方廟、圓廟之間，庵内軒亭俱無考，詳見後條。

原 王㮊登宏教寺詩　先朝行殿作禪宮，黄屋青山本是空。聞道一人曾駐蹕，山僧不敢住當中。宣皇在日寺新成，萬乘親來寺裏行。芳草也知無玉輦，秋風秋雨滿階生。燕市集

原 姜應甲題晏公祠詩　空山石祠堂，落穆跨深壑。肖象古聖賢，高下坐淵漠。殿墀列龜龍，如出自河洛。煌煌先儒語，所爲忠孝作。性理累百卷，題壁見大略。歷覽感我心，高邈得所託。媿哉彼檀施，釁血塗丹雘。帝京景物略

〔朱彝尊原按〕元史：泰定二年，中書省言養給軍民必藉地利。世祖建大宣文宏教寺，寺賜永業，當時已號虚費，今遺跡已無可考。觀晏公祠石像禮器，制度渾樸，不類明時匠人所鑿。且元於儒釋初無所分，疑寺卽宣文宏教之遺址，晏忠特從而修飾之者。當再與博雅君子考之。

〔臣等謹按〕朱彝尊所稱晏祠石像禮器，今俱散軼無考。

原 由宏教寺下山度坑而西，有廣仁寺。余文敏集

〔臣等謹按〕廣仁寺今無考。

增 演武廳西南里許有梵香寺、長齡寺。五城寺院册

〔臣等謹按〕梵香寺爲新寺遺址，乾隆十四年改建。前殿額曰栴檀淨域，正殿額曰圓通具足。聯曰：積翠蔚雲霞，飛來靈鷲；懸流戛金石，響答迦陵。後殿額曰入薝蔔

林。皆皇上御書。正殿前恭立乾隆十四年御製文碑二：左國書蒙古二體；右漢字梵書二體。寺旁松檜數百株，中建石敞廳，門額曰來遠齋，齋内額曰策功纘武。石柱聯曰：指雲際千峯，興懷蜀道；聽松間萬籟，頓入梵天。齋後屋五楹，額曰含清堂。聯曰：句披月脇天心妙；窗納千巖萬壑風。皆皇上御書。又後爲長齡寺，乃延壽庵舊址。

增御製梵香寺碑文　朕既於勇健營旁近建實勝寺，其南有梵香寺者，亦古招提，在西山諸刹中未爲宏麗，而爽塏不下實勝。爰命所司以餘材飭而新之，爲衆生利益。在昔佛告精進菩薩摩訶薩受持法華，成就八百鼻功德，以是清淨鼻根，聞於三千大千世界，上下内外種種諸香皆能分別。又香積如來以衆香鉢盛滿香飯與化菩薩悉飽衆會，夫禪那脱離塵垢腥濁，眼耳鼻舌身意常滿清淨妙香，所住世界安隱快樂，舉成華藏世界海中妙華光香水海，隨身衣食無非清淨，是爲梵香法界。以是因緣，發大慈悲，願以清淨妙香普度恒河沙數衆生，舉登安樂壽命世界，永離刀兵腥穢，一切苦惱，以所被香祴爲衆生本分衣，舉得温適，所飽香積爲衆生本分食，舉得饜飫。從上諸佛普證是言，散栴檀沈水及千萬種華香於三千大千世界，齊須彌山，爲佛供養，與此功德初無有二。用刻堅石，傳示未來，歷無盡際。

增乾隆三十二年御製含清堂詩　蒼松千百年，白石四五逕。詰曲皆得入，陰森亦相暎。深處有樸宇，既幽復潔淨。可以讀詩書，可以悦心性。招提在上方，小坐鐘聲聽。

〔臣等謹按〕含清堂御製詩，恭載首見之篇，餘不備録。

補永感庵俗名新寺。青箱堂集

原下香山至延壽庵樓五間，高數仞。右爲蔬圃，種茜韮梨栗。其前田疇彌亘數里。上有大璫鮑忠墓。忠事武廟、世廟兩廟，柄司禮監二十年，宜其營建宏敞如此也。余文敏集

補中峯下有鮑中貴墓，建有延壽庵，門外二松合抱，門内石級左右列松四株，入門復分立四株。上爲天王殿，内爲佛殿，兩廡十三楹承之。兩廡外更多精舍，石砌極工緻。山行雜記

原從延壽庵折而北又西爲小碧雲寺，寺宣德中太監張某建，寺額宣廟所賜也。今之碧雲乃昔俞家庵。因有兩寺，故此以小別之。隔垣有翠華亭。余文敏集

〔臣等謹按〕小碧雲寺、翠華亭今俱無考。

增長齡寺西南爲寶諦寺。五城寺院册

〔臣等謹按〕寶諦寺，乾隆十六年建，其制仿五臺之菩薩頂。寺前爲臺，臺上建石牌坊，額曰乃至無有語言文字是菩薩真人，凡十三字。正殿簷額曰金輪寶界，殿内額曰天東鷲嶺。聯曰：地即清涼，白馬貝書開震旦；山仍天竺，青鴛蘭若近離宫。後殿額曰法雲慈蔭。殿内聯曰：國滿栴香，古枝分鹿苑；天高竺梵，晴唄接魚山。佛樓額曰萬法圓融。皆皇上御書。

增乾隆二十一年御製寶諦寺詩　名山啓初地，法界落中臺。是處肖五臺菩薩頂爲之。菩薩頂即中臺也。像是黄金

寫，經因白馬來。禪枝冬不謝，意蕊雪如開。去後聞鐘韻，還疑叶斗纔。北臺峯名叶斗，故云。

〔臣等謹按〕寶諦寺御製詩，恭載首見之篇，餘不備録。

增 寶諦寺西爲寶相寺。五城寺院册

〔臣等謹按〕寶相寺，乾隆二十七年建。先是，歲在辛巳，駕幸五臺，回鑾後御寫殊相寺文殊像而係以贊，並命於寶諦寺旁建茲寺，肖像其中。殿制外方内圓，皆甃甓而成，不施木植。四面設甕門。殿前恭懸皇上御書額曰旭華之閣。殿内碑二：左碑恭鐫御寫文殊像並贊，碑陰恭勒乾隆三十二年御製詩；右爲乾隆二十七年御製寶相寺碑文。殿後御書額曰梵光樓。寺後西行約數十步，精舍五楹，簷額曰香林室，内額曰幽賞亦異。聯曰：紅篆爐烟看氣直；緑苞庭竹愛心虚。後厦亭額曰慧照亭，軒額曰妙達軒。牌坊一，東額曰聖涯道妙，西額曰香海珠林。亦皆皇上御書。坊下有泉湧出，香林室稍西有圓廟方廟，其制皆平頂有堞，如碉房之式，中建佛樓，亦乾隆二十七年建。

增 御製寶相寺碑文　歲辛巳，値聖母皇太后七旬大慶，爰奉安輿詣五臺，所以祝釐也。殊像寺在山之麓，爲瞻禮文殊初地，妙相端嚴，光耀香界，默識以歸。既歸則心追手摹，系以贊而勒之碑。香山南麓，曩所規菩薩頂之寶諦寺在焉。迺於寺右度隙地，出内府金錢，飭具庀材，營搆蘭若，視碑摹而像設之。金色莊嚴，惟具惟肖。寺之製毾㲪幕圜，不施宲㽉桴棁，而崇廣閎麗則視殊像有加。經始於乾隆壬午春，越今丁亥春蕆工。既敬致瓣香而慶落之，所司礱石以俟。因記之曰：文殊師利久住娑婆世界，而應現説法則獨在清涼山。固華嚴品所謂東方世界中菩薩者也。夫清涼在畿輔之西，而香山亦在京城之西。然以清涼視香山，則香山爲東；若以竺乾視震旦，則清涼、香山又皆東也。是二山者不可言同，何况云異？矧陸元暢之答宣律師曰：文殊隨緣利見，應變不窮，是一是二，在文殊本不生分別見，倘必執清涼爲道場，而不知香山之亦可爲道場，則何異鑿井得泉而謂水專在是哉？且昔之詣五臺禮文殊，所以祝釐也，而清涼距畿輔千餘里，掖輦行慶，向惟三至焉。若香山則去京城三十里而近，歲可一再至。繼自今億萬年延洪演乘，兹惟其恒，是則余建寺香山之初志也。寺成，名之曰寶相。綴以偈曰：曼殊室利，七佛之師。經歷人間，至福城東。東方世界，名曰金色。常在其中，而演説法。摩竭陁國，其東五華。是名雪山，惟清涼境。金剛窟聚，北代州是。大士示現，妙相莊嚴。振大法輪，坐獅子座。獅子奮迅，具足神威。中臺現身，寺曰殊像。我昔瞻禮，發大宏願。虔誠祝釐，普諸福緣。相好印心，如月在水。卽幻卽真，證真幻相。以此真幻，還印金容。香山淨域，多祇樹園。寶諦之西，營是寶相。莊校七寶，晃耀大千。日面月面，了無分別。我聞如是，文殊應緣。緣卽隨緣，何有彼此？矧東西方，因見生名。見卽不拘，名亦不著。清涼香山，非二非一。復念文殊，菩薩久在。而此世界，實曰常喜。以常以久，延祝慈禧。惟願自今，歲萬又萬。寶筭盈積，如恒河沙。護妙吉祥，生大歡喜。以是因緣，壽復無量。

增乾隆二十六年御製寫五臺殊像寺文殊像成並贊　五峯鼎峙，境實清涼。日面月面，靈鷲中央。曰有祇園，巍然前麓。殊像是名，法光赫昱。獅子奮迅，大士端嚴。均佛性智，稽首和南。祝釐蕆慶，載經花宮。相好默識，如印印空。像既非像，真豈誠真？本無同異，何復云云？寫者爲能，應復有所。垂曼殊義，咄哉未可。於未可中，覩此滿月。常持莊嚴，利濟無竭。

增乾隆三十二年御製寶相寺落成瞻禮因用辛巳五臺殊像寺韻二首　聖母七旬慶，五臺禮曼殊。（梵語曼殊錫利，華言文殊師利。）法光欽意蕊，寶相印心珠。（殊像寺瞻禮時，心識相好，於行營卽摹爲小圖；既歸，又廓成大圖，建寶相寺於香山之南，命工依像裝塑，今始落成展謁云。）山帑非民力，鳩工依手圖。落成茲卜吉，瞻禮過山衢。東西寧彼此，（五臺在京都之西。）相好那同殊？總祝無疆壽，應符如意珠。靈蹤紀竺牒，勝刹起黄圖。花雨從空落，繽紛上景衢。

增乾隆三十二年御製香林室詩　祇園瞻禮罷，別室憩臨初。總在香林界，況於清暇餘。

唄聲起般若，峯影落芙蕖。揭爾題五字，何殊觀六如！

〔臣等謹按〕寶相寺、香林室御製詩，俱恭載首見之篇，餘不備録。

〔又按〕宋彦山行雜記云：中峯下過龍泉禪林爲静妙庵，亦名滕公寺。今寶諦寺建於滕寺舊址，其後稍西北爲寶相寺，又稍西北爲方廟圓廟。二廟之間有隙地，俗稱四方圈。合左右前後地形揆之，疑卽中峯庵舊址。茲謹將原書所載中峯庵旁近各條附録於後。

原西山别嶂忽開，如兩袖之垂，其左爲帝王廟、翠巖寺、曹家樓，其右爲宏教寺，而其中爲中峯。中峯庵有石樓可眺，有亭高出半山，圍牆十里悉以白石壘砌。珂雪齋集

〔臣等謹按〕帝王廟、翠巖寺、曹家樓今俱無考。

原中峯庵地盡石無土，階墀徑磴可枕藉，卧松滿院，響謖謖然。澗南上，宏教寺廢寺也。帝京景物略

原中峯在香山之後，以其居諸峯之中，故曰中峯也。躡危磴而上，有庵，庵兩翼有亭。山之陽有宏教寺，山之陰有晏公祠、翠巖寺、永壽庵。春明夢餘録

原中峯下南過龍泉禪林，爲静妙庵，亦名滕公寺，蓋滕中貴墓也。由紅闌板橋入門，寺極藻飾，方丈在左，甚寬廣。出門循大道而南，度闕惠寺，慈應寺、崇壽寺、宣化寺，俱荒陋，而石磴嶙峋，紺殿隱見於松柏蒼翠間。又數里至萬佛閣。過此卽杏子口，道旁杏皆老幹，多百餘年物，絶似金陵靈谷寺梅也。山行雜記

〔臣等謹按〕龍泉禪林舊址，以地理揆之，應距方廟圓廟不遠。慈應、宣化等寺俱無考。崇壽寺、杏子口詳見下卷。

增由廣慧庵遥望山椒，丹樓縹緲，詢知爲曹家樓。樓距山巔，下臨石洞，右折百步爲翠巖庵，更上卽中峯庵矣。長安可遊記

【原】翠巖寺不甚宏敞，而具山林之致。門有渠，天雨則山巔飛流，直走原麓。剎後石路百級，有禪院，四周皆茂樹。有泉甚清，可煮茗。珂雪齋集

【原】朱國祚中峰晚望詩　中官丙舍即花宮，松柏林前梵磬風。試上精廬高處望，樓臺金碧夕陽中。介石齋集

【原】胡應麟宿翠巖寺詩　亂峰遙策杖，零露幾沾衣。客列青霞館，雲生白石扉。寺寒山鳥下，鐘定水螢飛。爲愛西窗宿，泉聲出翠微。少室山房集

【原】門頭村去郊西八里許，以其地爲西山門徑，故名。燕都遊覽志

〔臣等謹按〕門頭村在今靜宜園東南二里許。

【原】袁宏道詩　踏青猶記出青門，先問門頭第幾村。舊日把杯人已往，雛鶯新柳暗傷神。中郎集

【增】門頭村有朝陽庵、十方院、三義廟、五聖庵、真武廟、鐵關帝廟、曹家廟、地藏庵、新寺、香嚴寺。五城寺院册

〔臣等謹按〕朝陽庵鐵磬一，明嘉靖四年造。十方院明碑一，都人彭應乾撰，崇禎己巳年立，略云：十方院施茶濟渴之所，佛殿三楹，僧舍六間，年深毁壞，鳩工重修。本朝碑一，無撰人姓名，康熙六十年立。三義廟、五聖庵皆舊刹，康熙年間修葺。真武廟鐵鐘一，明正統八年造。鑪一，上有京都順天府宛平縣西萬安山門頭村真武廟住持顯聞供奉等字，今上乾隆己巳年造。鐵關帝廟鑄鐵爲神像。明碑一，已仆，字跡半漫漶，畧舉其可辨者曰：門頭村延壽寺，嘉靖戊申於其東置贍寺莊地一所，莊地之陽，鑄神像，修飭廟貌，至是年庚戌修葺，五月竣厥事，嘉靖庚戌閏

月，知井陘縣事六安闕　撰。曹家廟鐵磬一，明弘治十六年造。地藏庵鐵磬一，萬曆十三年造。新寺本在香山之旁，今改建梵香寺，此爲别院，猶存新寺之名。乾隆年間修葺。香巖寺鐘一，明景泰五年造；方鐵鑪一，萬曆甲申年造。

增寶相寺南一里許有崇壽寺，又西一里許有雪峰寺。五城寺院册

〔臣等謹按〕崇壽寺明碑二：一東吴孫天濟撰，成化辛卯年立，略云：西直門出郭數十里，山名萬安，有永峰庵遺址，今無復興斯刹者。成化元年鼎建，勅賜崇壽寺。一爲置田碑，順天府府丞張伯禧撰，成化丁酉年立。雪峰寺碑一，今上乾隆三十八年立，略云：都城西三十餘里有山名萬安，其間有雪峰寺舊基。雍正年間有昱禪師及徒實觀卓錫於此三十餘載，孫際永重修。

原昌化寺殿壁繪阿羅漢五百尊，穿崖渡海，神通游戲，宣廟時吴偉小仙筆也。燕山紀遊

〔臣等謹按〕昌化寺殿内恭懸世宗御書額曰卧松雲，後題識曰戊午賜起崇。殿壁尚有繪像，第未詳其爲吴偉筆否也。

原何景明夜歸昌化寺詩　日落歸山刹，松風處處聲。幽深不易到，昏黑夜多驚。壑斷尋谿入，峯迴絶嶺行。兹遊藉朋好，奇絶冠平生。大復山人集

增門頭村東小屯村有西禪寺。五城寺院册

〔臣等謹按〕西禪寺明碑二：一爲勅諭碑；一大學士湘源蔣冕撰，皆正德戊寅年立。

蔣碑略云：西禪寺在都城西之小屯村，村西五里萬安山有寺曰翠巖，及今寺額皆朝廷所賜名。

【原】從三叉口經新莊，度西嶺，折而北有善應寺。寺中四松最奇。門列天兵十，狀極詭異。廡下有五百羅漢。余文敏集

〔臣等謹按〕善應寺本朝碑一，禮部尚書合肥龔鼎孳撰，康熙十年立。余有丁集所稱天兵羅漢諸像今皆無存。

【增】龔鼎孳重修善應禪林碑略：都城之西山，名藍勝蹟不可勝考。其規模宏麗表表傑出者曰善應寺。肇建於明弘治之十有七年。歲月既久，日就傾頹。順治己亥，有濟南居士某某矢志捐貲，缺者補之，毀者飾之，迄今十有餘載而風規如故。

【原】蔣山卿宿善應寺詩：突兀開深殿，嵌崟抵細岑。松門延晚色，竹院閉秋陰。寂定傳燈影，清餘放梵音。卻嗟千日醉，空負百年心。南泠集

【增】善應寺北爲香界寺。五城寺院冊

〔臣等謹按〕香界寺舊爲平坡寺，明仁宗時曰圓通寺。本朝康熙十七年修葺，賜名聖感，今上乾隆十四年復易今名。前殿恭懸皇上御書額曰現清淨身，正殿額曰智鏡周圓。聯曰：花海總涵功德水；香臺常繞吉祥雲。殿前碑二：左碑恭勒聖祖御製碑文，碑陰恭刊皇上御製碑文；右碑恭鐫聖祖御書敬佛二字並大悲菩薩像。寺後精舍三楹，額曰取暢山情，後簷額曰緑淨平皐，內額曰豁達烟霄。聯曰：山色溪聲，淨

理了可悟；風清月白，勝賞良有因。皆皇上御書。

原由常明庵出杏子口至平坡寺，所謂盧師、清涼、翠微、善應、靈光諸寺皆在焉。繖山集

〔臣等謹按〕常明庵今無考。盧師、清涼、翠微、靈光諸寺詳見後卷，善應寺見前。

原秘魔崖西行碎石中一里，自龍泉庵而上，平坡寺也。寺爲仁宗勑建，曰大圓通寺，規制宏麗，今圮壞。後殿藤胎大士七尺，清古具丈夫相。憲宗駕幸寺，見金剛面正黑，上笑曰：似火裏金剛。一夕火起，金剛燬焉。寺上一里寶珠洞，洞口石黑，白點滲之，珠名以此。帝京景物略

〔臣等謹按〕秘魔崖詳見後卷，龍泉庵、寶珠洞見後。藤胎大士像今無存。

原翠微山圓通寺，蓋舊平坡寺也。洪熙初詔改作，易今名。寺在西山高處，去城可四十里。昔太子少師姚廣孝嘗言平坡最幽勝，真學佛者所宜處，好遊之士所必至也。殿前後凡三重，因山勢爲之，愈後則愈高，皆翼以長廊，亦因地爲斜正。殿上皆有像，飾以金碧，最後殿去山頂不百步。由殿東南下爲方丈，蓋住持者所居。中室祀釋迦像。又從東廊出前殿，殿左右皆高閣。升其左，山勢既高，閣又出其上，憑闌望之，遠入無際。西廊後地稍下，北爲禪堂，其中爲廚庫，南爲禪室。王文端集

原平坡寺，元故刹，宣德間修之，改名圓通。斬石爲址，凡爲殿五層。最上有小殿，極峻險，前俯巨壑。日霽，都城九門三殿隱隱可識。懷麓堂集

原大圓通寺創於唐，至宣德年重葺，因改是額，且名其山曰翠微。山後有小天寧寺。余文敏集

〔臣等謹按〕小天寧寺今無考。

原大圓通寺，洪熙元年重建。明一統志

原平坡山亦名翠微山，成化中駕嘗幸此。長安客話

原平坡寺嶺雖高而不覺其峻。寺在山巔，一目千里。柏崖集

增聖祖御製聖感寺碑文　夫以北極神京，西山勝地，峰巒迴互，草木蘢葱。晴嵐霽雪，掩映皇居；秋水春華，邀迎翠輦。非徒百工職事瞻仰於斯，實亦九州風土形勢所在。其間招提梵宇，極雕梁巨麗之奇；精舍珠林，盡繡桷紆迴之巧。然松雲燈火，不聞禪誦之聲；泉石荒苔，難覔經行之蹟。故雖危甍聳漢，上接雲霄；而紺殿凝塵，空頹歲月。朕每遊歷其處，輒爲致慨於衷。平坡寺者，僻處西南，遥臨宫闕。刻盤螭於玉砌，丹碧流金；塑寶像於琳宫，煇煌映藻。罘罳網户，鐖鴿時馴；鈴鐸鳴檐，野狐知肅。迨時移物換，雨圮風侵。華榱作爨，已無往日之弘觀；畫壁成泥，誰識當年之璀璨？寺僧海岫，篤實持躬，勤勞砥行。簞瓢布衲，林中不演三車；瓦鉢芒鞵，胸中時虔五戒。十載經營，重新殿廡；六時功課，繼廣門庭。遂使清宵梵唄，蕭疏盡入寒空；向曉鐘聲，颯沓仍隨秋雨。浮屠之傳，於斯無媿。朕萬幾有暇，七校偶過。省耕省斂，時駐蹕於兹山；一豫一遊，再撫臨於其地。詢知本末，感佛慧之重光；鑒彼勤劬，啟聖功於匪懈。更名聖感，特賜宸書。欲使遐邇具瞻，臣民共識。豈若崇祀作佞，開愚甿奔走之端？惟曰致敬而遠，法往聖格思之道。勒諸貞珉，垂感會於千秋，記注瑶編，志心期於一日。臣工

上下，咸悉朕懷。

增皇上御製香界寺碑文　香界寺在香山迤南，故爲平坡寺，不知其所由始，蓋古刹也。其後名聖感寺，康熙中，僧海岫薰修於此，經營十載，重事鼎建。皇祖聖祖仁皇帝嘗再幸其地，賜御書榜額，且製碑文，勒石紀焉。閲今數十年，丹青剥落，庭宇且就荒寂。朕駐蹕静宜園，間於幾暇遊覽近地。偶叩禪扃，瞻仰宸翰，雲霞暉麗，照灼猶新，剔蘚捫碑，具悉始末。因出内帑，命將作撤而新之，易其名曰香界。夫西山巖壑幽邃，峰岫環映，林泉烟靄，隨處具有佳致。精藍梵宇，遠近相望，皆足爲名山增勝概。而朕意所存，自以皇祖經臨，永昭神蹟，香林法界，允宜敬謹護持，又不獨智仁山水之樂云爾。爰刻文碑陰，以誌歲月。

增聖祖御製賜聖感寺僧海岫詩　翛然老衲淨塵緣，臺殿參差起瑞烟。馴鴿簷前應受戒，遊鱗花下亦參禪。

增乾隆十二年御製六月朔日自香山遊聖感諸勝即景成詩得五十韻　太行分秀幹，永定貫陰精。燕都之山皆自太行發脈，永定河自塞外來，夾兩山之間，出石景始入平陸。孕鬱成靈局，崔巍護帝京。天開丹地迥，日照紫蕖明。萬馬相奔突，千支各拄撐。一峰尊華嶽，八景冠燕城。最愛香山好，因之別業成。常留雲館蹕，便閲黍田耕。新喜霑膏雨，餘閒趁快晴。簡能延吉士，咨采接明卿。是日引見吏部月選官。適可驅輕騎，奚須建翠旍？佽飛頻訓諭，緑犲戒縱横。碧漢翔雲點，青椒爽籟迎。蘭衢何宛宛，桂埒此行行。谷口分泉澗，村頭輭草坪。指南仍未改，是日出香山南關，折而西，度嶺而北始至聖感，是時猶向南行云。記里任徐鳴。丙宅雄堪詫，貂璫横可驚。西山下明代寺宦墳墓甚夥，專横至此，國事有不日壞者乎！明明懸炯戒，歷歷入吟情。西轉登盤嶺，北瞻闢霧棖。遥知景所會，未到意先平。晻靄蒼林合，逶迤白道縈。人楓將鳳柏，白芷更華苹。似阜似堂接，如宫如畝并。嵎嵎殊崱岃，磦磦競峥嶸。澗雪聲猶壯，松濤響自鏗。聒枝爭烏雀，跳樹擲鼯鼪。既狹方開豁，如夷復嵂崢。隔巖標窣堵，攀磴俯翬甍。信是羅延窟，巍乎象教程。梵音海波動，寶相月輪呈。項藻還輝斗，堯嶢擬見羹。聖感寺内聖祖賜扁最多，復有賜海岫和尚御筆條幅。松軒因小憩，繡壤一迴晴。信矣神都麗，煌哉天府宏。富加惟强教，泰保惕持盈。行漏催傳箭，歸輿旋委衡。寶珠遲展眺，寶珠洞在聖感之上，是日未至。法苑舊騰聲。蘿磴原堪挼，蓀蹊那礙生？靈源淙磴隙，幽處結株楹。由聖感西南行，下山磴爲龍王堂，有泉漈出。馴鴿聽經白，遊魚醉藻禎。滴珠纔瑣碎，瀑布遂琮琤。古寺棲巖迴，鼓簷帶雨傾。丹青看剥落，布施孰經營？佛自圓通者，時而興廢更。静觀聊遣慮，遥問不知名。石逕盤紆下，招提結搆清。大悲寺在山腰，至是始合去路云。庋經還有閣，卓錫祇餘莖。素具升高志，今酬望遠盟。香臺霏法雨，天樂下雲韺。年小猶長日，暑徂行屆庚。盧溝横蝃蝀，石景矗瑶瓊。指日將登岱，蒼然覽巨瀛。是日降旨，以明歲東巡，祀孔廟，登泰山。

（臣等謹按）聖感寺於乾隆十三年始改名香界，是詩爲御蹕初臨之作，時猶舊名，今恭録於前。

增 乾隆十三年御製冬日遊香界寺詩　聖感西山西，歲久惜頽敗。去夏偶曾遊，長詩紀其概。布施發餘資，非帑庸何害？焕然兹一新，易名曰香界。落成來瞻禮，苾芻騰梵唄。於左搆精廬，小憩亦足快。山木葉已落，縱目窮衆態。雖謝晚菊芳，未改松風籟。俯眺澗口溪，一一分源派。我聞金剛身，圓成無興壞。禪流頌悉檀，忌墮妄語戒。

（臣等謹按）香界寺御製詩，恭載首見之篇，餘不備録。

原 宋褧平坡訪謝草池作　玉泉西畔昔慣往，盧師東邊今始行。山石犖确嚙馬足，樹林陰翳藏禽聲。坐上主人譚衆妙，壁間圖畫教長生。自注：懸畫八幅皆熊經鳥伸之術。所嗟秘徑禁來往，不敢題詩留姓名。燕石集

原 釋道衍題平坡寺詩　平坡杳杳挹西湖，徑斷樵行敗葉鋪。泉落石河深愈急，雲歸沙樹遠疑無。夜堂風静紆帷幔，曉井霜寒響轆轤。那得餘生辭世網，捲衣來此日跏趺。逃虚子集

原 王英遊翠微山詩　京都壯且麗，西北皆名山。翠微獨崔嵬，高出霄漢間。上有金仙居，連峯起巑岏。夙聞此地勝，未得窮躋攀。主恩賜休暇，三日有餘閒。策馬出西城，迢遥睇層巒。我友五六人，興軼浮雲端。欲登峯萬仞，俯視八極寬。泉坡集

原 王直大圓通寺詩　梵宫何巍巍？下馬陟峻坂。山僧肅前道，焚香起重楗。高棟切層霄，飛甍抗崇巘。金碧表奇麗，突兀給孤苑。地雖占幽敻，誰能伸繾綣。嗟哉學佛徒，冥寂究微婉。自非與物異，徒謂去城遠。王文端詩集

原 李夢陽平坡寺詩　西山萬佛寺，爛若舒錦繡。平坡憑風迴，突出衆山右。宫閣因巖坳，面勢巧相就。百里見琉璃，巀嵲戴雲搆。朋遊探絶跡，杪秋歷羣岫。得此目力展，恍疑出氛囿。雄壓香山麗，闊掩望湖秀。落木響巖扃，寒嵐染衣袖。延緬古今并，竚立悲慨湊。盛業慮反始，危基有傾覆。千載誰復臨？逆想蓬蒿茂。空同集

原 何景明平坡寺詩　晚眺平坡上，蒼茫萬壑前。一僧行樹杪，諸客到寒天。險駭將崩石，清憐乍坼泉。翠華公主塔，縹緲碧山巔。大復山人集

原李濂平坡寺詩　蘭若秋烟裏，霜林返照中。澗迴公主塔，山拆梵王宮。草樹如迎客，沙禽不避驄。攜游興無限，行色奈匆匆。嵩渚集

原薛蕙詩　亭午翠微山半路，下看山底翠雲生。客來準擬山中宿，雨至何妨洞裏行？隔竹泉聲初淅瀝，傍巖花樹轉分明。題詩攜酒兩殊絶，翻怪風烟報晚晴。西原集

原馮惟訥晚登平坡寺詩　繡嶺岧嶤紫翠重，隔林斜照落長松。天開洞壑疑無地，山向招提别有峯。暫以禪心參聖酒，旋教歌管答鳴鐘。莫將昏黑催歸騎，遠浦烟花夕更濃。少洲集

原龍膺平坡廢寺詩　當年曾駐蹕，此地一登臺。日繞琳宫麗，雲承玉輦回。古垣披薜荔，斷碣翳莓苔。壁倚千尋石，池開萬劫灰。松陰殘照下，草色晚春催。興廢嗟何及？空山猿嘯哀。九芝集

原下寶珠洞，過龍王堂，有獅雲庵。燕都遊覽志

〔臣等謹按〕寶珠洞前牌坊一，外額曰歡喜地，内額曰堅固林。觀音大士殿額曰諸法正觀。殿前敞屋額曰澄觀萬有。洞之上阿彌陀佛殿額曰金輪妙果，其右横宇額曰雲卧天窺。皆皇上御書。牌坊西恭立乾隆十三年御製詩碑。龍王堂詳見後條。獅雲庵在龍王堂下，今廢。

補寶珠洞在山之翠微處，地稍坦迤，是曰平坡。入洞黝黑，晝不見人，旁出其上，見若大蚌剖而倚石壁者，始悟其中嵌空矣。西山紀游

增乾隆十三年御製寶珠洞詩　極頂何來洞穴深？仙風吹送八琅音。箇中疑有天龍護，時作人間六月霖。是處真稱迴出凡，天花馥馥落雲巖。恰如觀象讀周易，六位成章索得咸。天半軒齋一倚楹，初冬風物值晴明。即今一晌拈吟處，何似去年望裏情？去歲至聖感而未至是處，故云。

〔臣等謹按〕寶珠洞御製詩，恭載首見之篇，餘不備録。

補 寶珠洞山右有龍泉庵、龍廣寺，再右接待寺，下山西入谷有證果寺，再右有清涼寺。山行雜記

〔臣等謹按〕龍泉庵亦名龍王堂，階下有方池，深五尺餘，其西鑿龍口吐水。龍廣寺、接待寺今俱廢。證果、清涼並詳後卷。

增 乾隆十二年御製龍王堂詩 古廟山坳裏，披榛磴道賒。樹生刹竿石，鳥啄淨幮紗。水府石林秘，香臺花雨斜。所希惠時若，霈澤始京華。

〔臣等謹按〕龍王堂御製詩，恭載首見之篇，餘不備録。

增 龍王堂東有大悲寺。五城寺院册

〔臣等謹按〕大悲寺舊名隱寂寺，康熙五十一年，聖祖賜今名。御書寺名額二：一懸彌勒殿，一懸正殿簷前。明碑一，無撰人姓名，嘉靖二十九年立。本朝碑一，禮部尚書婁東王掞撰，雍正二年立。

增 乾隆十二年御製大悲寺詩 林麓忽開處，居然見上方。松風吹袂冷，山果落茶香。替戾鈴聲静，逶迤鳥道長。停鞭一回首，霧靄已蒼茫。

〔臣等謹按〕大悲寺御製詩，恭載首見之篇，餘不備録。賜僧古梅詩，增輝梵刹，今

並載卷内，餘不具録。

增乾隆十三年御製大悲寺賜僧古梅詩 游山喜值深秋暖，過寺偶因香界迴。雲岊鐘聲還斷續，月天闕影自崔嵬。最欣淨室纔方丈，恰稱禪僧號古梅。設使翠巖重著語，眉毛嬴得白皚皚。

增明人新建大悲殿碑略 今隱寂寺者，在都城之西。其地直圓通、翠微之界。山勢至此，岡隴盤迴，風氣鬱積，有林木泉源之勝。四方雲水緇流多集其間。寺後有餘地，遂起爲大悲閣，用以崇奉慈尊，不數月而落成。

增王掞重修大悲寺碑銘 神京之西有環山焉，名藍相望而起其間。翠微峯之右麓，有古寺曰大悲。慧燈禪師偕印如師入寺住持，真樸自守。壬辰，聖祖皇帝召見於暢春苑之天馥齋，賜額錫金。約友萍如師飯僧於五臺山。丁酉之夏，同登清涼，裝伽藍祖師像，供於秘魔崖，以衣帽散衆，復於湧泉寺飯僧。三載補葺萬佛閣、護國寺大殿前石府、文殊院，并繫茶棚，款接朝山往來者，余與師爲方外友，故特爲之記云。

欽定日下舊聞考卷一百四

郊坰 西十四

原自杏子口度小嶺，折而西，爲嘉禧寺。松檜夾徑，里許方入寺門。游業

〔臣等謹按〕嘉禧寺今存。殿内銅鐘一，明正統九年造。

原嘉禧寺門如城，鐵葉釘乳。入門道榆柳中，地無日影，里許別爲山門。方丈特壯麗，懸神宗御書聯，筆法仿顔真卿，寺僧云初年筆也。寺西二里，金萬壽王冢，一穹碑孑孑田畔。東三里有福田寺。帝京景物略

〔臣等謹按〕金萬壽王冢今無考，福田寺詳見前郊西卷七。

原朱國祚嘉禧寺詩 山牆圍作化人城，榆柳陰濃信客行。始信精廬風日好，秋深猶緑牡丹坪。介石齋集

原馮有經登嘉禧寺山樓作 高樓切天浮，古木森在下。峯峯開金碧，四十二蘭若。芳林擁桃李，怪石帖松檟。人語曠不喧，啼鳥無冬夏。對此懷嚴畔，局促何爲者？帝京景物略

原聖水寺下臨澗泉。閣後一松，直而多蔭。松後石窟，夏月陰涼，坐久毛髮盡豎。旁有一石樓，極高峻，下指村莊，爲福田、嘉禧諸寺。燕山紀遊

〔臣等謹按〕聖水寺今廢，惟姚家寺旁僧塔銘内有翠微山勝水禪林，或因聲相近而相沿互稱，亦未可定也。詳見後條。

【增】嘉禧寺東有霧明庵，西北有姚家寺。五城寺院冊

〔臣等謹按〕霧明庵原名普照寺。鐘一，明嘉靖四十二年造。姚家寺遺址僅存，寺右塔一，八稜七級。又數十武有僧塔。塔前碑一，僧海愍撰，錢唐高士奇書，康熙年間立。

【增】僧海愍勝水漢萍禪師塔銘并序　師諱通傑，號漢萍，楚之漢陽人也。俗姓楊，三歲嗣徐氏，二十七禮衲剃落，即首謁黃蘗、無念師不契，乃入廬阜凌霄巖，結茆力究，聞溪聲有省，爰徧參博幽、無異、雲門、湛然諸禪師。雲游歷宇内；凡吴魯燕晉之山川靡所不至。其名公巨卿留意禪宗者皆與師爲方外友。無何，泛舟抵都門，訪笑巖祖塔，得於荆榛蒼莽中，力爲整葺，因寓京邸，道風日著。宰官居士及諸山名德請住京西翠微山勝水禪林，是時師年五十有三矣。將示寂，冬至上堂，有痛惜寸陰，努力取辦，人之將死，其言也善之語。歲盡日，安居無恙，忽書偈語，擲筆跏趺而逝。師生於萬曆丙申之元旦，寂於順治辛丑之除夕，世壽六十有六，戒臘三十有三。

【原】洪福寺松蘿俱古。度念佛橋，即寶珠洞也。燕山紀遊

〔臣等謹按〕洪福寺今無考。念佛橋旁有石刻念佛二字。寶珠洞詳見前卷。

【原】下宏教寺，循山趾而南，有盧師山，與平坡山並峙。諸寺鱗次，曰清涼、曰證果、曰平坡，皆刹也。長安客話

〔臣等謹按〕盧師山之盧師寺，據劉侗帝京景物略，始自隋仁壽中，元曰大天源延聖寺，明曰清涼寺，今廢，僅存塔一，八稜七級，有石刻天順四年重修寶塔等字。宏

教寺、平坡寺已見前卷。

【原】泰定三年二月，建顯宗神御殿於盧師寺，賜額曰大天源延聖寺，勑貯金書西番字藏經。八月，天源延聖寺神御殿成，十月，奉安顯宗御容於大天源延聖寺，賜鈔二萬錠。四年十月，命帝師作佛事於大天源延聖寺。元史泰定帝紀

【原】天曆二年五月，於玉德殿及大天源延聖寺作佛事。元史文宗紀

【原】明宗必巴實皇后天曆二年請爲明宗資冥福，命帝師率諸僧作佛事七日於大天源延聖寺。元史后妃傳 按：必巴實，梵語佛名也，原作八不沙。今譯改。

【原】元統六年四月詔大天源延聖寺立明宗神御殿碑。元史順帝紀

【原】盧師山以神僧得名。師隋末居此山，能馴二龍子。山有潭，覆以巨石，其下深不可測，二龍潛焉。歲旱禱雨輒應。舊有寺，即以盧師名，今清涼寺是已。長安客話

【增】清涼寺在宛平縣西盧師山，舊名盧師寺。大清一統志

【原】大、小青，龍之神。按碑記，昔有僧名盧，自江南來，寓居西山之尸陀林秘魔巖。一日，二童子來拜於前，盧納之，鬻薪供奉，寒暑無怠。時久旱不雨，二童子白於盧：能限雨期。言訖即委身龍潭，須臾化青龍，一大一小，至期果得甘雨。事聞，賜盧師號曰感應禪師，建寺設像立碑以記其事。又別設祠於龍潭之上，春秋遣官祭青龍神。宣德中，敕建大圓通寺，二青龍出現，禱之有應，於是加以封號。至今遣順天府官致祭，及遇歲旱遣官祭告，蓋因舊傳二龍能致雲雨，故累朝崇奉如此。青谿漫藁

【原】盧師山有寺曰盧師寺，正統十一年，更名清涼。今佛殿已無，一梵相坐風露中，左右迦葉、阿難，風露中侍。僧曰唐天寶遺製。過寺半里秘魔崖，是盧師宴坐處。相傳隋仁壽中，師從江南棹一船來，祝曰：船止則止。船至崖下止，師遂崖居。居數歲，二童子來，曰大青、小青，侍師不去。歲大旱，所司徵禱雨者。童子白師：願施雨，雨一方。遂乘雲氣去，俄雨大注，知大青、小青乃龍也。龍歸投潭中。潭廣丈，巨石覆之，深窅不可測。二龍有時出，

雲氣仍隨之。崖下塑二童子侍師像。崖上一柏産石面，長尺，不凋不榮，是盧師所植。東證果寺，寺旁有亭，望渾河下善應寺殿。佛不跏趺，高几危坐，儀如中土，兩廡望羅漢五百。帝京景物略

〔原〕唐時覺禪師嘗以道力攝二龍於萬壽寺中池內，常見龍形，一曰大青，一曰小青。宋因禱雨有應，封大青應濟侯，小青利澤侯。燕山叢録

〔原〕天旱，道士持青蛇曰盧師谷小青，謂龍也，禱之卽雨。呂思誠以其惑人，殺蛇，逐道士，雨亦隨至。元史本傳

〔原〕京師西山寺有二青蛇。客至，僧呼蛇以酒肉飼之。二蛇輒引喙出入無懼。謂之曰蛇菩薩。西樵野記

〔原〕宣德七年三月，以久不雨，遣順天府尹李庸祭大小青龍之神。其文曰：今春已暮，農務方興，而雨澤未降，宿麥不滋。朕爲生民主，夙夜在懷。特用祭告，惟神明彰感通，早霈甘澍，以慰民望。明宣宗實録

〔原〕正統九年夏四月，雨澤愆期。遣太師英國公張輔等告於寺觀城隍及大小青龍之神曰：朕憂念民艱，靡遑寧處。特遣祭告，尚祈神化昭彰，早降甘澍，以慰民望。明英宗實録

〔原〕唐書韋挺傳：挺遣燕州司馬王安德行渠作漕艫轉糧，自桑乾水抵盧思臺，行八百里，渠塞不可通。挺以方苦寒，未可進，遂下米臺側廥之，待凍泮乃運以爲解。按：今京城西三十里盧師山，相傳爲隋沙門盧師馴伏青龍之地。以唐書考之，當卽盧思臺，師乃思之誤也。桑乾水卽盧溝河。北平古今記

〔補〕宛平王倚，字輔臣。中統初，選良家子入侍東宮。太保劉秉忠見而器之，引以與選。有詔皇太子裁决天下事，拜正議大夫工部尚書，改禮部尚書，卒葬盧師山下。静修集

〔臣等謹按〕王倚墓今無考。

〔補〕王惲陪張右相祭冀司徒忠懿公墓詩　王城西北郊，有山曰盧師。岡遠見盤互，野曠欣平夷。吾嘗以事來，旋軫思遲遲。有懷德育公，攀附隨潛飛。一朝際風雲，振燿生光輝。我初拜英表，富貴非公誰？內焉弼國助，上焉兩宮知。孰云恩澤侯，以德中自持。近侍足恭謹，接物餘謙撝。由家化而國，在理乃所宜。及夫司徒公，衍慶尤熙熙。再世保傅功，大書見豐碑。神龍襲九淵，奮起須鱗鬐。伊公漢大横，庚庚隱天機。曆數既有在，大器將安歸？君王夙英武，監撫非細微。寶章猶傳璽，啓沃貴知幾。堂堂忠愛心，晝此廟社規。其報宜伊何！子孫保無期。倏忽三十載，日下山邱兩巍巍。生死固常事，盛衰有足疑。昌黎銘殿監，所以含餘淒。我老自多感，黄鳥聲正悲。駐車不忍去，

山烟霏。秋澗集

【原】馬祖常盧師山下過郝景文參政墓詩　故相聲名遠，荒阡松柏長。地能終不夜，天莫借飛光。舊客驅車過，新詩洒淚傷。千年此山下，樵牧禁牛羊。石田集

【原】曾棨盧師寺詩　久懷招提游，偶此得尋訪。巖巒通杳靄，闌檻俯虚曠。飛花出洞中，古柏蔭池上。欲識雙青龍，變化爾何狀？巢睫集

【原】李時勉盧師山龍潭作　湫中龍何許，睇目東南峯。旁崖下陡絶，緣徑披蒙茸。履險時復憩，始與前山通。竇坎覆清泉，神物潛其中。林谷爲森爽，烟霧爲冥濛。時乘雲物去，靈雨下晴空。既雨即湫處，年穀亦以豐。明祀大小青，盧師與無窮。古廉集

【原】郭武雨中宿清涼寺詩　遠來禪境宿，深在濕雲層。路險無人跡，堂空有佛燈。共聽青嶂雨，對坐白頭僧。話久何曾睡，聞鐘客又興。郭氏聯珠集

【原】李濂盧師山詩　盧師山上古龍潭，大青小青秋霧含。坐久陰雲生洞口，忽看微雨過湖南。嵩渚集

【原】蔣山卿清涼寺龍潭詩　潭水清如許，龍藏深未知。珠明護燈夜，雲暗聽經時。法雨空中潤，塵灰劫後移。還將馴擾力，指鉢問吾師。南泠集

【原】無名氏題清涼寺壁詩　山僧汲空潭，驚起二龍子。百里雲冥濛，三日雨不止。長安可遊記

【原】謝榛夾山寺詩　黎河路轉入烟霞，爲訪蓮峰衲子家。萬古山靈開白馬，三秋石窟閉青蛇。曇雲不作空中雨，祇樹還生象外花。欲共虚堂留此夜，燈前仍復演三車。四溟山人集

〔朱彝尊原按〕徐伯昌所録暨四溟山人詩俱有大小青，而一曰萬壽寺，一曰夾山寺，姑附於此，以俟再考。

【原】秘魔崖在山半，大石嵌空，幾二丈。僧垣其西南爲禪室，又南别爲爨室。從爨室西二十餘步始入巖。出東西百餘步，有大石側立，道左右爲池，蓋大小青龍所蟄處。視之不甚深，然側入不可窮。池前有雙柏。上有小殿，順天尹李侯執中創以祀神者。又東度山崦二百步，入清涼寺西門。王文端集

〔臣等謹按〕秘魔崖之小殿今已廢，惟崖洞内右洞有盧師像，旁侍二童子，即大小青

也。左洞有真武像。

〔原〕證果寺前臨青龍潭，後有秘魔崖，中空如室，石如偃芝，云是秘魔祖師所居。長安客話

〔原〕郭武游秘魔崖詩　清磬烟蘿出，禪房絶頂關。路危青嶂仄，潭暝白雲還。金鉢龍雙隱，蒼崖柏獨閒。渾河流杖下，今隔幾重山？郭氏聯珠集

〔原〕朱國祚秘魔崖詩　秘魔崖仄薜文斑，千載盧師去不還。遺有澄潭二龍子，日斜歸處雨連山。介石齋集

〔臣等謹按〕證果寺唐爲感應寺，明景泰間曰鎮海，天順間改名證果。明碑三：一在秘魔崖洞口，僧南浦撰，景泰五年立；其一在寺内後殿，皆明禮部尚書姚夔撰，成化五年立。寺門東有池，深不盈丈，廣約六尺餘。池西南隅有吐水龍口，即舊所稱青龍潭也，今涸。

〔增〕明僧南浦重修鎮海禪寺記　都城一舍許曰西山尸陀林秘魔崖。有僧名盧，不知何許人，自江南造一舟，不設篙櫓，任所之，曰：舟止吾止也。至盧溝橋桑乾河分兩岔處，一岔通尸陀林，舟至於林畔，見石室，曰：吾居是矣。居無何，有二童子拜前。師問何来，何姓氏。童子曰：吾龍王子也，聞師居是，来執薪水之勞。盧納之，祝髮爲沙彌，日以爨薪奉盧師饌供，雖寒暑無怠。時旱，三年不雨，樹枯井竭，民甚憂之。沙彌往京，見黄榜曰：國有人祈下甘雨，重以爵賞。沙彌揭榜而歸。時看榜官徐来曰：能限雨期？沙彌曰：三日内甘雨霈施。言訖委身龍潭，須臾化二青神龍，一大一小，出没顯現。本官具實奏聞。至期，甘雨果作，田疇俱滿，枯者榮，憂者喜，百官稱頌。皇情大悦，遣大臣降香，御駕往顧。未及，盧先知，示現觀音儀像，身掛天衣瓔珞，奇祥異瑞，萬衆仰觀，喜動龍顔，賜盧師號曰感應禪師。建殿宇以崇佛像，另啓祠室，春秋遣官以禮祭之，額以寺而勒碑記之。時泰定二十六年。至大元年，重建殿宇，改賜今額。元季，寺燬於兵。洪武庚辰，有福海師於斯修習，至永樂中，德行著聞。太宗文皇帝嘗遣近臣顧問。迨洪熙改元，仁宗昭皇帝旨至，問二青龍王始末，師面説無滯。賜牒改名慧宗，別號無相。宣德丁未，勑建大圓通禪寺殿宇，二青龍現奇異象，禱之有感。於是勑封輔國廣澤善行真功宣德濟民大青龍王，佑國溥澤積行崇功施德利民小青龍王，重建祠宇，仍遣官祭之。師居是四十餘年，行解圓融，卓稱當時。正統戊午，重修佛殿僧房。甲寅，予以菲德，宣宗章皇帝驛召来京，俾掌僧録司事，主大圓通之席，往来見而可之。薦領教府，檄住持鎮海，顧寺之振乃自茲始，規制之盛視昔有加。其徒廣賢亦皆苦心苦行之士也。一日，具事實，詣飛虹官舍跪拜

屬文。浦惟吾佛之道，廣大圓融，悲願所孚神化莫測。無相師者願力人也，有慧學辨才，而後来紹嗣者亦豈無大力量人應願出生以綿越於無窮也哉？是爲記。景泰五年甲戌孟秋之吉，僧録司右善世兼勑建大圓通禪寺開山第一代住持并廣善戒壇圓授宗師七十一翁如幻老人南浦識。鎮海禪寺第二代住持廣賢立石。

增明姚夔證果寺重建碑略　去都城一舍許，曰西山。層巒疊嶂，盤礴蜿蜒於翠霧蒼烟中，實爲京師右觀。中有尸陀林，昔爲盧師卓錫之所。師嘗度龍子爲沙彌。天寶間，旱甚，二沙彌入潭，化大小青龍，霈甘雨以濟羣生。人德之，遂立祠於此。既而師示現異象。賜號感應禪師，因名其寺曰感應。景泰間，更名曰鎮海。洪武間，有海福師主會。洪熙改元，賜名慧宗，號無相。宣德間，祈雨有感，封二青龍爲王。正統間有金繒之賜。於時鎮海爲蘭若之首，蓋以二龍無相之有以感召之也。天順改元，賜名證果禪寺，命僧廣賢住持。予爲次第其寺之興建始終，刻諸石以詔来者。

補平坡寺下山有靈光寺。緱山集

〔臣等謹按〕靈光寺明碑三：一爲明憲宗御製重修碑，成化十五年立；一爲明世宗御製重修碑；一無撰人姓名，皆嘉靖十年立。

〔又按〕據明成化間碑，靈光寺，金世宗大定二年賜名覺山，則此寺卽覺山寺舊址，而寺後之山卽爲覺山無疑。今以朱彝尊原書覺山二條編次於後。

原覺山在府西三十里懸崖之上，與盧師、平坡鼎峙。西有三泉，曰清泠、曰清旨、曰洊至。明一統志

〔臣等謹按〕覺山寺西今尚有泉流數處，殆卽明一統志所謂三泉者也。

補王惲題覺山寺詩　山因寺勝寺因山，雲自無心景自閒。懶陟上方窮遠目，黃塵深處是人間。秋澗集

原覺山，漢左馮翊韓延壽墓在焉。五華、雙泉、翠峯、仰山諸峰環之如屏。燕都游覽志

〔臣等謹按〕韓延壽墓今尚存。五華山詳見前卷。雙泉、翠峯、仰山皆詳見後卷。

增 明憲宗御製重修靈光寺碑略　都城西三十里許舊有寺曰龍泉，金世宗大定二年改曰覺山，至宣德三年重修，舊額不易。朕統承大業十有六載，凡一切神祠及孔子廟庭罔不一新，唯兹覺山佛刹，實我皇祖所修，歲久蠹撓，傾廢不治。朕心弗安。肆成化十四年秋九月間，命官度材，宏廣舊規，一木一石之費咸出官帑，不煩於民。兹既告成，足爲壯觀，特更其額曰靈光。

增 靈光寺右有翠微寺。五城寺院册

〔臣等謹按〕翠微寺無碑碣可考。寺後有塔，十層八稜，俗稱畫像千佛塔。繞塔基有鐵燈龕十六座。塔西有井泉，深廣約五尺餘。

原 廖希顔翠微寺詩　翠微西接古神州，石磴雲盤閣道幽。白日烟霞林谷迥，長風鶴鸛海天浮。僧歸黄葉峯前寺，水向青龍口下流。只道長安天尺五，誰云此地減瀛洲。東雩集

增 翠微山東北有宏德寺、何家庵、三山庵。五城寺院册

〔臣等謹按〕翠微山詳見前卷。宏德寺鑪一，明正統七年造。何家庵鐘一，明萬曆丁酉年造。三山庵俗稱麻家庵，在大悲寺之下，今上乾隆年間修葺。

補 過承恩寺里許，有海藏寺，徑旁多嘉樹，四山騈羅，寺若當玦口。殿方丈最高，望盧溝橋車騎可數。下寺門過橋，澗道三分：一通寺，一通山後，一通上普濟寺。山行雜紀

〔臣等謹按〕承恩寺明碑二：一爲勅諭碑，正德八年立；一吏部尚書李東陽撰記，正德十年立。海藏寺今無考。普濟寺詳見前卷。

增 李東陽承恩寺記略　都城之西山，自太行迤邐而来，二千餘里，迄於古碣石之地，以入於海。屏障嚴固，巖巒起伏，奇蹤巨麗，甲於天下。釋刹道觀，往往各得其勝。乃於金山之西、香山之南，有山名曰翠微，有新刹一區，額

曰承恩。其地崇岡後峙，高塔前聳，長河抱其陽，平疇衍其周。論堪輿者以爲風氣攸结，覽形勝者以爲景物所會。而溷於氓居，踐於樵蘇，閟而不發者久矣。爰伐材於林，鑿石於山，傭夫於農隙，選工於善事，衆手交作，布地除壤，高庳稱位，三閱炎燠，甫以告成。予兹雖退老邱壑，未能扶衰力憊，携笻躡屐，一往觀焉。兹山少所經歷，游不啻數十，至翠微之勝亦知之熟矣，故爲之記。兹寺經始於正德五年庚午之春，落成於八年癸酉之秋，額名實上所賜，且命僧宗永爲僧録司左覺義，兼本寺住持。

增承恩寺南有法海寺。五城寺院册

〔臣等謹按〕法海寺明碑三：一吏部尚書泰和王直撰；一禮部尚書胡濙撰，皆正統八年立。一爲重修記，禮部右侍郎廣陽劉機撰，正德十年立。佛幢二。左幢刻佛頂尊勝陀羅尼呪序，略云：明金臺大夫李福善洎衆信官等同發誠心，於正統四年夾鍾閏月下弦良日，鳩資創建法海禪寺，命工鐫立佛頂尊勝陀羅尼幢一座，上載尊勝真言，塔一座，正統四年立。右幢刻佛號及三寶施食文序，略云：三寶弟子大夫李福善洎衆信官等同發誠心命工鐫立三寶施食幢一座，正統六年立。

增劉機重修法海禪寺記畧　都城之西，餘四十里，有山名翠微，左岡右泉，曲迴旁峙，雲烟飛動，如護如翼，山之陽土脈豐腴，草木叢茂。正統己未間，創梵宇於上，英廟錫名法海。今經六十九寒暑矣。榱桷攲傾，門徑蕭索，齋魚不聞，經函塵合。時朝廷方遍訪名刹，凡古井圮橋危堤墊路，發内帑修治。自弘治甲子至正德丙寅，始克告成。西有古寺，名水峪龍泉者，上漏下濕，不勝寂寥，餘工及之，亦皆焕然。

增法海寺西南有慈雲庵、慈祥庵，高井村北有翠雲庵、淨德寺。五城寺院册

〔臣等謹按〕慈雲庵鐘一，明成化十一年造。慈祥庵係明刹，本朝重修。碑一，邱致中撰，順治九年立。翠雲庵磬一，明萬曆十三年造。淨德寺明碑二：一朝列大夫三

山邵文恩撰，嘉靖己丑年立；一嘉議大夫昌黎王槐撰，萬曆丁丑年立。

【增】邵文恩重修淨德寺碑略　都城之西，距六十里，順天府宛平縣治，其鄉曰玉河。斯境者，山環水迴，地輿秀衍，多爲古昔名藍所據。正統改元，建立隆恩寺，仍於寺之東南二里許再構寺一所，賜名淨德。嘉靖戊子春，共圖鼎建。工始於是年春三月，成於明年己丑秋九月。山場四至：東依白水峪，南經五里坨，西接小孤山，北抵隆恩寺。

【補】元李魏公孟、歐陽楚公原功俱葬宛平縣香山鄉石井村。黃圖雜志

〔臣等謹按〕李孟、歐陽原功墓俱無考。

【原】雙泉山在府西四十里，山有二泉，故名。東北二里許有黑龍灣。明一統志

〔臣等謹按〕雙泉山舊有雙泉寺，明成化間改名香盤寺。寺内明碑一，無撰人姓名，嘉靖元年立。雙泉在今寺右，左側塔一，高約七丈餘。距寺數百武爲雙泉橋。明翰林院修撰雲間錢福撰記，弘治七年立。黑龍灣在黑石頭村西二里，以石色黑故名。

【增】明人香盤禪寺碑略　都城西四十餘里有寺名雙泉，有山名翠微。泉山幽勝，甲於他山。金章宗明昌五年，詣其寺潛暑。寺有雙泉，因而得名。即建祈福寶塔於寺北。至明成化五年十月，賜名香盤禪林。宣德二年十二月，奉旨與大能仁寺宏善妙智國師爲下院。嘉靖元年，葺而新之。

【原】罕山，志稱韓家山，漢循吏韓延壽冢焉。罕、韓，音譌也。俗呼黑山滙，黑、罕，音又譌也。山黃壤一平岡耳。山陽二寺，曰靈福、曰延壽者，太監剛鐵墓前寺也。鐵從長陵靖難，把百斤鐵槍，好先登陷陣，槍今存寺中。鐵本名炳，長陵每呼以鐵，遂名剛鐵。墓無石表，無翁仲，惟石墩六。僧云長陵賜鐵坐凡六，故六墩也。一碑，無文字，

惟皇明司禮監太監剛炳之墓十一字。鐵後凡掌司禮者祀寺左堂。韓延壽墓在山之南，磚甃，阜高以丈，非漢磚也。志云有故碑剥落，今碑復不存。帝京景物略

原景泰七年十月，以故太監李德所建靈福寺并園地賜錦衣衛百户李安爲香火院。明景帝實録

〔臣等謹按〕黑山滙今並無靈福、延壽二寺名，惟三義廟亦稱護國寺。内明碑五：一無撰人姓名，嘉靖辛亥立；一吏部尚書楊溥撰，萬曆元年立；一翰林院侍讀馮有金撰，萬曆三十五年立；一禮部尚書王家屏撰；一禮部尚書徐階撰，皆無年月。剛鐵槍今尚存木桿云。

原垣牆山一名萬安山，在薊縣西五十里。山有鐵鼎，其下有舊置冶處。太平寰宇記

〔臣等謹按〕垣牆山鐵鼎今無考。

原翠峯山在府西五十里，又名遮風嶺，以山陰有嶺，横列如屏，可以障風，故名。明一統志

〔朱彝尊原按〕一統志所云遮風嶺，相其形勢，度其道里，當即寰宇記之垣牆山。

原桃花峪在府西四十里，介乎翠峯遮風間，中多花卉。明一統志

原自南山磨石口登海會寺，寺當山缺，遠見盧溝橋在數十里外，橋柱歷歷可數。長安可游記

〔臣等謹按〕海會寺今無考。

原從磨石口西過隆恩寺。寺金大定四年秦越公主建，名昊蒼寺。正統四年太監王振修

之，改今名。帝京景物略

〔臣等謹按〕隆恩寺石牌坊額曰鹿苑叢林。金大定年間碑一，明正統年間碑三，字畫皆漫漶不可辨。

原 隆恩寺一檜一松絶奇古。殿後大士云是唐遺像。又有修竹百竿，一亭據之，繞以流觴曲水。長安可游記

〔臣等謹按〕隆恩寺内大士像今無存。流觴曲水亭及檜松修竹皆無可考。

原 隆恩寺在海會寺南，金大定中秦越公主創。殿中供器皆大内舊銅物也。後有滲金佛三、大士一，云是唐時所造。又有一軒，蠟梅一株甚大，江南亦不多得。燕都遊覽志

〔臣等謹按〕金大定時供器今皆無考，蠟梅樹亦無存。

原 分水嶺在府西四十五里，山澗諸水至此分而爲二：一入盧溝河，一入房山縣界。燕都遊覽志

原 石徑山孤峰特立，洞皆鑿石而成。最上爲金閣寺，有塔，宜遠眺。東南行至林衡署，有古松數百株，參錯平野間。其地蓋先朝果園也。燕山紀游

〔臣等謹按〕金閣寺今無其名，惟玉皇殿及迴香殿明碑各一，皆許用賓撰，勒萬曆、天啓年月。山有石經臺、普觀洞、普安洞、還源洞、孔雀洞諸勝。孔雀洞左右門上截

題識曰佛本行集經卷第三十一，幽州盧龍兩節度使劉相公敬造，元和十四年四月八日建；下截刊佛經語。其地當石經臺之陰，殆即藏經處也。山巔有塔。塔下南北爲城關，南門額曰舍利寶塔。高約四丈餘，四正作方屋如閣，四隅作圓屋如亭，内皆塑護塔神像，蓋即金閣寺塔。林衡署今無考，惟松株間有存者。

原正德十二年五月，上微行至石徑山，經玉泉亭數日乃還。石徑山寺，朱寧所營建也，窮極壯麗，乃邀上幸焉。明武宗實録

〔臣等謹按〕玉泉亭今無考。

原萬曆中，董常侍建元君廟，棲羽士，而石景山以著。山上金閣寺，可遠眺望。萬曆戊子九月十六日，駕還自壽宮，駐蹕功德寺。明日幸石景山觀渾河。上先登板橋，諸臣翼而趨。中流顧問輔臣：水從何來？申時行對曰：從大漠經居庸，下天津，則朝宗於海矣。上曰：視此水則黄河可知。因勅河臣亟修堤岸。帝京景物略

補正德中，錢寧建碧霞元君廟於石徑山，窮極壯麗。都人歲以元日往祠，至四月士女又羣集。世宗踐阼之初，遣給事中御史主事三員往毁之。嘉靖元年二月，礱石於廟址之南，於是建寧李默爲文以志毁廟本末。曾幾何時，而中官董某復建焉。可謂無忌憚者矣。戴斗夜談

增許用賓重建石景山玉皇殿碑略　京西四十里許山曰石經，又云濕經，亦名石景，燕都第一仙山也。自唐武德中建玉皇殿，歲久傾圮，萬曆甲寅歲修葺，乙卯歲告成，故勒石以垂不朽云。

補大定二十六年三月，尚書省言：孟家山金口閘下視都城百四十餘尺，恐暴水爲害，請閉之。從之。金史世宗紀

〔臣等謹按〕金口閘在石景山迤東。

原至元二年，都水少監郭公言：金時自燕京之西麻峪村分引盧溝一支，東流穿西山而

出，是謂金口。其水自金口以東，燕京以北，溉田若干頃。兵興以來，以大石塞之。今若按視故迹，使水通流，上可以致西山之利，下可以廣京畿之漕。又言：當於金口西預開減水口，西南還大河，令其深廣，以防漲水突入之患。上納其議。元名臣事略

原至元三年，鑿金口，導盧溝水以漕西山木石。元史世祖紀

原大德六年四月，修盧溝上流石徑山河堤。元史

原至正二年正月，中書參議博囉特穆爾、都水傅佐建言：起自通州南高麗莊，直至西山石峽鐵板開水古金口一百二十餘里，創開新河一道，深五丈，廣二十丈，放西山金口水東流至高麗莊，合御河，接引海運，至大都城內輸納。是時托克托爲中書右丞相，以其言奏而行之。廷臣多言其不可，而左丞許有壬言尤力。托克托排羣議不納，務於必行。有壬因條陳其利害，略曰：大德二年，渾河水發爲民害，大都路都水監將金口下閉閘板。五年間渾河水勢浩大，郭太史恐衝没田薛二郵、南北二城，又將金口已上河身用砂石雜土盡行堵閉。至順元年，因行都水監郭道壽言金口引水過京城至通州其利無窮。工部官并河道提舉司、大都路及合屬官員耆老等相視，議擬水由二城中間窒礙。又盧溝河自橋至合流處，自來未嘗有漁舟上下，此乃不可行船之明驗也。且通州去京城四十里，盧溝止二十里，此時若可行船，當時何不於盧溝立馬頭，百事近便，却於四十里外通州爲

之？又西山水勢高峻，前金時在都城之北流入郊野，縱有衝決，爲害亦輕。今則在都城西南，與昔不同。此水性本湍急，若加以夏秋霖潦漲溢，則不敢必其無虞。宗廟社稷之所在，豈容僥倖於萬一？若一時成功，亦不能保其永無衝決之患。且前金時此河未必通行，今所有河道遺迹，安知非作而復輟之地乎？又地形高下不同，若不作閘，必致走水淺澁，若作閘以節之，則沙泥渾濁必致淤塞。每年每月專人挑洗，蓋無窮盡之時也。且郭太史初作通惠河時何不用此水，而遠取白浮之水引入都城以供閘壩之用？蓋白浮之水澄清，而此水渾濁不可用也。丞相不從，遂以正月興工，至四月功畢，起閘放金口水，流湍勢急，沙泥壅塞，船不可行。而開挑之際，毁民廬舍墳塋，夫丁死傷甚衆，又費用不貲，卒以無繼，而御史糾劾建言者。博囉特穆爾、傅佐俱伏誅。元史河渠志

增 石景山西南有勅建北惠濟廟。五城寺院册

〔臣等謹按〕永定河自石景山以下始築堤防，爲上游修濬要地。雍正七年，世宗憲皇帝命建廟以答神庥。賜名北惠濟廟者，以盧溝橋惠濟廟地當斯廟之南也。殿内恭懸世宗御書額曰安流澤潤。殿前額曰畿輔安瀾。門内碑亭額曰謨肇恬波。皆皇上御書。碑亭二：一在廟門内，恭刊雍正十年世宗御製碑文，碑陰恭勒乾隆癸酉甲申皇上御製詩二章；一在真武殿後，兩面恭勒乾隆庚午乙亥御製詩各一章。

增世宗御製永定河神廟告成祭文　朕注心河務，禮敬神明，遠籌捍禦之宜，備舉尊崇之典。惟永定河源從山右，古號桑乾。經馬邑以奔趨，湍波易激；歷畿南而漫衍，暴漲難馴。顯佑於皇考之時，肇祀於盧溝之北。既隆封典，爰錫嘉名。靈貺孔昭，鴻庥協應。朕思石景，實處上游。宜建廟以安神，命河臣而度地。岡巒擁衛，控金堤而制洪流；棟宇輝煌，駐雲旗而迴巨浪。肅將祀事，祗告落成。惟神鑒歆，永垂庇佑。安瀾奏績，俾盧井之恬熙；潤下成能，享春秋之祈報。謹告。

增世宗御製北惠濟廟碑文　永定河古所稱桑乾河，出太原，經馬邑，合雁雲諸水，奔注畿南。發源既高，滙流甚衆。厥性激湍，數徙善潰。康熙三十七年，我皇考聖祖仁皇帝親臨指授疏導之方。新河既瀦，遂慶安瀾，爰錫嘉名，永昭底定。立廟盧溝橋北，題額建碑，奎文炳燿。河神之封，實自此始。朕纘紹鴻基，加意河務，設官發帑，深籌疏築之宜。比年以來，永定河安流順軌，無衝蕩之虞。民居樂業，歲獲有秋。豈惟人事之克修，實賴神功之贊佑。念石景山據河上游，捍禦宜亟。爰命相擇善地，作新廟以妥神。朕弟和碩怡賢親王躬往營度，得地龐村之西，鼎建斯廟，長河西繞而南縈，峯嶺北紆而左鶩。控制形勝，負山臨流。殿宇崇嚴，規制宏敞。護以佛閣，界以繚垣。經始於雍正七年冬，逾一年役竣。復以盧溝神廟，皇考聖蹟所在，加意崇飾，丹雘維新。並增建傑閣，翼如焕如，稱朕敬神惠民之意。爰賜廟名曰惠濟，勒文貞珉，以紀其事。詩稱懷柔百神，及河喬嶽，河之有神，備載祀典。況永定爲畿輔之名川，靈應夙著，田疇廬舍，繡錯郊圻。其得安耕鑿而樂盈寧者，胥仰荷皇考方略之昭垂，而明神顯靈，默相孚佑，蒸黎邀福孔多，宜加崇敬。今茲數十里内廟貌相望，虔修秩祀，尚其妥侑歆饗，俾斯民康阜乂安，以弘我國家無疆之慶。豈惟朕承茲惠貺，我皇考平成之駿烈，實嘉賴焉。

增乾隆十五年御製閱永定河堤因示直隸總督方觀承詩　水由地中行，行其所無事。要以禹爲師，禹貢無堤字。後世乃反諸，衹惟堤是貴，無堤免衝決，有堤勞防備。若禹豈不易，今古實異勢。上古田廬稀，不與水爭利。今則尺寸爭，安得如許地？爲堤已末策，中又有等次。上者禦其漲，歸漕則不治。下者卑加高，堤高河亦至。譬之築寬牆，於上置溝渠。叶行險以儌幸，幾何其不潰。胡不籌疏濬，功半費不貲。叶因之日遷延，愈久愈難試。兩日閲永定，大率病在是。叶無已相咨詢，爲補偏救弊。下口略更移，取其趨下易。培厚或可爲，加高汝切忌。多爲減水壩，亦可殺漲異。取土於河心，即寓疏淤義。向來河臣治堤，率以加高培厚爲請。朕以培厚尚可，加高則堤高而河亦日與俱高，非長策也。其培堤取土，類取之堤外。朕謂就近取堤外之土以益堤，堤雖增而地愈下。宜取河中淤出新土用之，則培堤即寓濬淤之義，似爲兩用。河中有居民，究非久長計。相安姑弗論，宜禁新添寄。河中淤地，窮民輒就播種，搆草舍以居，水至則避去，雖不爲害，而築牆疊壩，未免有填河之患。祇以遷徙非民所願，不得已姑聽之，而禁其後勿附益增廓云。條理爾其蕆，大端吾略示。桑乾豈巨流，束手煩計議。隱隱聞南河，與此無二致。未臨先懷憂，永言識吾意。

〔臣等謹按〕永定河自石景山以下，土脈疏衍，其濬治之道不能不因時制宜。皇上御極以來，頻臨閱視，所以指示臣工昭垂軌範者，悉臻盡善。今廟内恭勒節年御製詩篇，具悉原委。謹備録卷内，俾凡有河務之責者咸知所禀承焉。

增乾隆十八年御製石景山初禮惠濟祠詩　崇祠依石堰，像設謁金堂。雲壁瞻初度，曦輪屆小陽。河防慎有自，（永定河自此地始有修汛，以上乃萬山束流，無事堤防也。）神佑賴無疆。疏鑿非經禹，惟廑永定方。

增乾隆二十年御製閱永定河詩　永定本無定，竹箭激濁湍。長源來塞外，兩山束其間。挾沙下且駛，不致爲災患。一過盧溝橋，平衍漸就寬。散漫任所流，停沙每成山。其流復他徙，自古稱桑乾。所以疏剔方，不見紀冬官。一水麥雖成，（諺云一水一麥之地。）亦時災大田。因之創築堤，（永定築堤始自康熙三十二年。）聖人哀民艱。行水屬之淀，蕩漾歸清川。其初非不佳，無奈歷多年。河底日以高，堤牆日以穿。無已改下流，至今凡三遷。（永定下流入淀，挾沙易淤，故下口數徙。康熙年間由柳汊口，雍正年間由三角淀，近年改由冰窖，今復漸淤。）前歲所遷口，復歎門限然。大吏請予視，蒿目徒憂煎。我無禹之能，況禹未治旃。詎云其可再，不過爲補偏。下口依汝移，（總督方觀承建議移下口於北堤之東。）目下庶且延。復古事更張，尋思有所難。

增乾隆二十一年御製石景山禮惠濟祠疊癸酉舊作韻　寺碑建雍正，皇考闢神堂。清晏資垂佑，實枚伷向陽。不忝秩宗祀，恒奠冀州疆。蒿目一勞計，難言永逸方。

原 滴水巖在萬山中。出磨石口至三家村，渾河倒映，崖壁峭絶，皆作丹黄青碧色。河流其下，逕紆其上，度十餘里入軍莊，一峰側出，而腹藏洞者，爲建陽洞。捨河行棗園，越仰山嶺，亂山擁塞，幾不得路。循山趾行，夾壁中有村臨谷口，爲桃源村。村前孤峰矗立，中有洞，昔人避兵處也。復沿澗過仰山村，山多梨樹，秋深紅葉如燒。折而西上黄牛岡口，逕愈仄，壁愈狹，峰愈變，轉十八疊，有垣而堊屋而丹，是謂滴水巖矣。懸崖千仞，巖洞皆削成無縫。泉布石面，大珠小珠，遊移如屋漏然。旁有穴，燃炬以入，廣可三十餘丈，洞中石乳爲蓮花垂、爲象鼻。右一石牀，幕以石，龍見其上。中石坳開其竇，側身螺旋而下，水光所射幾滅炬，再入則潭深莫測矣。從巖側取逕而上，杖履鏗然。山石骨而中虚，俯巖背，視巖猶谷底。二十里至北頂，連岡伏嶺，勢反平坦，可望居庸諸塞。歸從仰山寺，金大定中棲隱寺也。燕山紀遊

〔臣等謹按〕仰山棲隱寺今僅存明碑一，翰林院學士永新劉定之撰，天順三年立。據劉碑，山有五峰八亭，今八亭内惟龍王亭改爲龍王廟，餘址不可考矣。

原 三家村盡，出渾河崖，八里過軍莊，外臨陡崖，内倚絶壁，以兩手捫石而度。抵棗園，背河入山，度仰嶺十八盤，有村名桃源，過此皆流泉峭壁，遍開野菊金鈴，聚花如

織組。澄潭紫石，了了見底。左右度澗行至陳莊，鳴泉出户下，兩旁高峰挾之，雞犬石門，真一洞壑。又背泉入山，路僅一綫。上黄牛岡口益險隘。自此而登，左萬丈溪，右千仞壁，徑斷處架以棧，過張公洞卽滴水巖矣。（長安可游記）

原　大定二十年正月，勅建仰山棲隱禪寺，命元冥顗公開山，賜田設會，度僧萬人。（續文獻通考）

原　仰山峯巒拱秀，中頂如蓮花心，旁有五峯，曰獨秀、翠微、紫蓋、妙高、紫微。中多禪刹。以在西山外更西四十餘里，故人迹罕到。金章宗嘗遊焉，有詩曰：金色界中兜率景，碧蓮花裏梵王宫。鶴驚清露三更月，虎嘯疏林萬壑風。今石刻尚存。（長安客話）

〔臣等謹按〕蔣一葵長安客話所稱仰山五峯，與劉定之碑所載互異，未詳孰是。金章宗詩刻今無存。

原　仰嶠叢林爲燕京之最，泰和中主事僧泰請萬松老人住持，上許之。萬松忻然奉詔，其後章廟秋獮於山。主事輩白師：故事車駕巡幸，本寺必進珍玩，不爾則有司必有詰問。師曰：富有四海，貴爲一人，豈需吾曹珍貨哉？手録偈一章，有成湯狩野恢天網，吕尚漁磯浸月鈎之句，詣行宫進之，大蒙稱賞。翼日章廟入山行香，屢垂顧問，仍御書詩一章遺之。車駕還宫，遣使賜錢二百萬，使者傳勅，命師跪聽。師曰：出家兒安有此例？

竟焚香立聽詔旨。澹然居士集

原下黄牛岡口，取仰山道轉一岡，爲南莊，復歷峻坂，土中有三斷石，讀之乃知爲大興府西連山棲隱寺，金大定初建。有五峯八亭，章宗屢游之，嘗題詩刻石，今亡矣。惟二碾藥鐵輪尚存。又有學士劉定之記。絶頂曰蓮花峯，有舍利塔，右一峯爲筆架峯。八亭惟列宿招涼可記，餘俱未雅馴。長安可遊記

〔臣等謹按〕棲隱寺碾藥鐵輪二，今尚存，外又有鐵池一。

增趙孟頫仰山棲隱寺滿禪師道行碑記略 師名行滿，字萬山，俗姓曾氏。其先出東魯曾子後，祖仕江右，遂爲太和人。至元庚辰至仰山，有會心處，遂留薙髮，禮澤庵爲師，更今名。又參學四方，雲門臨濟，皆得其髓。大德癸卯，仰山學者請師歸舊隱，聲聞大振。梵僧宣政使沙克嘉實哩、功德司大使年札克策喇實相慕爲道友。武宗在北邊，下令施鈔萬貫，造文殊菩薩像，思幸其寺，施金百兩，銀五百兩，鈔六萬貫，賜號佛慧鏡智普照大禪師。勅尚方造織成金龍錦緣僧伽大衣，窮工極巧，經歲乃成。命有司作尊勝塔於東嶺，及建明遠、觀光二亭以備臨幸。蓋棲隱寺始建於遼，至師爲二十六代云。銘曰：峨峨仰山，如青蓮華。中有寶坊，古佛之家。天王衞門，地神扶棟。參差珠閣，葳蕤金鳳。鬱鬱青松，羅蒼玉林。清風過之，振海潮音。住此山中，有大禪老。宴處寂静，萬緣皆了。師以佛心，爲國回嚮。徧恒河沙，功德無量。松雪齋集 按：沙克嘉，梵語姓也，實哩義見前，原作相迦失里。年，唐古特語妙也。扎克，名譽也。策，壽也。喇實，吉祥也。原作輦真吃刺思。今並譯改。

〔臣等謹按〕仰山東嶺尊勝塔今尚存，明遠、觀光二亭已廢，趙孟頫碑亦久無存。

增劉定之重修仰山棲隱寺碑記 京師之西，連山蒼翠，蟠亘霄漢，所謂西山是也。仰山乃其支壟，而蜿蜒起伏，特爲雄勝。所止之處，外固中寬。棲隱寺據之，創始於金時。金之諸主，屢嘗臨幸。有章宗所題詩在焉。固以宗奉其教之故，亦愛其景而然也。今其遺跡猶可指數者，五峯八亭，北曰級級峯，言高峻也。有佛舍利塔在其絶頂。西曰錦繡峯，言艷麗也。錦繡峯之外有水自西折而南，又折而東，水外正南爲筆架峯，自寺望之，屹然三尖，與寺門對出乎層青疊碧之表。寺東曰獨秀峯，西曰蓮花峯，是謂五峯。金主之幸寺也，羣臣從之。於寺東山口有接官亭，又至於寺東有回香亭，又至於寺門，雙亭對峙，東爲洗面亭，西爲具服亭，蓋將由此以入謁於佛也。寺之正北有列宿

亭，列宿之東北有龍王亭，亭下水一泓，清而甘，南流入於方井。龍王之東北有梨園亭，寺之西北有招涼亭。招涼、梨園皆最上，在級級峯左右，是謂八亭，皆金主所嘗至也。環寺之地若干里，章宗以定四至：東則羊頭石，南則豆平石，西則鐵嶺道，北則塔地庵。刻之於碣，以爲寺永業，民不得與焉。浴有堂，葬有塔，列近於寺。山林有收，田園有熟，悉入於常住。歷年既久，寺宇因而廢毀，惟址尚存。自大金至我朝永樂之初年，有西域吉祥上師知棲隱勝境，惜其廢毀，基存，意將鼎建。時年九旬有二，遽然圓寂。其徒智廣禪師齠年從學，已得旨趣，有志峥嶸，不負師願。宣德間，禪師以道明德播，遂承欽依，重開仰山，爲第一代住持。是果了師願力。自正統丁卯至天順戊寅秋，鼎建殿宇，莊嚴金象，廊廡階級，梵器僧舍，雲廚碑石，悉已完美，煥然輝耀。請予文以彰重修之由，用垂悠久。

原 北京仰山寺有姚少師畫像。自贊其上云：這箇秃厮，忒無仁聞。名垂千古，不值半文。郊亭詩話

〔臣等謹按〕仰山寺姚廣孝畫像今無存。

原 吴寬仰山寺觀姚少師像詩 城裏僧廬揭仰山，姚公於此昔投閒。顧瞻圖畫長廊外，拂拭塵埃破壁間。困虎封侯頭可相，真龍識主手親攀。朱衣玉帶宮師貴，最愛跏趺静掩關。匏翁家藏集

原 從滴水巖而上大雲寺，山最高，是西山萬峯之嶺也。燕山紀遊

〔臣等謹按〕大雲寺今無考。

欽定日下舊聞考卷一百五

郊坰 西十五

原盧溝橋西北三十里爲灰廠。出灰廠入山，兩壁夾徑，行百折，徑盡始見山門。有高閣在山中央，可望渾河，蓋山麓至中板橋僅十餘里爾。閣後有軒，庋巖上。折而右，即戒壇。壇在殿内，甃石爲之，中有高座，爲每年説戒之地。周圍皆列戒神。四月八日，游僧畢集聽戒。壇創自隋唐間，國朝重建，遼金時所植松具在。長安客話

〔臣等謹按〕盧溝橋詳見郊坰西卷二。戒壇在馬鞍山萬壽寺内。寺在唐曰慧聚，遼咸雍間僧法均始闢戒壇，明正統間改寺名萬壽。寺内大殿恭懸聖祖仁皇帝御書額曰般若無照。聯曰：禪心似鏡留明月；松韻如篁振午風。皇上御書額曰蓮界香林。千佛閣御書額曰智光普照。聯曰：金粟顯神光，人天資福；瑠璃開淨域，色相憑參。戒壇上聖祖御書額曰清戒。皇上御書額曰樹精進幢。聯曰：偏灑醍醐成雨露；長留華藏閟山林。山門内恭立聖祖御製萬壽寺戒壇碑記，佛殿前恭立皇上御製詩碑，千佛

閣前恭立御題活動松詩碑。壇前遼碑一，乾文閣直學士王鼎撰，大安七年立。金碑一，開府儀同三司致仕韓昉撰，天德四年立。又已泐遼碑一，起復知樞密院直學士虞仲文撰，建福元年立。已泐金碑一，翰林直學士施宜生撰，貞元三年立。此二碑今寺僧猶傳其文，而訛脱頗多。明碑一，中順大夫毘陵胡濙撰，成化九年立。寺內明碑三：一無撰人姓名，正統七年立；一爲成化五年勅諭碑；一爲翰林侍讀東里高拱撰，嘉靖三十五年立。戒壇之前爲明王殿。殿門右石幢二，刻尊勝陀羅尼呪并序。右幢題識云：太康三年，歲次丁巳，奉爲故壇主崇禄大夫守司空傳菩薩戒大師特建法幢門人傳戒大師講經律論賜紫沙門裕經等立。左幢題識云：受戒弟子范陽王鼎撰文，太康元年歲在乙卯建。階下塔二：右塔爲普賢衣鉢塔；左塔石刻云遼故崇禄大夫守司空傳菩薩戒壇主普賢大師之靈塔。明正統十三年中秋日築壇如幻道孚建。

【原】戒壇，入山二十餘里始見山門，壇在殿內閣前，古松四株，翠枝穿結，覆蓋一院。瀟碧堂集

〔臣等謹按〕千佛閣前松株今尚蔚茂，活動松於乾隆四十四年蒙御製詩章，恭録於後。

【原】登獅子巖凡十八轉，始及戒壇，壇爲景皇帝區畫地，開山卽鷲頭法師名道孚者。墨響齋集

【原】戒壇在西山最深處，渡渾河西行可二十里，兩厓中通一徑，丹林黄葉，與青巒碧澗錯

出如繡。遠望西北一峰如靈壁石，以爲戒壇必在其下。過永慶庵，呼山僧問之，曰極樂峰也。西行不五里，石闌丹壁，已至寺門。寺肇自唐武德中，舊名慧聚，至明正統乃易名萬壽。殿墀四松，離奇夭矯，皆數百年物。折而北，一坊西向，額曰選佛場。殿宇宏麗，闌楯參差。壇在殿中，以白石爲之，凡三級，周遭皆列戒神。出壇而南，至波離殿，殿前遼金碑各一，皆波離尊者行實也。有太古洞最勝，列炬而入，百乳千螺俱成佛像，不知其深幾里也。燕都游覽志

〔臣等謹按〕永慶庵今無考。極樂峰在馬鞍山之西，太古洞卽化陽洞，亦名龐涓洞，洞門刻太古化陽洞五字。洞左石塔十一層。塔碑畧云：嘉靖三十九年，東直門外牛房主禪明輝、徒普照、信官郝春建馬鞍山護國寶塔，刻造週圍佛像八十八尊，上四面四尊，萬壽戒壇傳戒宗師前古杭淨慈住山沙門宗林撰。餘皆漫漶不可辨。又施茶碑一，明山東成山衛教授東泉嚴振撰，嘉靖二十七年立。

原 過永慶庵一里爲萬壽戒壇，正統中如幻律師説戒於此。殿外金遼碑各一。上千佛閣俯渾河，正曲句其三面，如玦然。閣之下幻師安禪處，其遺衣鉢藏焉。西上石徑，上極樂峯道也。觀音洞大於室。化陽洞洞口垂藤幙之。秉炬入，如眢井，半里有龍躍，有魚游，有獅坐，石乳所凝也。再入，有石佛危坐。西罅一穴冥冥然，下與渾河通。洞一名

龐涓洞。又有洞名孫臏者，在此洞西，其廣二十笏，一石龜伏焉。二子師鬼谷，在扶風，然臏故燕人，房山上樂村有孫臏墓，碑志存焉。以二洞故，指山下枯澗爲馬陵川，是山適名馬鞍，謬也。西又五里至極樂峯。峯下亦有洞，石乳痕滴終歲，人無至者。帝京景物略

〔臣等謹按〕僧道孚鉢今在明王殿内，衣已無存。觀音洞在寺南半里許。觀音寺側俗稱伏虎巖，巖右有僧道孚塔，孫臏洞在山之東。此外原書所未載者尚有三皇、朝陽、極樂、黄蓮、卧佛諸洞。三皇洞前塔一，朝陽洞碑一，明萬曆間住山第一代圓杲徒明慧等立。極樂洞刻石額曰靈鷲山，又曰天開靈境。

原馬鞍山龐涓洞，兩壁皆石乳，瀝成物狀，有如繪畫。旁扃一石門，啓門以火燭之，有石如龍，沙擁爲洲。一井絶深，投以瓦礫，不知所止。相傳井與渾河通。有人投一犬井中驗之，果從渾河流出。長安客話

補萬壽寺在馬鞍山，山後一峯遥聳，如紫駝峯，是爲極樂峯。遼時祖師法均説戒於寺，加壇焉。崇階三，墄以石，廣甚，容受戒者無算。遺鉢是藏塔於壇下，塔傾得舍利的礫如雨，緇徒什襲，乃得諦觀。寺又多松，率數百年物。出寺門不半里，偃松一株尤奇。西山紀游

增聖祖御製萬壽寺戒壇碑記　西山地接神京，嶺岫綿亘，林壑深美，中多精藍古刹。考其歷年久遠，建置自唐以來者，則萬壽寺戒壇爲最古。寺在唐曰慧聚，明正統時始易今名。其地渡渾河而西，山徑盤亙，紆迴而入，中復豁焉宏暢，壇殿軒翼，猶見古遺製。深山長谷，烏可少此清嚴之宇以眺覽名勝哉？朕以時巡偶至斯地，輒爲駐輦。顧近寺諸

山，爲産煤所，居民規利，日事疏劚。念精舍之側，鑿山採石，良非所宜。爰命釐定四止而禁之。俾梵境常寧，舊觀弗替。於以葆靈毓秀，山川當益增輝澤爾。

增乾隆十八年御製初至戒臺六韻　名刹近千載，渡河斯偶尋。自來幽勝地，蚤結憩遊心。吉馬遵山棧，御馬名相吉驑。寒禽亂柏林。兩峯豁開户，一水宛垂襟。我足憂勤畏，佛無來去今。便教促歸蹕，餘興寄高岑。

〔臣等謹按〕戒壇亦稱戒臺，御製詩題曰戒臺，蓋從其通稱也。今恭載首見之篇，餘不備録。

增乾隆四十四年御製戲題活動松詩　老榦稜稜挺百尺，緣何枝搖去聲本身隨？咄哉誰爲掣去聲其領，牽動萬絲因一絲。

增胡濙馬鞍山萬壽大戒壇第一代開山大壇主僧録司左講經孚公大師行實碑畧　大師俗姓劉氏，諱道孚，字信庵，别號如幻，世爲江浦望族。父仲賢不事浮屠。母沈氏得異夢而娠，遂不喜茹葷。及誕，晝夜啼聲不歇，人皆驚愕，以爲異事。方期月，遂抱送於隣比接待寺爲沙彌，啼聲乃止。既成童，高額深目，大頤方口，儀表端嚴，眉宇森秀，人相具足，梵音清暢。恒引羣兒聚沙爲塔，善習表於兒戲，利根發於童心。釋禮矩儀，動如宿習。人皆疑大師卽羅漢之身下生。七歲依京城靈谷寺禮前堂慶叟爲師，落髮衣緇，參求要旨，昕夕瞻拜觀音，懇求聰慧。未幾，復禮天童觀翁，具威儀，禀持範，傳唯識大義，通涅槃大旨。時觀翁緇門獨立，名振天下。宣廟在潛邸，每承顧問，恩禮特隆。宣德丙午，召至京師，館於慶壽丈室。大師左右朝參，出入禁中，翼翼勤慎，終始如一。丁未受度，賜西服茜衣，大師固讓不服，常於文華殿楷書大字齋額，上每俯案視之。有高僧書法勝中書之奬。又常設施食於内庭，利濟天人；開法場於秘殿，爲民請福。敷演瑜伽華梵，闡揚三乘真詮。上爲改容坐聽，擊節歎賞，以爲靈山勝會，今古一時。己酉，飛錫江浙，秉戒具，乃言曰：此行不達曹溪路，永不回頭見故鄉。既而遍謁知識，歷覽勝槩。壬子還京，會觀翁指明心要，乃西遊五臺，覩文殊於清涼，辦供養於鷲嶺。乃曰：一翳在眼，空花遍界。遂號如幻。英廟聞其名，召之。一見，天顔大悦，呼爲鳳頭和尚。尋陞僧録講經。先是，京西馬鞍山寺修建，思得至人以振宗風。

師知此寺乃遼普賢大師所建，四衆受戒之所，喟然嘆曰：釋迦如來三千餘年，遺教幾乎泯絕，吾既爲佛之徒，豈忍視其廢而不興耶？乃往住茲山。於是鏟荒夷險，鬱起層構，散己資以鳩工，擇幹僧以董役。匠成於心，授規於手，日而不笠，雨而不屐。於是廊廡龍象，煥然一新。其興作始末，備載大學士楊士奇所撰碑記。景泰丙子夏六月十日，飲食訖而趺坐，沐浴畢而更衣，升堂別衆曰：昔本不生，今亦不滅。雲散長空，碧天皓月。端然而逝。當暑而顔色如生，竟夕而異香馥郁。荼毘，得舍利若干，建塔於寺之南原，尊本教也。俗壽五十有五，僧臘四十有九。弟子左覺義德默等繼傳心燈，恪守遺訓，故列其景行，邀予編次，鑱諸堅珉，用昭來劫。

增 明高拱重修萬壽禪寺碑畧　馬鞍山有萬壽禪寺者，舊名慧聚，唐武德五年建也。時有智周禪師，隱跡於此，以戒行稱。遼清寧間，有僧法均同馬鳴、龍樹，咸稱普賢大士，建戒壇一座，四方僧衆登以受戒，至今因之。宣德間修葺，又建塔四碑四，而請如幻大士名道孚者主其教。歷歲既久，寺復傾圮，發帑重建，經始於嘉靖庚戌季春，至丙辰仲夏告竣。

原 嚴嵩九日登戒壇寺閣詩　梵閣千峯裏，征驂九日來。松蘿禪徑入，龍象法筵開。黃菊寧簪帽，青蓮獨上臺。如堪授真戒，吾此息氛埃。塵跡何因到？名山不易逢。谷深微辨徑，寺近始聞鐘。古樹寒飈急，幽軒夕翠濃。菊觴違雅集，相憶在高峯。鈐山堂集

原 公鼐遊西山戒壇詩　梵宇臨芳甸，層臺接太虛。九州旋繞地，萬仞廣嚴居。山鳥伽陵喚，巖花薝蔔舒。大千歸墨點，兀坐正愁予。問次齋稿

原 黃輝望戒壇詩　坐月松枝暖，春風記昔游。露尊調白鳳，雪曲醉蒼虬。古洞花難發，孤琴水漫流。惟餘西嶺色，猶向茂陵秋。慎軒集

補 于奕正太古洞詩　古洞閟秋光，幽窈不可拾。我欲探其奧，呼僧列炬入。蝙蝠觸烟驚，已墜復飛集。直下若眢井，雖寒不能濕。石乳挂四圍，彷彿百怪立。閱歷迷近遠，但視光所及。石罅伏深潭，僧云龍所蟄。靜聽怳有聲，習習涼颸吸。心動欲引還，炬短石逾澀。附壁苔染身，足滑力不給。一綫逗天青，黃葉飛正急。樸草

原 自戒壇至西峯寺山門，有泉最冽。問次齋稿

〔臣等謹按〕西峯寺明碑四：一無撰人姓名；一翰林院檢討盱江嚴素撰，皆正統四年立；一禮科給事中王之垣撰，年月已泐；一爲助緣人姓名碑。寺後東北塔一，共六層，高三丈許，額曰鞍山故俊公和尚之塔。又石幢一，題識云大都鞍山慧聚禪寺月

泉新公長老塔銘并序，大都萬壽退隱林泉老人從倫撰，至元二十八年住持山主成璞等建。俊公塔之北有池，據寺碑，是爲勝寒池。池左有地藏殿，其修建年月無考。

增 明人重建西峯禪寺碑記 距府城西二舍許，地名李家峪，有古招提遺址，在灌莽中，碑記剥落，無從考其創始之歲月。所可見者唯有兩浮屠巍然獨存：一曰俊公塔，建於唐；一曰月泉新公塔，前元至元辛卯所建。塔旁一池，名勝寒池，大旱不枯。東有山曰峯巒，澗水繞其麓。西曰羅睺嶺，而六國嶺峙其南，松陀嶺踞其北。惜乎湮廢已久，未有能興起之者。正統改元，因捐貲市材，自二月創始，至正統三年六月丙辰訖工。賜額曰西峯禪寺，延僧悟達爲住持。兹述梗概以刻於石。

原 潭柘寺，晉曰嘉福寺，唐曰龍泉寺。舊志謂有柘千章，今無矣。燕人諺曰：先有潭柘，後有幽州。此寺之最古者也。春明夢餘録

〔臣等謹按〕潭柘寺，本朝康熙年間聖祖賜名岫雲禪寺。寺門外牌樓南向額曰翠嶂丹泉。北向額曰香林淨土。大殿額曰清静莊嚴。彌陀殿額曰松竹幽清。栴檀佛樓聯曰：慶雲宿飛棟；喜樹羅清墀。又聯曰：經聲夜息聞天語；鑪氣晨飄接御香。皆聖祖御書。又大殿恭懸額曰福海珠輪。聯曰：鷲嶺雲閒，空界自呈清淨色；龍堂月皎，圓光長現妙明心。三聖殿額曰具大願力。毘盧閣額曰圓靈宗鏡。圓通殿額曰心空彼我。地藏殿額曰性因淨果。彌陀殿額曰西峯樂界。楞嚴壇額曰寂照真如。大悲壇額曰澄潭妙印。觀音殿額曰蓮界慈航。聯曰：繞户竹風翻妙偈；當空水月滌塵襟。又聯曰：樹匝丹崖空外合；泉鳴碧澗静中聞。皆皇上御書。寺東精舍內南樓額

曰松竹清泉。後厦額曰倚松澹然。皆聖祖御書。延清閣，閣名額。又南樓額曰瀟碧延清。聯曰：竹秀石奇參道妙；水流雲在示真常。流杯亭額曰猗玗亭。亭後書室額曰猗玗清境。聯曰：石上水流動皆静；雲間山出幻而寧。皆皇上御書。又蒙賜御筆心經，并駐蹕潭柘岫雲寺作，及山水小景，同匣恭藏寺内。寺舊有金元碑，今皆無存。明碑三：一禮部尚書謝遷撰，正德六年立；一翰林院檢討黔南邱禾實撰，萬曆三十三年立；一爲送龍子歸潭柘文，僧達觀撰，萬曆壬辰年立。本朝碑二：一爲蓮池記，錢唐吴陳琰撰，康熙四十九年立；一在寺外之安樂延壽堂，直隸總督方觀承撰，乾隆年間立。距寺半里許有塔園，僧塔五。一石刻云：故廣慧通理禪師之塔。塔前有碑，字跡已漫滅。一曰：中都潭柘山龍泉寺言禪師塔銘，皇孫祖敬撰，大定二十八年休休道者祖深建。一曰：渾源州永安禪寺第一代歸雲大禪師塔銘，寂通居士陳時可撰，郭恒建竪石。一曰：中都竹林禪寺第七代奇和尚塔，大聖安寺西堂傳法沙門廣善銘，大定十九年建。一曰：第九代了公禪師塔銘，大慶壽寺住持傳法沙門德順撰，泰和四年門人善瓊等建。寺内枯柘，本僅四尺餘，在三聖殿側。惟殿左銀杏大者一株，高十丈餘，圍約二丈餘，其旁復生小者三株，高數丈。寺僧云，前一株生，適當聖祖臨幸時；後二株生，適當皇上臨幸時。

【原】潭柘寺相傳寺址本青龍潭，上有柘樹。祖師開山，青龍避去，潭平爲寺。今殿壁猶是遼金前所繪。問次齋稿

〔臣等謹按〕今寺後右行二里許，有龍王堂。堂北別有龍潭，方廣丈餘，深三尺餘。寺内遼金繪壁今無存。

【原】西山潭柘寺殿中二蛇，長五尺餘，名大青、小青，藏紅篋中，篋標護法龍王。蛇無定止，或自逸野中，鳴鐘則至。恒自篋穿鑪足，交蟠供桌上。耳譚

〔臣等謹按〕岫雲寺大殿内今尚有木匣一，方廣二尺，高三寸餘，内一石微凹，貯水少許。相傳爲大青、小青所藏處云。

【原】潭柘以一培塿當羣山心，九峯扆而立焉。兩殿鴟工絶，金元時故物也。緱山集

〔臣等謹按〕岫雲寺内殿鴟今已無存。

【原】潭柘寺去都西北九十里，徑羅睺嶺，行蓁棘中，赬山四合，里許一山開，九峯列見，寺雙鴟吻。今佛殿基，故潭也。華嚴師時潭龍聽法。一夕大風雨，潭側平地兩鴟吻湧出，今殿角鴟也。柘今已枯，長不盈丈。寺有青蛇大如盌，長五尺；僧能馴擾之，呼曰龍子。元妙嚴公主持觀音文，禮大士，拜痕入甎，額手足五體皆印。歲久甎壞，兩足痕存。萬曆壬辰，孝定太后匣取入覽，後遂匣藏之。紫柏係以贊。像四林立大士前，左前

元世祖，右前其后，左次其子，右次妙嚴也。妙嚴祝髮於是塔是山之下。寺碑七，金碑二，明昌五年僧重玉詩，大定十三年楊節度記。元碑二，至正八年葛天麟記，至正某年危素記。明碑三，正統某年胡濙記；弘治十年謝遷記；萬曆中紫柏送龍子歸潭文也。寺晉梁唐宋，代有尊宿，而唐華嚴爲著。元至正間，順帝賜雪磵酒，皇妹致膳。明永樂間則姚少師道衍，萬曆間則達觀大師真可。寺先名嘉福，後名龍泉，獨潭柘名傳久不衰。帝京景物畧

〔臣等謹按〕元妙嚴公主拜甎并匣今尚存，其像設在今觀音殿内。金元碑及明胡濙碑皆無存，詳見前。

原 潭柘寺有元妙嚴公主拜甎，雙趺隱然，幾透甎背。相傳妙嚴爲元世祖女，削髮居此，日禮觀音不輟，遂留此跡。萬曆壬辰，孝定皇太后欲經懿覽，貯以花梨木匣，迎入大内，後復送歸寺。紫柏禪師語録

原 潭柘寺東有泉出石罅中，黄葉白雲繚繞其上，疏其滯葉，泉響益琤琤不絶。長安可游記

〔臣等謹按〕岫雲寺後東北隅有歇心亭。山後二泉，一自東來，一自西南來，滙流於此，當卽宋啓明長安可游記所稱寺東之泉也。

原 潭柘寺山環無柘，惟殿左有枯株久仆，云是龍淵遺蹟。寺碑胡尚書濙文，夏太常昶書也。寺肇於唐，重飭於金大定間，元燬於兵，國朝宣德初更拓，賜名龍泉寺。游業

增 乾隆九年御製二月朔日初游潭柘岫雲寺作　西山兩名寺，潭柘與香山。香山信已佳，

騶御曾往還。春仲月之朔，言從易水旋。岫雲與我語，爲我闢雲關。嚮導告前期，却借便道緣。輕輿碾春露，前旌破曉烟。屈折千迴溪，微露一線天。榛莽嵌絶壁，登陟勞援攀。約行二十里，乃至盧家灘。川原漸開豁，梯山種春田。茅屋凡數家，槎枒古樹攢。驅車歷石磴，巖岌互鈎連。聞有泠泠聲，不見淙石泉。古柏翠蒙絡，時有枯藤纏。遠峯綴叢枝，那辨楓杉梗？披躋歷萬景，精藍出雲間。風旛演妙偈，空樂諸天傳。旋禮滿月相，使我塵慮蠲。潭底老龍睡，有泉墜潈然。忽欲呼起之，使雨東西阡。其柘亦已枯，橫陳廡西偏。萬木何非柘？孫枝轇曲卷。闍黎語荒唐，頗熟公案禪。對客稱古蹟，木几高架甎。云有元公主，禮佛足所穿。佛幾曾度彼，與我何有焉？稍坐白板閣，衆美一攬全。嵁巖莫遯隱，坻嶼相鬱盤。迴尋舊來路，似在圖中看。曠懷既詄蕩，樂志都忘筌。昨夏憩來青，來青閣，香山寺中精舍也。不作彈指觀。

增又御製遊潭柘岫雲寺卽事雜詠得詩六首　攀雲尋淨地，閒樹出祇園。息我幻塵念，遊茲法海門。靈潭澂自古，老柘鬱生孫。欲擬留詩去，詩中無可言。春山緑如洗，四面作佳隣。默對如如像，慚爲汲汲人。天香凝篆細，空樂韻松頻。古衲缾盂淨，將無隱者倫。乳竇淙淙注，天窗小小懸。千松排嶂外，一水到齋前。遠映雲中岫，平臨谷口烟。瞿曇無説説，鉢裏茁青蓮。憶在天成寺，禪房有句留。山川原並美，歲月幾遷流。龍卧深潭底，鳥吟高樹頭。閒雲知我意，到處分相投。小軒臨絶澗，朝暮瀉烟霞。近席挹清籟，虚窗碎白紗。聖蹤餘想像，題字走龍蛇。松竹清泉，皇祖御筆題行宫名也。誰演楞伽法？能聽倩緑芭。簇簇玉芙蓉，嶟嶟當户濃。豈因供攬結，聊可盪心胸。柏子窗間落，石泉堦下淙。徘徊遲去騎，逕轉尚聞鐘。

〔臣等謹按〕岫雲寺御製詩，恭載乾隆九年御蹕初臨之篇，餘不備録。

增 乾隆二十九年御製猗玕亭詩 掃逕猗猗有緑筠，囀伽鳥語説經頻。引流何必浮觴效，豈是蘭亭修禊人！寺中舊名爲流杯亭，石渠現在，故戲及之。

〔臣等謹按〕猗玕亭御製詩，係初見之篇，謹並編載卷内。

增 乾隆二十九年御製過羅睺嶺詩 誌乘稱羅睺，其説引未發。村俗呼鑼鍋，久矣難究詰。或有謂爲俚，改之曰蘿葛。去初愈以遠，偶過聊詮核。兩字出梵典，此云障持括。八部中之一，是爲佛護法。化身巨且長，舉手障日月。取以喻嶺峻，孰云義不協？且在兩寺間，護法力應竭。清晨别潭柘，大幹盤嶮屼。隆崇高凌雲，朝陽出其脇。過嶺見戒臺，石棧片時達。坐精室闡義，提婆道饒舌。

〔臣等謹按〕羅睺嶺爲駕臨岫雲寺時蹕路所經，御製詩章謹並載卷内。

增 明謝遷重修潭柘嘉福寺碑畧 距都城西二舍許，馬鞍山之西，有泉滙而爲潭，土宜柘木，因以得名。在後唐時，有從實禪師與其徒千人講法於此，後遂示寂於華嚴祖堂。皇統間改爲大萬壽寺，繼有廣慧通理者，以正法眼而踵實師之跡，後得比丘善誨獻其寺之故地，成大道場，山靈益加顯焉。其詳見大定間蔡居士楊節度之碑可考已。我朝宣宗章皇帝卽位二年，特命高僧觀宗師住持於此，孝誠皇后首賜内帑之儲，肇造殿宇。越靖王又建延壽塔。英宗睿皇帝詔爲廣善戒壇，頒大藏經五千卷，并賜今額，迄今五甲子矣。工興於正統二年三月，迨次年九月告成。

〔臣等謹按〕明越靖王瞻墉所建延壽塔，今尚存，高五丈餘。

增本朝康熙年間茌平縣知縣吴陳琰岫雲寺蓮池記畧 都城西北有寺曰潭柘，晉曰嘉福，唐曰龍泉，九峯環列。諺云：先有潭柘，後有幽州。則此寺最古。相傳寺址本在青龍潭上，有古柘千章，寺以此得名。唐華嚴師開山於此，青龍聽法。一夕大風雨，遁去，潭已平地，有兩鴟吻涌出，今殿角鴟是也。自元毁於火，重飭於明。今上臨幸是山，發帑重建，規模弘敞，倍於往昔。賜名岫雲寺。一時緇流雲集，諸父老復濬池，種蓮其中，爲蓮池大會。購大彌陀經五十四部，藏於寺。門外立相風，俾瞻禮者望而生敬。將伐石勒名，以垂永久，請予爲文記之。予聞寺故有二青蛇，長五尺餘，僧馴擾之，呼曰龍子。遇歲旱輒能作雲雨，其爲澤於圻輔甚大。又元初妙嚴公主日禮大士於此，拜甎雙趺宛然。明孝定太后曾取覽，復送歸寺中，紫柏禪師敷以像贊。予客燕五年，每有往遊西山之願，逡巡未果。今與諸父老約，效靈運翻經故事，婆娑片石，其亦可忘老矣乎！

原金釋重玉從顯宗皇帝幸龍泉寺應制詩 一林黄葉萬山秋，鑾仗參陪結勝游。怪石斕斒蹲玉虎，老松盤屈卧蒼虬。俯臨絶壑安禪室，迅落危厓瀉瀑流。可笑紅塵奔走者，幾人於此暫心休。

〔臣等謹按〕金釋重玉摩厓詩刻在延壽塔後。

原郭武潭柘寺詩 潭柘山高處，金銀佛寺遥。斷厓吹石雨，虚閣倚烟霄。結社還攜酒，臨溪欲棄瓢。白頭僧自老，相對説前朝。聯珠集

原公鼐潭柘南村作 芙蓉村下緑溪環，刳木通流亂石間。十里濃煙松不斷，隔林鐘磬落前山。問次齋稿

原雀兒庵在潭柘後山五里。金章宗幸此彈雀，彈發不虚，章宗喜，卽行幄爲庵曰雀兒。後方僧來住，以臆造佛母孔雀明王佛像，遂更孔雀庵，然人呼雀兒庵如初。帝京景物略

〔臣等謹按〕雀兒庵今廢。

欽定日下舊聞考卷一百六

郊坰 西十六

【原】宛平縣西百二十里王平口，四圍皆山，中有平原，可數十畝。地暖，饒藥草花木，春夏之間，紅紫爛漫，香氣馝馞。金章宗常游之，所憩石牀尚存。燕山叢録

〔臣等謹按〕金章宗石牀今無存。

【原】府西一百二十里，由王平口過大漢嶺，抵沿河口元女廟，是百花山足也。帝京景物略

〔臣等謹按〕大漢嶺俗稱大寒嶺。元女廟乃百花山妙庵之下院，今僅餘舊址。

【原】由門頭村登山數里至潘闌廟，三里上天橋，從石門進，二里至孟家衚衕，民皆市石炭爲生。三里至流水壺泉，自石罅分流灌園，扳磴三里至官廳，路凡十八折，至風口巖，兩山踞立如門，有庵房數間，徑十字道，踰磴數里，折而下，爲王平口。山坳多核桃樹，石壁峭削如碧玉。又數里至齋石臺，路亦峻。又數里至板橋，村莊多以石板覆屋。至千軍臺，四山空翠，欲濕衣裾。出谷二里許爲王老庵，石澗淙淙有聲，十五折見高松

如蓋出天際，乃大漢嶺也。踰嶺有大士殿，松下石碑，字俱蝕不可辨。盤曲而下，數里至泥窩，三里上楊家臺，徑頗平，又里許下坡入山谷，有澗水浸山根，石皆赤，亦有碧者。從亂石徑中行二里出谷，爲軍下村，溪澗十丈餘，平沙細石，流水分兩村下引入地畦，再北有石廟。自廟涉澗，則西河村也。又二里爲龍王廟，相近有守禦城，出小西門元女廟在焉。長安可游記

〔臣等謹按〕門頭村有二：一在静宜園西南；一在門頭溝，距都城西六十餘里。潘闌廟及大漢嶺之大士殿，軍下村之石廟，西河村旁之龍王廟，今俱無考。風口巖今有觀音庵，殆即宋啓明長安可遊記所稱庵房數間者也。西河村今名胡家林。守禦城舊址在齋堂村旁。

原王平口正城一道，上四口俱弘治年建。四鎮三關志

〔臣等謹按〕王平口城垣今廢。

原渡石澗上馬闌山，折旋左右至法幢庵五里，可容騎；又五里，籬徑坦然矣，妙庵也。帝京景物略

〔臣等謹按〕法幢庵今尚存。

原出沿河守禦城西門，渡石澗，進馬闌山，曲折上坂，石子磊磊難步陟。至法幢庵，又

五里至馬闌村，登三大士閣。一松高十丈餘，歷磴而上，三里許翠峯壁立，又二里扳躋叢木中，再上，見籬徑石垣，乃妙庵也。中設大士像。長安可游記

〔臣等謹按〕馬闌村之大士閣今無考，妙庵之大士像今尚存。

原 嶺西行數里千佛山，又數里觀音山，山舊有菩提樹、仙人橋、望海石。下嶺復上嶺者數，迎前壁立者鶴子山也。帝京景物略

〔臣等謹按〕千佛山有顯光寺，寺内有千佛閣。觀音山之菩提樹無存，仙人橋、望海石遺蹟尚在。

原 自妙庵從嶺西折，路甚狹，數里上千佛山，一名黑風山，又數里爲觀音山，再上爲大悲厓，旁有仙人橋、菩提樹，樹已遭伐矣。又上爲望海石，嶔崟巉削。踰嶺凡七，見有石壁峭立，爲鶴子山，路更險仄，達千佛巖，怪石攢簇，多似人形。坐視觀音山，如在懷抱間。長安可游記

原 度閻王⿰山鼻，行百花中一里，進籬門石洞，禮文殊法身塔，登菩薩頂，是百花山頂也。帝京景物略

〔臣等謹按〕文殊道場在山西五臺山，其法身安得在此？今文殊寺旁之法身塔，蓋彼時緇流僞託以惑聽，而實無所據者也。

〔又按〕菩薩頂在觀音山。其鶴子山之菩薩巖别爲一地。

原宛平縣西二百里有百花山，特多花卉，有不可名者。薊中不産蛇，獨此山有七寸蛇至毒，被螫者不救。燕山叢録

原鶴子山三里餘過閻王𡹎，始躡百花山腰。西北兩山秀甚，云東西二靈山也。西北爲小五臺山，花多目所未覩，紅黄紫翠，不可名狀。一色者跗萼各殊。有名天花者尤嬌艷可愛。行里許，忽聞鐘聲，前進入籬門，過石洞，殿上設文殊金像，高一丈三尺。有塔，云是法身塔。上菩薩頂峯三，以小石更累成尖，風吹不去。有登者，老僧必勸累之，云種佛因也。長安可游記

原下菩薩頂又入百花中，東龍王頮，廟北大士殿，下千佛巖，花被逕八里，多於前。過白水庵行，泉聲二里，一松標瑞雲寺，寺即五代時李克用建亭故處，俗曰百家寺也。寺有摩訶祖師法身，有摩訶煮石鐺。宣宗曾取視，賜以龍袱歸寺。有摩訶捽龍石。龍逸，祖師追捽之，今龍迹宛在石也。帝京景物略

〔臣等謹按〕觀音山菩薩頂下之龍王廟、大士殿，今俱無考。白水庵、瑞雲寺今尚存。瑞雲寺元碑一，沙門雪成撰，至正十年立。煮石鐺、捽龍石，今無考。

原下坡之半，山花較初登爲多。折而西爲龍王廟，廟已圮，惟殿僅存。五龍王分列，中

供龍母。北折爲大士殿。下厓取道瑞雲寺約八里，至白水庵，山名菩薩巖。又行里許有巨石當路，界於澗中，遠見一松映對，卽瑞雲寺也。俗呼百家寺。入禮摩訶祖師，山僧出摩訶鍋相示，黑潤如古銅鐺。僧言曾三入大内供養。出寺度小橋，下菩薩厓二里爲曹村，又數里至史家營。煮沙之人皆聚於此。長安可游記

〔臣等謹按〕菩薩巖在白水庵旁，其瑞雲寺旁之菩薩崖别爲一地。

增 元僧雪成重修瑞雲寺碑略 宛平有寺曰瑞雲山，卽大安長老信忠踵門乞予文以記。方奉詔爲譯館潤文，未暇。迨秋積雨既霽，瑞雲執事者復羅拜懇禱，黽勉從之。按：寺創自隋唐間，歲月既久，興廢屢經，迄今而爲名刹也。俗以百家稱，豈以村里歟？寺宇之規模，山谷之形勢，備諸寺碑。至順辛未，長老信忠始護院事，以肯構心復化諸檀信，整高殿宇，繪祖師堂，塑彩天王地藏，置建僧房，關王龍王祠，咸爲一新。丹青二十四孝，以誘世俗。信忠初參洞下禪，亦從事理道而善嬀焉，是可嘉也，故不辭覼縷以書。

原 菩薩崖在府西北一百二十里，山畔有三石佛像。明一統志

原 宛平縣史家營太山有石如臼，相傳昔有仙人居此，臼中每日産米，隨寺衆多少，取給不乏。後有僧厭其險峻，鑿石穴通之，穴成而米絶。燕山叢録

〔臣等謹按〕史家營山内石臼今無考。

原 從史家營緣石澗而上，甚危險，巨石巉峻，仰視欲墜，云卽燕山石塘，以山頂泉出其下，故名。踰二大嶺，路始平廣，又數里爲山神廟，上數武卽妙庵也。長安可游記

補 齋堂村在西山之北百餘里，産畫眉石處也。元豫章熊自得偕崇真張真人住居，撰燕京志。歐陽原功、張仲舉皆有詩送之。原功詩云：先生去隱齋堂村，境趣佳處如桃源。西出都門二百里，山之盩厔水浩亹。一重一掩一聚落，一

溪十渡深而渾。羊腸險逕掛山腹，蜂房小屋粘雲根。立當阨塞若關隘，視入衍沃同川原。市朝甚邇俗塵遠，土產雖少人烟繁。鉏畬秋陸宜菽麥，樹栅作圈收雞豚。園蔬地美夏不燥，煤炭價賤冬常温。前年熊郎入賣藥，施貧者藥人感恩。熊君攜笈今就子，繞舍木葉書繽繙。崇真真人又繼往，況是偓佺之子孫。紫簫夜吹遼鶴至，林響谷應松風喧。登高東望直沽口，海日湧出黄金盆。應憐曼倩戀象闕，坐羡龎君歸鹿門。仲舉詩云：燕垂趙際中有村，正在西湖之上源。源頭落花每流出，亦有浴凫時在亹。隱君葺茅據幽勝，髣髴小莊如陸渾。環之蒼松數十樹，拔出太古虚無根。攢峯疊壁何盤盤！地多磽礉少平原。先生生計雖苦薄，最喜静無人事繁。黄精本肥朮苗脆，疆埸有瓜牢有豚。吟詩作畫百不理，一家笑語常春温。功名秖遣世塗累，飽煖已荷皇天恩。近聞京志將脱藁，貫穿百氏手自繙。朱黄堆案墨滿硯，鈔寫況有能書孫。雲晴輒尋羽客去，穀熟方来山鳥喧。土牀炕煖石窰炭，黍酒香注田家盆。要知精舍白鹿洞，不待公車金馬門。元之大一統志卷帙繁富，考證亦綦詳矣，而自得復撰燕京志，仲舉謂其貫穿百氏，必有出於大一統志之表者，惜乎其書之不傳也。淥水亭雜識

原 宛平西黑雲山有兩穴，扣之聲若鼓，掩其一，則無聲。燕山叢録

原 薊縣笄頭山有温泉，治百病。太平寰宇記

原 西湖山在府西一百里，下有溪潭。明一統志

〔臣等謹按〕明一統志稱西湖山在府西百里，是湖與山皆别爲一地，在今清水村西四里許，與萬壽山之西湖無涉。

原 青山嶺在府西一百五十里，山四面高聳，中坦平，多產三七諸藥。明一統志

〔臣等謹按〕青山嶺諸藥草乃間一有之，非常產也。

原 卧龍岡在府西北四十五里，山石俱青，惟此獨白。岡脊蜿蜒二十餘丈。正統間，車駕嘗幸此。明一統志

原 石窟厓在府西北一百一十里。同上

原白鐵山在府西北一百八十里，山多白石，其堅如鐵。上同

原顔老山在府西北一百九十里，山之西南有石青洞，東北有柳林水。上同

〔臣等謹按〕顔老山舊有顔老寺，今僅存僧舍數椽，山東北爲柳林水村。

原京西北諸山連綴共一百八十里，半隸昌平，其隸宛平境内與昌平錯壤者，出百望山北四十里入南谷，有聚焉，是名溹園。園之南有雅思山，幽晦多霧，山陷而爲坎，有池曰露池。長安客話

原自溹園出西十里許有高崖，崖下有泉遶之，又西北十里爲清水澗，兩山如門，行可二十里，山皆奇峭巃嵷，飛泉瀌灑，決地分流，聲激崖穴。崖間百合、忍冬、棠杜、牛妳、相思、郁薁、黄精、唐求之屬，紅翠含濡。鳥窠雉囮，山鹿之毳，豪豬之毛，徧於巖谷。有嶺曰鼇魚，又西里許山益峻，有蘭若二，上曰松陽，下曰金鷹。金鷹下控大巖，巖吐百穴，滙而爲湖。決而東流，是爲清水之源。薊邱集

原小龍口山在府西北一百九十里，山有兩崖，東崖在清白口社，西崖在清水社，有泉東入盧溝河。明一統志

原盧溝河在府南四十里，卽桑乾河也。亦名渾河。府西百里有清水河，流逕大臺村，又西北百餘里有小溪，流逕青口村，俱入之。其上爲百花陀、十八盤、青山、摘星諸嶺，

嵓谷幽邃，直聳雲霄，人騎罕通，僅容一綫。名勝志

〔臣等謹按〕清水河發源大漢嶺，小溪發源上清水村山谷間。青口村即今清白口社。溪水由軍村經此入渾河。百花陀即百花山。十八盤在風口巖，宋啓明長安可遊記所稱路十八盤折者是也。青山嶺距京西九十餘里。摘星嶺相傳即大漢嶺，從此而西，即與房山縣接壤。

原 柏山在府西北清白口社，山四旁多産柏，故名。上有柏山寺。明一統志

原 西山有君子口，疑即寰宇記所云君子城，譌爲箕子城者也。淥水亭雜識

原 儲巏君子口詩 三間茅屋十弓耕，了却官租便此生。聞道薊門憔悴甚，麥田都屬五軍營。柴墟集

原 駕到口在西山。其曰駕到，不知何年事。淥水亭雜識

原 李濂駕到口詩 宛轉山無盡，躋攀興未闌。衣裳沾霧濕，石磴鑿雲寒。瑶水周王跡，汾陰漢武壇。當時扈從者，詞賦刻巑岏。嵩渚集

原 西山楊家頂觀音庵，庭有牡丹，萬曆乙卯八月遇閏，忽開一花。定陵以八月生。閏月，宫中重慶萬壽節，有中官聞之，以白金六十兩與寺僧，取其花進御。定陵甚悦，賜予累百金。寄園寄所寄録

原 西山巖麓無處非寺，遊人登覽，類不過十之二三爾。王子衡詩：西山三百七十寺，正德年中内臣作。何仲默詩：先朝四百寺，秋日偏題名。鄭繼之詩：西山五百寺，多傍北

邛岑。其後增建益多，難以更僕數矣。辛齋詩語

原王雲鳳避雨玉城寺待孔希大不至作　涼雨瀟瀟去復留，伊人何處繫吾愁。老僧相見坐無語，一院野花山寺秋。博趣齋稿

原皇甫汸永興寺散步詩　帝城西覓古叢林，萬木寒垂六月陰。庭下開花齋後偈，門前空水定時心。皇甫司勳集

原顧璘飲普福寺泉亭作　夏木雙崖合，寒流一澗紆。雲高山路細，天遠草亭孤。看竹無車馬，浮觴即畫圖。吾儕乘興處，不與俗人俱。息園存稿

原陳沂普惠寺詩　躍馬平沙盡，褰衣度石梁。山風吹客帽，林日蔽僧堂。響落齋時磬，烟飄誦處香。乍於城市遠，幽思正茫茫。拘虛集

原顧璘普惠寺詩　緑樹邀行騎，青山擁寺門。不勞鐘磬響，久厭市朝喧。解帶榆烟午，鈎簾竹日暄。老僧鉏菜甲，隨意且盤飧。息園存稿

原顧瓌游西山宿廣智寺待月詩　本來游客意，欲與月明期。碧海深何許，清光望轉遲。草香聞露墜，林暗見星垂。幸對樽中酒，殷勤坐不辭。寒松齋集

原陳暹廣福寺詩　紺院重陰後，東風弄晚晴。人留雪上跡，鐘散月中聲。林木藏僧舍，山河繞帝城。逃禪豈予意，春色自含情。摒瓴集

原周如砥九日飲興德寺池臺作　水色侵衣上，花香繞座聞。帝城連遠浦，賓雁入寒雲。樹杪千山迥，池邊衆壑分。夕烟天闕北，回望正氤氲。青藜館集

〔臣等謹按〕玉城寺、永興寺、普福寺、普惠寺、廣智寺、廣福寺、興德寺，今俱無考。

原百望山南阻西湖，北通燕平，背而去者百里猶見其峯，故曰百望。長安客話

〔臣等謹按〕百望山今改名安河山。山巔神廟三楹，内奉石佛一尊。山麓有東西百望村。

原百望山之陽有祠焉，高十五丈，登之可望京師。出百望十里爲長樂河，河水不甚闊而

流駛。又北二里爲玉斗潭，腐草罨之，深不可測。傳有兩牛飲而鬭，陷於潭無迹。又北十里爲灌石，駐蹕山在焉。薊邱集

〔臣等謹按〕長樂河卽安河，其地有南安河、北安河、長樂諸村。玉斗潭今佚其名，而附近之地如冷泉村、石窩村一帶，靈淵神瀵，隨在涌現，不可枚舉也。灌石村、駐蹕山今俱隸昌平州境。

補 金山口度嶺至冷泉村，道旁皆水田。行二里許曰泰州務。其後畫眉山，上有龍王祠，龍湫圍廣十畝，水從石罅出，從東垣下溢田間，潺潺有聲。山行雜記

原 黑龍潭在金山口北，依岡有龍王廟，碧殿丹垣。廟前爲潭，幹四丈，水二尺。土人云，有黑龍潛其中。帝京景物略

〔臣等謹按〕黑龍潭龍神，乾隆三年勅封爲昭靈沛澤龍王之神。殿前恭懸皇上御書額曰恩敷廣潤。三世佛殿恭懸聖祖仁皇帝御書額曰潭清光凝。廟内精舍額曰雲影天光。聯曰：幸逢嘉霔敷優澤；一洗紛塵轉潤姿。皆皇上御書。龍王殿前恭勒聖祖御製碑一，雍正三年世宗憲皇帝御製碑一，乾隆三年皇上勅諭碑一，並節年御製祈雨謝雨詩碑二。殿後明憲宗御製碑一，成化二十二年立。神宗御製碑一，萬曆十四年立。金山口詳見郊坰西卷十二。

原萬曆初，上謁陵還，駐蹕潭上。二十六年夏四月，旱甚，遣正一嗣教張真人國祥禱於龍祠，雨澤如期。加護國勑號，碑勒之。嗣是旱禱輒應，凡立數碑。帝京景物略

增聖祖御製黑龍潭重修龍王廟碑記 傳曰：神有功德於民則祀之，能捍大患禦大災則祀之。非此族也，不載祀典。朕自御極以來，夙興夜寐，惟思稼穡爲小民之依，所期時和歲豐，嘉生樂育。然年穀順成，雨澤是資。詩曰：琴瑟擊鼓，以祈甘雨。信乎天心仁愛，亭毒萬物，而協靈効順，優渥霑足之應，皆有神焉以司之。亦如分猷布澤之無敢曠厥職焉。距京師西三十餘里金山之麓，有潭泓然以深，不泛不涸。前代時以亢旱禱望其地，輒能興致靈雨，因名黑龍潭焉。潭之側倚山瞰壑，舊有祠宇，以祀其神。朕數以祈雨駐蹕於茲，爰謀式廓其廟貌，以昭靈貺而敬民事。今者四郊之內，雨暘時若，歲登大稔，工適告成。惟神之功德實能膏澤田疇以福庇生民。揆諸捍患禦災之義，莫大於此。用是勒諸貞石，垂示無窮，寧不偉歟！

增世宗御製黑龍潭碑文 京師之西有黑龍潭焉，地靈所鍾，實能興致雲雨。我聖祖仁皇帝撫臨萬邦，治臻上理，軫念羣生，每禱於斯，輒有靈應，百穀用成。康熙二十年，乃重建祠廟，御製碑文，勒之珉石，以昭神庥。朕嗣位以來，仰體聖祖之心以爲心，夙夜孜孜，惟冀雨暘時若，盈寧康阜，用諴和萬民。甲辰春，雨澤微愆，爰詣茲潭，特申祈

祝。回鑾之後，澍雨應時。三月初甘霖疊沛，遠近霑足，二麥豐登，朝野同聲，罔不歡慶。蓋感應若斯之捷也。朕惟天人合一之理，莫大於誠，而幽明昭格之幾，莫先於敬。傳曰：先成民而後致力於神。又曰：民和而神降之福。朕愛養元元，惟恐一物失所，致陰陽之沴而干天地之和。故浹歲之中，屢下蠲租之詔，偶值愆陽見告，不憚躬親祝帛以薦馨香。而冥漠之中亦若有肹蠁答之靈爽憑之者。朕因民而祈福於神，神惠民而効靈於朕，皆默通於誠敬之中，而不疾而速，不行而至，理有固然，無足疑者。顧歲月滋久，不更加修葺，恐非所以宅神明，答靈貺。乃命官庀材，經始於二年之三月，告成於三年之五月。殿廡門寢，煥然一新。訖工之日，有司磨治豐碑以記請。夫禮有大雩之文，詩載同雲之什，故祭則受福，而有舉必書。且誠敬之念所以交神明格上下，用紹我聖祖仁皇帝軫念蒼生懷保萬民之至意者，尤朕所時廑于中而不能釋也。是爲記。

增 乾隆八年御製禱黑龍潭而雨因紀所見 靈湫神所宅，澄波深且瀅。利民功久著，澤物誠斯應。我來瞻廟貌，肅然而起敬。匪爲求多福，稼穡惟民命。泰階六幕調，屢豐寰宇慶。省歲率咎徵，神乃司其柄。獲佑以爲愧，遑論諂與佞。況茲實古蹟，圓池明似鏡。滐然鑑毛髮，更鮮鯤鰤泳。一鱗游其中，昂藏無與競。頻頻露頭角，如具飛龍性。然疑我未知，變化斯稱聖。

〔臣等謹按〕黑龍潭御製詩，恭載首見之篇，餘不備録。

【原】明神宗御製龍王廟碑　畫眉山龍王廟在都城西一舍，其地故有泉潭，相傳以爲龍之所居，卽其旁爲廟祀龍王焉。成化壬辰，憲宗純皇帝禱雨有應，新其廟而勒辭於豐碑。萬曆十有三年，春夏不雨，麥稼焦枯，以五月往禱於廟，浹旬之間，嘉澍屢霈，郊野霑足，三農忭舞。爰出内帑金錢，重增葺之，爲之記而系以銘曰：於赫龍王，不顯其光。上下帝旁，噓翕無方。爲雷爲霆，爲雲爲雨。有開必先，靡求不與。我求伊何？黍稷稻粱。爾與伊何？千倉萬箱。眉山之下，龍王之宇。迄用康年，穀我士女。

【增】唐龍黑龍潭詩　徘徊雲物態，肅此黑龍隈。魚戴日深淺，人將影去來。禾香先報雨，蕈怒欲生雷。聖世勤農事，年年祀典陪。帝京景物略

【增】袁樞黑龍潭詩　祠潭清見底，窈窕歷朝封。魚荇新開錦，苔莓老上松。輕陰穿雨足，薄日影山峰。獵獵腥風起，鐘鐃噪毒龍。同上

【原】畫眉山在西堂村之北。産石黑色，浮質而膩理，入金宮爲眉石。山北十里有温泉出焉。帝京景物略

〔臣等謹按〕畫眉山、北温泉今隸昌平州境。

【補】黑龍潭前平原廣畝之間，禾黍既登，秋風落寞，出一石碣，題曰大内遷出二棺之記。旁書宛平縣令名，無年月，無封樹，徬徨久之，憾未能考所始也。青箱堂集

【補】烏龍潭度高嶺卽卧佛寺，嶺名半天雲，圓如髻，度一嶺，一髻復起，如是者十三，始登其嶺。四面皆童山，雖無草木，而石最可觀。鐘鼎旗鼓墩柱樓閣龍虎之形畢具。有石大如室，中一綫若鋸分者，而内有石釘，復連不斷。又有石敧側嶺上欲墜，中一穴可容身入内，空處五六尺，可趺坐，上復有二竅甚明朗。又有方石三四丈，黑色紫紋如梅花瓣，瓣中有細竅，取澗水灌之，四面溢出如珠，蓋諸竅宛轉相通，天下奇石無踰此矣。

下嶺三里許復值一嶺如磨盤，每盤直下三百步，凡五十四盤至山腰，嶺盡得石坡，路甚滑。又七八里爲廣泉寺。山行雜記

〔臣等謹按〕卧佛寺、廣泉寺詳見郊坰西十二卷内。

原 過金山口二十里，一石山，小峰屏簇，如笋張籜。峰之尊者曰妙高峰。峰下法雲寺。寺有雙泉鳴於左右，寺門内爲方塘，殿倚石，石根兩泉源出焉。西泉出經茶竈繞中霤，東泉出經香積廚繞外垣，滙於方塘，所謂香水已。金章宗設八院游覽，此其一院。草際斷碑香水院三字尚存。帝京景物略

原 法雲寺在西山後，遠視惟一山，近則山山相倚，如笋包籜，其根爲千年雨溜洗出石骨。每山窮處，即有小峰如筆格。寺枕最高處，近寺有雙泉鳴於左右，過石梁屨級而上，至寺門，内有方池，石橋間之，水泠然沈碧，雙泉交會也。上有銀杏二株，大數十圍。至三層殿後，乃得泉源。西泉出石罅間，經茶堂兩廡繞霤而下，東泉出後山，經蔬圃入香積廚而下，會於前之方塘，是名香水也。有樓登之可卧看諸山，右有偃蓋松，可蔭數畝。故老云金章宗游覽之所，凡有八院，此則香水院也。珂雪齋集

增 袁中道法雲寺詩 直北西山曲，峰巒似劍鋩。近皴飛雨點，高嶺入星光。西水浸茶竈，東泉繞飯堂。雙流鳴玉雪，滚滚赴黄粱。帝京景物略

增 釋寶律法雲寺雨後作 亂雲穿日遠猶雷，衲破當風暝色催。閣道汎清叢樹在，磵門翻白捲濤来。僧分飽藿堅相坐，童摘初瓜濕未回。去爲新晴留爲暮，無心偶一宿山隈。同上

【增】白家灘有開元寺，城子山有東嶽廟。五城寺院册

〔臣等謹按〕白家灘在黑龍潭西四里許。開元寺明碑二：一太僕寺少卿安成李綸撰，弘治六年立；一僧淨壽撰，弘治十四年立。城子山在白家灘西八里許。廟內前殿奉碧霞元君，檐額曰金光普照。斗姥殿檐額曰紫宸掌算。皆聖祖御書。又碧霞元君殿内額曰資生錫祜。東嶽正殿額曰秉靈出震。斗姥殿内額曰璇杓廣運。皆皇上御書。

又白家灘城子山御製詩在大覺寺雜詠篇內，恭載大覺寺條後。

【增】李綸重修開元禪寺碑略　開元寺距都城五十餘里，金山口之西，玉河鄉之原。舊傳唐開元年所建，基址尚存。永樂中，西天佛子大通法王智光上師遭際列聖，賜予甚厚。宣德戊申，奉命兼住大覺禪寺。往来憩息此地，愛其土厚水甘，風氣攸萃，意圖興創，出己資，命工市材建立，仍請額爲開元禪寺。經歲久，殿宇摧頹。大能仁寺西天國師出恩賜金帛修理，既畢工，託予言刻之石。

【原】黑龍潭北十五里曰大覺寺，宣德三年建。寺故名靈泉，宣宗易以今名，數臨幸焉。今圮矣。金章宗西山八院，寺，其清水院也。帝京景物略

〔臣等謹按〕大覺寺，康熙五十九年世宗潛邸時特加修葺，乾隆十二年皇上發帑重修。寺内彌勒殿額曰圓證妙果。正殿額曰無去來處。無量壽佛殿額曰動静等觀。大悲壇額曰最上法門。皆皇上御書。寺旁精舍内恭懸世宗御書額曰四宜堂。皇上御書額曰寄情霞表。聯曰：清泉繞砌琴三疊；翠篠含風管六鳴。又聯曰：暗竇明亭相掩映；天花澗水自婆娑。憩雲軒，軒名額，並軒内額曰澗響琴清。聯曰：風定松篁流

遠韻；雨晴巖壑展新圖。又聯曰：泉聲秋雨細；山色古屏高。皆皇上御書。殿前碑一，恭刊康熙五十九年世宗御製詩，碑陰恭刊乾隆十二年皇上御製文。明碑一，其陽刻宣宗御製文，宣德三年建，其陰爲英宗御製文，正統十一年立。又寺内龍王堂遼碑一，僧志延撰，咸雍四年立。寺旁有僧性音塔。

原 正統十一年三月，命工部右侍郎王佑督工修大覺寺。明英宗實録

增 皇上御製重修大覺寺碑文 朕惟聖王御世，弘濟羣生，其與慈氏能仁普利人天，功德不可思議，迹雖殊而心源則一。佛經所云過去諸佛往往示現轉輪，以世法乂安天下，復以宗旨接引諸方延續慧命者，蓋祇期萬善之同歸而已。我皇考福慧兩足，鏡智圓明，自潛邸時，深究宗乘，證悟無上了義。御極撫辰，海内清和咸理，乃於幾暇，選序古德語録，開示津梁。仰惟大慈悲父廣種善根，凡梵宇琳宫曾施功德，皆不啻如來身坐道場，而歷劫四衆，並應莊嚴擁護瞻禮發心者也。朕因詣龍潭，近望西峰藍若。大覺寺者，金清水院故址，明以靈泉寺更名。運謝禪安，蔚爲古刹。康熙庚子之歲，皇考以僧性音參學有得，俾往住持丈室，御製碑文以寵之。及圓寂歸宗，復命其徒建塔於此。慈恩眷顧，聖蹟攸昭。而積歲滋久，丹艧剥落。爰加修葺，工既告竣，勒石以紀歲月。俾爾後住山大衆時念法王顯現化導因緣，與國家累葉護持正教，振起宗風之至意云。

增世宗御製大覺寺詩　翠微城外境，峯壑畫圖成。寺向雲邊出，人從樹杪行。香臺喧鳥語，禪室繞泉鳴。日午松陰轉，鐘傳説偈聲。

〔臣等謹按〕大覺寺世宗御製詩，謹依此書條例，編載首見之篇，餘不備録。

〔又按〕僧性音往住方丈，世宗御製文以寵其行，係康熙五十九年在藩邸時所作，不敢恭載。

增乾隆十二年御製初遊大覺寺詩　靈淵謝神貺，古寺問佛津。趁此山路便，況逢雨霽辰。清爽拂人面，微風襲草芬。禾黍連遠村，勃然生意新。暘臺是寺山名也。最高峰，未到意已欣。迤邐入林廬，便與步法門。石橋似虎溪，菡萏摇漣淪。一一蓮花上，疑有天女倫。月相巍殿中，調御信獨尊。雲湫洩山半，下注如垂紳。循流登其巔，乃至水之源。不溢亦不涸，徹底石粼粼。時復見泳游，故知非凡鱗。稍憩白板室，洒然誠絶塵。鳥語似談梵，樹影全標真。擬參大覺旨，翻歎語句頻。

〔臣等謹按〕大覺寺御製詩，兹爲首見之篇，又三十三年雜詠各題亦係初見，俱敬謹編載卷内，餘不備録。

增乾隆三十三年御製游大覺寺雜詩　山行宜步輦，迤邐細路通。路旁彌良田，緑蔚黍禾風。一雨生意佳，總賴造化工。遂過白家灘，村民多力農。爾我誠何幸，屢綏又冀逢。

埤堄棲絶頂，當年曾一攀。欲陟虞衆勞，望寄霄漢間。山下多果樹，秋實市闤闤。山上有古寺，花宮龍象間。底事護卿雲？羲畫題簷端。康熙年間，皇祖每駐蹕於此寺，有賜額。右城子山

言至招提境，遂過功德池。石橋亘其中，緩步虹梁躋。一水無分別，蓮開兩色奇。右白而左紅，是誰與分移？右石橋

佛殿邊旁精舍存，肅瞻聖藻勒楣軒。四宜春夏秋冬景，了識色空生滅源。大覺寺，皇考潛邸時曾與重修。四宜堂即賜題也。右四宜堂

笠亭棲峭嶢，如鳥翥翼然。層峰屏峙後，流泉布瀑前。山水之趣此領要，付與山僧閲小年。右領要亭

雲豈解勞逸，而用憩息爲？我適來山軒，見彼寫楹時。我憩雲亦憩，此意誰能知？迴首語苾芻，莫擬説禪詩。右憩雲軒

山半湧天池，淙泉吐龍口。其源遠莫知，鬱葱疊岡藪。不溢復不涸，自是靈明守。像設坐巖樓，致禮孚盈缶。利物神信能，格誠吾何有？右龍潭

古柯不計數人圍，葉茂孫枝緑蔭肥。世外滄桑閲如幻，開山大定記依稀。右銀杏

增僧志延暘臺山清水院創造藏經記，暘臺山者，薊壤之名峰；清水院者，幽都之勝概。山之名傳諸前古，院之興止於近代。將構勝緣，旋逢信士。今優婆塞南陽鄧公從貴，善根生得，淨行日嚴。咸雍四年三月，捨錢三十萬，葺諸僧舍；又五十萬，募同志印大藏經凡五百七十九帙，創内外藏而龕措之。藏事既周，求爲之記。聊敘勝因，俾信來裔。咸雍四年，歲次戊申，三月癸酉朔，四日丙子記。

原王嘉謨從破寺入鸕鷀谷詩　躋險穿蒙密，樵風去路長。杏花村店冷，柳絮野橋香。長嘯志幽寂，尋真入渺茫。迷途問何處，乘月有歸航。薊邱集

〔臣等謹按〕鸕鷀谷今無考。

欽定日下舊聞考卷一百七

郊坰　北

增元京城門北之西曰健德，明改健德曰德勝。大清一統志

〔臣等謹按〕德勝門明洪武時改，本朝因之。

增乾隆十三年御製德勝門外詩　緑柳陰中界道寬，西山新翠叠雲巒。頻年警蹕經過處，一雨郊衢頓改觀。麥臨芒種堪收半，黍沃甘膏更長齊。憂慰總緣農務切，吟詩豈爲湊新題？青蒲演漾碧波風，負郭人家畫意同。古蹟憑教傳日下，薊門烟樹有無中。薊門烟樹爲燕山八景之一，當在此處也。

〔臣等謹按〕德勝門外御製詩，恭載首見之篇，餘不備録。

增德勝門外，城河北爲松林閘。五城冊

〔臣等謹按〕松林閘水自玉泉山發源，由高梁橋東南流至德勝門，分爲二：一由水關入大内，是爲御河；一出松林閘，東流經安定、齊化二門歸通州，與白河合。閘上

建亭，恭立皇上御製詩碑。

增松林閘上恭勒乾隆三十五年御製德勝門外詩 逾月園居宜視朝，清晨鳴蹕返宮寮。經旬快霽行金令，喜看烟郊芃碩苗。蓄水因教濬閘池，松林閘更事修治。略爲紆道觀工藏，拍岸新波瀲碧漪。疊道修因來往人，渠消水亦利耕畇。鳩工並不驚閭里，内府休嫌發帑頻。

增松林閘東南有龍王廟。五城寺院册

〔臣等謹按〕龍王廟傍城臨河，去松林閘不數十武，爲明嘉靖年重修。有碑一，工部文思院大使南海吴廷誥撰，文思院副使撫寧靳質書，嘉靖三十七年立。

增吴廷誥重修龍王廟記略 德勝門外，隔城橋梁大道西曰松林閘，始於神京燕都分墅築城濬池。其源自西北玉泉而來，左右彎環，通流四城壕，拱護都畿。其水關中流而進，滋園蔬，潤塍稻，由穿市橋入金海，回淵積水，聚盈御苑。宇軒四面，宜時稱茂，蒹葭紅蓮，碧芡白菰，而泛濤旋遶禁城，通出朝門，貫脈悠麗，永保皇都萬年之勝境。其勢出接通漕運轉輪，民得大便，垂於永久。舊有龍王廟一區於閘側，四時遇旱而雨澤愆期，民叩於神祠，中禱輒應。嘉靖癸卯仲夏，大雨傾頽，外冰窨掌廠官吕焕捐資興工修葺，焕然美矣。甲寅六月，天雨異常，亦復傾頽，奉勅修理。五城寺院册

增德勝門外東北有前宏慈寺、後宏慈寺。五城寺院册

〔臣等謹按〕宏慈前後二寺，相去不半里，形勢聯屬，似一寺分而爲二者。考寺爲元興國禪林，兹於後寺斷垣荒草中搜得明臣顧肇迹碑，有元統三年興國禪林之語。翰林沈荃作重修碑記，殆本於此。而所謂興國禪林者，其興廢無可考矣。前寺本朝乾

隆丙申年新修，有鑪一，上識萬曆十一年宏慈寺造。後寺有鐵磬一，上識天啓五年宏慈寺住持降松發心募造字。

【增】顧肇迹宏慈寺碑略　劉公諱聚者，於成化中歷多戰功，封寧晉伯，贈侯，謚威勇。今握篆右府念世劉公，其五世孫也。京師德勝門外有古剎遺址，發地得石碣，蓋元之元統三年興國禪林也。劉公信心喜捨，鼎建一新。奏聞，賜名宏慈，後復建大藏經閣，貯奉太宗文皇帝所刻大藏尊經。今乙亥歲，庀材重加修葺，乃爲之記。崇禎八年乙亥，光禄大夫柱國江陽顧肇迹撰。

【增】沈荃重修宏慈寺碑略　寺自元之元統間，僧本量募建爲興國禪林，明代廓增葺之，改顏曰宏慈云。康熙十一年壬子立。

【增】宏慈寺北有長泰寺。五城寺院册

〔臣等謹按〕長泰寺俗名火神廟，本朝初年所建，有碑二，無字，其舊址不可考。殿内磬一，明萬曆乙未年造。鑪一，天啓五年造。鐘樓有銅鐘一，萬曆己酉年造。

【原】薊城内西北隅有薊邱，因邱以名邑也，猶魯之曲阜、齊之營邱矣。水經注

【原】陳子昂薊邱覽古詩序　丁酉歲北征，出自薊門，歷觀燕之舊都，乃憶昔樂生、鄒子羣賢之游，於斯爲盛，因登薊樓，作詩以志之。北登薊邱望，求古軒轅臺。應龍已不見，牧馬空黄埃。尚想廣成子，遺蹟白雲隈。南登碣石館，遥望黄金臺。邱陵盡喬木，昭王安在哉？霸圖悵已矣，驅馬復歸來。陳正字集

〔臣等謹按〕陳子昂詩集薊邱覽古詩，原本分載世紀門及本卷黄金臺下，且有一時而碣石宫、黄金臺兩載者，今移併此條下，以歸畫一。

【原】陳子昂登薊邱樓送賈兵曹詩　東山同昔意，北征非我心。孤負平生願，感涕下沾襟。暮登薊樓上，永望燕山岑。遼海方漫漫，塵沙飛且深。峨眉杳如夢，仙子曷由尋？擊劍起歎息，白日忽西沉。聞君洛陽使，因此寄南音。陳正字集

原揭傒斯登薊邱作　閒登薊邱望，西北削諸峰。轉覺天地肅，因悲霜露濃。雲間何處笛，日落滿城鐘。自笑棲遲者，惟堪學老農。秋宜集

原今都城德勝門外有土城關，相傳是古薊州遺址，亦曰薊邱。舊有樓館，並廢，但門存二土阜，旁多林木，蓊翳蒼翠。京師八景有薊門烟樹，即此。長安客話

〔臣等謹按〕薊門烟樹爲京師八景之一，詳見形勝門。御製薊門烟樹詩及原本所採諸作，皆録入形勝，惟薊門吟咏仍列此條後。

增鰕菜亭在德勝門水關西，明戴大圖建。大清一統志

〔臣等謹按〕鰕菜亭今圮。

原出德勝門八里爲土城，元之舊也。正統十四年十月，額森奉上皇車駕登土城。以通政司左參議王復爲右通政，中書舍人趙榮爲太常寺少卿，出見上皇於土城，即此地也。昌平山水記　按：額森義見前，舊作也先。今譯改。

補元時，居庸關、盧溝橋俱有過街塔，按歐陽原功詩：薊門城頭過街塔，一一行人通竇間。則薊邱城門亦有之矣。行國録

原姚廣孝薊門詩　雲樹依依接遠邱，時看飛雨灑征裘。不知銅馬坊何在，惟見桑乾水自流。逃虛子集

原李東陽薊門作　薊邱城外訪遺蹤，樹色烟光遠更重。飛雨過時青未了，落花殘處緑還濃。路迷南郭將三里，望斷西林有數峰。坐久不知遲日暮，隔溪僧寺午時鐘。懷麓堂集

原吴寬長至出土城作　馬上衝寒出北門，豁然平曠識乾坤。地連周囿民猶小，天作燕山勢獨尊。看月未忘黄土寺，披烟仍見白浮村。百官令節長來此，籩豆如流習駿奔。匏翁家藏集

【補】陸深出土城詩 粼粼原隰遠，遲遲麗景晴。始欣出塵想，遂暢同物情。夭桃出頹垣，曲澗縈舊京。民俗遠漸樸，山照去猶明。天關古無對，邊城今自清。撫時感雨露，緣禮報生成。因公遂攸往，倡言紀兹行。儼山集

【原】程敏政謁陵憩土城瑞光寺作 日下土城根，夷猶古寺門。水聲牆外急，人影樹中繁。燕薊諸關擁，金元一堠存。故人期不至，馬上共誰論。篁墩集

〔臣等謹按〕瑞光寺在卧虎橋東數武，額曰瑞光寺，無碑碣可考，寺亦圮毁。卧虎橋即土城外大石橋。

【補】正德十三年正月丙午，上還自宣府，羣臣迎駕於德勝門外。上戎服騎赤馬，佩劍而來。羣臣叩首道左。上下馬坐御幄。大學士楊廷和奉觴，梁儲注酒，蔣冕奉果榼，毛紀奉金花稱賀。上飲畢，馳馬由東華門入，宿於豹房。館閣漫録

【原】吴寬大勝寺作 高樹叢生積水清，亂蟬齊噪夕陽明。青苔滿地留人迹，黄土何年繫寺名？便與詩家謀共隱，不從衲子話無生。繩牀久坐涼陰下，縛木爲橋喜更平。匏翁家藏集

【原】程敏政與李賓之遊海雲寺詩 偶過都城北，來游古澗濱。微風清細暑，小雨浥輕塵。忽起殊鄉念，聊聞薄宦身。何時重載酒，同作看花人？篁墩集

〔臣等謹按〕大勝寺、海雲寺今俱無考。

【原】延祐四年，詔作林園於大都健德門外，以賜太保庫春，且曰：今可爲朕春秋行幸駐蹕地。受詔閱月而成，南瞻宫闕，雲氣鬱葱；北眺居庸，峰巒崒嵂。前包平原，卻依絶巘。山迴水潆，誠畿甸之勝境也。中園爲堂，搆亭其前，列樹花果松柏榆柳之屬。孟頫請名其堂曰賢樂，孟子所謂賢者而後樂此也。亭曰燕喜，詩所謂魯侯燕喜者也。松雪齋集 按：庫春，蒙古語力也，舊作曲出。今譯改。

原 托克托以私財造大壽元忠國寺於健德門外，爲皇太子祝釐。元史本傳

〔朱彝尊原按〕今之土城關，卽元大都城故址。元時所稱健德門外，乃今之土城關北也。

增 六月，大都涓日遣翰林院官一員赴上都注香，比到，大臣奏上位親囑香授使者，乘傳回京，至健德門外禮賢亭住夏，宰輔百官恭迎至京。凡各寺有影堂者，分其祭儀。析津志

原 至正二十四年三月，圖沁特穆爾陳兵自健德門入，覲帝於延春閣。七月，博囉特穆爾駐兵健德門外，與圖沁特穆爾、婁都爾蘇入見帝於宣文閣。二十八年閏月，帝御清寧殿，集三宮后妃、皇太子、皇太子妃同議避兵北行，至夜半，開健德門出奔。元史順帝紀　按：圖沁，唐古特語大力也，特穆爾義見前，舊作秃堅帖木兒。婁，蒙古語龍也。都爾蘇，規模也，舊作老的沙。今俱譯改。

增 多寶佛塔禪院在德勝門土城外。五城寺院册

〔臣等謹按〕多寶佛塔禪院，出土城西北里許，舊名千佛寺。明碑一，吏部尚書建極殿大學士趙志臯撰，臨海侯李言恭書，萬曆二十六年立。寺後有浮圖，七級，題曰華嚴永固普同塔，明萬曆乙酉年慈聖宣文明肅皇太后建。

增 趙志臯大護國千佛寺徧融大師塔院碑略　慈聖宣文明肅皇太后，根盤仙李，華茂金枝。賜金百鎰，範象千身。千佛寺所由建也。仍於萬曆十一年遣內官賫白金七十八兩，於德勝門土城關外鷹房村置地四頃八十七畝有奇，於中建立普同大塔一座。內列八十一龕，其中一以藏師全身舍利，餘以待繼師者。

增 德勝門土城外有北極寺。五城寺院册

〔臣等謹按〕北極寺明碑一，廣陽居達撰，正德六年立。銅鐘一，天啓乙酉年造，無姓氏，上鑄金剛經文。

增功德林在德勝門外。五城寺院册

〔臣等謹按〕出土城西北里許有養濟院，額曰功德林。雍正元年重修碑一，進士長白何溥撰，禮部尚書張廷玉題額。

增本朝進士長白何溥養濟院碑略　太原府王先爲僧，名元章，見德勝門之西有北邙廢地，平遠曠衍，遂建養濟院屋若干區。於冬春之交，養無告之人，衣食醫藥，喪埋之。孝莊皇太后嘉之，賜地二頃。雍正元年八月，御史鄂齊禮奏聞，爲增修廟址云。

增土城關東北有慈度寺。五城寺院册

〔臣等謹按〕慈度寺建於本朝初年，在功德林之東北隅。俗名黑寺，以其與雙黄寺同爲喇嘛所居，此覆以青瓦，故有是稱。建殿五層，山門天王殿恭懸聖祖仁皇帝御賜慈度寺額。第四層大殿前恭懸聖祖額曰法雲廣潤。寺内鐵鐘、鐵磬皆明萬曆年造，又銅鐘一，明宣德年造，當是他處移至者。

增慈度寺北爲察罕喇嘛廟。五城寺院册　按：察罕義見前，舊作察漢。今譯改。

〔臣等謹按〕察罕喇嘛廟與慈度寺先後同建，俗呼後黑寺。順治二年，察罕喇嘛自盛京來，於正黄旗教場北地址募化創建，未有寺名，即以其名稱之。康熙五十二年，聖祖仁皇帝賜無量壽佛二尊，供奉大殿。寺門前殿有大鐘一口，爲明時最勝寺舊物，上鑄尊勝楞嚴神咒、三十五佛、全部金剛經心經，正德十年都督同知朱寧造。

增北頂有碧霞元君廟。五城寺院册

〔臣等謹按〕北頂碧霞元君廟在北極寺之東，本朝乾隆年間奉勅新修。鑪一，明萬曆年造。鐘一，宣德年造。

增曹八里屯有慈救寺。五城寺院册

〔臣等謹按〕慈救寺在北頂東南，距德勝門外八里許，舊名五聖庵，康熙六十年重修。殿内鑪一，明萬曆年造。銅鐘一，嘉靖年造。

增西紅廟在德勝門外正黄旗教場北。五城寺院册

〔臣等謹按〕正黄旗教場及原本敍述五軍營創建始末，今俱歸入官署門内。此廟在教場北，卽明代五軍營祀旗纛神之處，今名西紅廟。碑一，明吏部尚書謹身殿大學士南陽焦芳記，中大夫光禄寺卿萊陽周文通書，正德三年立。其東北里許有團營關帝廟，則團營祀神之處，今稱東紅廟焉。

增焦芳五軍營新建旗纛廟碑記 皇上臨御，既視太學，躬釋奠，講經問道，修文德以風示天下矣。乃以京師武備所繫尤重，而詰爾之戒，無虞之警，亦不可緩。於是於翊衛諸軍營提督近臣咸擇人易之，以共新政，而五軍營提督則簡今谷公大用及魏公彬任焉。既受命，攄智殫力，明號令，肅戎伍，恤士布政，旌旄軍容，咸度而飭。至於首事旗纛，其祀尤嚴。蓋旗者，牙旗也，黄帝出軍，訣曰：牙旗者將軍之精，凡始豎牙，必祭以剛日。纛者，旗頭也。太白陰經曰：大將軍中營建之，天子六軍，所用六纛。今奉天子命莅戎事，首嚴祀之，禮也。然秦漢宋以來，旗纛雖有祀，而特爲建廟春秋遣官專祀之，此我聖祖體萃合天下之道以總攝兵戎之心。蓋萃之至也。自永樂中遷都於此，遂卽營中掃地爲壇祀之。谷公既嚴其事，而謂此不足以致潔清而萃神止，於是謀諸魏公，卜日爲廟。出所蓄金若干，以易材木甓石。上聞而嘉之，再加賜千金，命内官監給物料。重門塗朱，棁宇金碧，光耀奪目，而兵戎之志亦萃於

有廟矣。又以古法，行師旗章載四宿，北方者元武也，蓋取天一生水之義，故以前殿祀元天上帝，而祀軍牙六纛之神於後殿焉。廟成請予爲記。

增 西紅廟東有忠義廟。五城寺院册

〔臣等謹按〕忠義廟舊稱團營關帝廟。考明景泰間，于謙選三大營兵分十營團練，號曰團營。英宗復辟廢之，成化間復立，增爲十二。此廟乃明代團營所祀之神，俗稱東紅廟，與西廟對峙者也。本朝順治十二年奉勅重建，賜名忠義。殿前恭立世祖章皇帝御製碑文。左右明碑二：一爲吏部尚書李東陽撰，正德四年立；一爲禮部尚書費宷撰，嘉靖丁未重修記。

增 世祖章皇帝御製重建忠義廟碑記　朕聞國家靈長之運，必憑藉高穹元貺，而乃永永於無疆者，其明禋崇報當何如耶！茲都城北德勝門外土城前，舊有關聖廟一座，創自明朝，已歷多年。其間污漫傾頹，瞻禮不雅。朕念神威赫奕，忠義昭然，有感必應，有禱即靈，隨發誠意，遣官重飾廟宇，莊嚴聖像，復建東西兩廊山門圍牆，皆焕然一新。是豈無緣而致之也哉！今已功成，噫嘻盛歟！作廟翼翼，億萬斯年。

原 鷹房在德勝門外中鄉。五城坊巷衚衕集

〔臣等謹按〕鷹房有二：西鷹房地屬郊西；其東鷹房在土城關外西北五里許水磨村之

東，今僅存其地名耳。

原 雷思霈北郊鷹房詩 遼城金壘古鷹房，羊角風沙接大荒。野窟舊無狐兔跡，小池今有芰荷香。黃鸝獨語遮深柳，粉蝶叢飛戀短牆。千古幽州還禹甸，卜年開統憶先皇。雷檢討集

原 景泰元年七月，築德勝門北雙線舖。明景帝實録

〔朱彝尊原按〕元史百官志：至元十八年置雙線局提領、副使各一員。當在此地。

〔臣等謹按〕出土城十里爲雙泉舖，其地有關帝廟。碑一，明道録司田一彰撰記。廟外有古井，泉味清甘，水高於地，溢而爲澗，土人因指之爲雙泉。然一井兩泉，無所徵信。而朱彝尊引元史百官志置雙線局提領、副使爲景泰實録之徵，洵屬可據。意其先以雙線名而適有此井，遂致傳呼互訛。田一彰作記，亦復未能詳考也。

原 土城關北十二里爲清河，其水出玉泉山，分流而北逕此，又東會於沙河，入於白河。元順帝至正二十四年，圖沁特穆爾以兵向闕，駐於清河，索右丞相綽斯戩資政院使朴布哈二人，帝不得已執而畀之，其兵乃退。卽此地也。有石橋跨其上，永樂中建。宣德五年二月，上奉皇太后謁長陵、獻陵，上躬櫜鞬騎導皇太后輦至清河橋，下騎扶輦。既度橋，上復乘騎。郊甸之民夾道羅拜呼萬歲。昌平山水記

原 清河源自昌平縣西南一畝泉，經燕丹村東南合榆河。明一統志

〔臣等謹按〕直隷有兩清河。承巨馬、琉璃二水委流自良鄉、涿州之間東入渾河者，一

清河也；自都城西北西山之麓東流入潞河者，又一清河也。

增 乾隆六年御製清河道中詩　始發清河道，將爲塞上行。看山青覺近，問路景如迎。風爽催征轡，雲光獵綵旌。所思明舊制，豈爲騁遊情？

〔臣等謹按〕御製清河道中詩，恭載首見之篇，餘不備録。

原 廣濟橋跨清河在府北三十里。明一統志

增 乾隆十二年御製過清河橋詩　長虹飲明波，遊龍連萬騎。景物紛蕭颯，菰蒲靄蒼翠。扁舟底用呼，輕裾已可試。發軔塞北行，入畫江南意。魚躍破渚烟，鷺飛點蘆穗。俯仰對空澄，卽目愜幽思。迴憶前度期，忽作經年事。

增 清河有鎮國寺。五城寺院册

〔臣等謹按〕鎮國寺在清河橋北，寺已圮毁。有碑一，明工部尚書嘉禾張文憲撰，嘉靖丙寅歲立。

增 德勝門外有元福宮。五城寺院册

〔臣等謹按〕元福宮距德勝門北三十里。殿宇傾圮，明武宗碑一在殿左。

增 明武宗元福宮碑略　弘治十七年，皇考孝宗皇帝諭曰：御馬監黄土馬房草場，乃天壽山居庸關經由通衢適中之地。聞其土燥無水，居者行者往往病之。其擇地鑿井汲水，以濟人用。仍修建觀宇一區，爲往來棲宿之所。明年二月，命朝天宮左演法陳良福住觀焚修，工未就緒。朕謂此先帝遺志也，不可不終。仍命督修，改觀爲元福宮，遷陳良福爲左至靈兼住持事，其徒陸尚泰爲住持。蓋自弘治甲子冬十月始事，至今正德乙亥夏五月厥宮告成。宮之中爲正殿，以奉元武之神，前爲左右殿、爲龍虎殿、爲鐘鼓樓、爲内外山門。山門之前，甃石爲二井，南北爲方丈以居道衆。繚以垣牆。宫旁及前爲營房爲車園店以居牧馬旗軍，又給草場地六十頃以供香火。琳宫貝宇，傑出霄漢，輪奐完美，丹碧輝映，遂爲都城之北一偉觀云。

增元京城門北之東曰安貞，明改安貞曰安定。大清一統志

〔臣等謹按〕安定門明洪武時所改，本朝因之。

原方澤壇在安定門之北，繚以垣牆。爲制二成：一成面方六丈，高六尺；二成面方十丈六尺，高六尺。甎用六八陰數，黄色琉璃，青白色石砌，四出陛各八級。周圍水渠一道，長四十九丈四尺四寸，深八尺六寸，闊六尺。内壝方牆二十七尺，高六尺，厚二尺，内櫺星門四。北門外西爲瘞位、瘞祝帛，配位帛則燎之。東爲燈臺，南門外爲皇祇室，藏神版，而太祖版則以祭之前一日請諸廟。外櫺星門四。西門外迤西爲神庫、神廚、宰牲亭、祭器庫。北門外西北爲齋宫。又建四天門。西門外爲鑾駕庫、遣官房。南爲陪祀官房。又外爲壇門，又外爲泰折街牌坊。護壇地一千四百七十六畝。春明夢餘録

原嘉靖九年五月，作方丘於北郊。明典彙

原皇地祇正位北向，太祖配西向。東一壇，中嶽、東嶽、南嶽、西嶽、北嶽、基運山、翊聖山、神烈山之神，西向。西一壇，中鎮、東鎮、南鎮、西鎮、北鎮、天壽山、純德山之神，東向。東二壇，東海、西海、南海、北海之神，西向。西二壇，大江、大淮、

大河、大漢之神，東向。明嘉靖祀典

原 方丘皇地祇神位版及配位神版俱丹漆金字。上同

原 南郊配位藏於泰神殿。北郊配位在太廟，臨祭前一日請出，祭畢仍奉入。西垣筆記

原 劉士驥北郊紀事 元郊展禮報元功，五夜神光滿碧空。靈鼓飛聲天籟裏，黃琮呈采月明中。漸看玉佩千官集，共祝金穰四海豐。聖主精誠先俎豆，遥看黻冕坐齋宫。蟋蟀軒草

增 方澤在安定門外北郊，形方象地，方折四十九丈四尺四寸，深八尺六寸，闊六尺。澤中貯水。方丘北嚮，二成：上成方六丈，下成方十丈六尺，均高六尺；上成正中六六方甃，外八方，均以八八積成，縱横各二十四路；二成倍上成八方八八之數，半徑各八路，以合六八陰數，皆甃以黃色琉璃。每成四出陛，各八級，皆白石。二成上南左右設五嶽、五鎮、五陵山石座，鑿山形；北左右設四海、四瀆石座鑿水形；均東西嚮。水形座下鑿池，貯水以祭。内壝方二十七丈二尺，高六尺，厚二尺。壝北三門六柱，東西南各一門二柱，柱及楣閾皆白石，扉皆朱欞。壝北門外東北鐙杆一，西北瘞坎一，燎鑪五。外壝方四十二丈，高八尺，厚二尺四寸，門制與内壝同。東西門内從壇瘞坎南北各二。壝南門外皇祇室五間，北嚮，覆黃琉璃。圍垣正方，周四十四丈八尺，高丈一尺，北嚮設一門。外壝西門外神庫、神廚、祭器庫、樂器庫各五間，井亭二。又西爲宰牲亭，亭前井亭左右各一。西北爲齋宫，東嚮。正殿七間，崇基石闌五出陛。左右配殿各

七間，内宫門三間，左右門各一。外宫牆周百有十丈二尺，門三，東嚮。門東北鐘樓一。壇内垣周五百四十九丈四尺，北西各三門，東南各一門。外垣周七百六十五丈，西嚮門三，角門一。大清會典

〔臣等謹按〕方丘舊址爲明嘉靖九年定，本朝因之，屢加寬廣，規模制度益昭隆備。

增歲以夏至日祭皇地祇，奉太祖高皇帝、太宗文皇帝、世祖章皇帝、聖祖仁皇帝、世宗憲皇帝配，以五嶽、五鎮、四海、四瀆、啓運、天柱、隆業、昌瑞、永寧五陵山從祭。皇地祇位第一成北嚮，列聖東西嚮。四從位第二成五嶽、啓運、天柱、永寧三山西嚮，四海在其次，五鎮、隆業、昌瑞二山東嚮，四瀆在其次，均設黄幄。皇地祇黄琮一、帛一、犢一、登一、簠二、簋二、籩豆各十有二、尊一、爵三、鑪一、鐙四。列聖均帛一、犢一、登一、簠簋各二、籩豆各十有二、尊一、爵三、鑪一、鐙四，從位各帛一。每幄均牛一、羊一、豕一、登一、鉶二、簠簋各二、籩豆各十、尊一、爵三、琖三十、鑪一、鐙二。玉帛實於篚，牲載於俎，尊實酒，疏布冪，勺具。大清會典

增夏至日大祭方澤，玉用黄琮。郊祀，制帛一，遇祭告用告祀，制帛一，色均黄。牲用犢，樂八奏，用平字。舞八佾。祝版黄紙黄緣墨書。祭器籩純漆，豆登簠簋尊均用陶，爵用匏陶色黄，祭品大羹不和。祭服，御明黄禮服。上同

〔臣等謹按〕每歲恭遇北郊大典，皇上必躬親成禮，爲伊古所未有。乾隆十三年，以明制祭器未昭備物，皇上親加審定，凡一器一物莫不折衷至當，垂示方來，用昭祇敬。

增先祀一日，皇帝御龍袍袞服，乘禮輿出宮，至太和門階下降輿乘輦，入壇西門，至方澤北門外降輦，由右門入，詣皇祇室。於皇地祇、列聖前上香，行三跪九拜禮。詣方澤，視壇位，視籩豆畢，由內壝北右門出外壝北右門，至神路左陞輦，詣齋宮。大清會典

〔臣等謹按〕北郊齋宮，皇上創修於癸亥之夏。先祀一日，法駕預宿齋宮。後因念執事有病暍者，復降旨俟樹木成陰時再爲舉行。然如壬申夏至前適值雨後新涼；己卯歲又以禱雨正切，仍前期齋宿。仰見皇上昭事之忱，虔惕倍至。又大祀典應乘輦入壇，全設鹵簿；每當望澤之時，即不御輦，不設儀仗，益徵聖心敬畏云。

增祀日，日出前七刻，皇帝御祭服，乘輦，至外壝北門外神路左降輦，出外壝北右門入內壝北右門，陞子階，至二成黃幄次。皇帝就拜位立。瘞毛血，迎神，樂奏中平之章，行三跪九拜禮，迺進香與篚，奏廣平之章。皇帝詣第一成皇地祇位前跪，上香，受篚奠玉帛，以次詣列聖配位前上香奠帛。皇帝復位，迺進俎，奏含平之章。皇帝陞壇，詣皇地祇位、配位前跪，進俎，復位。行初獻禮，奏太平之章，舞干戚之舞。皇帝陞

壇，詣皇地祇位前跪，獻爵，奠正中，退就讀祝拜位立。司祝奉祝版跪祝案左，樂暫止。皇帝跪，司祝讀祝畢，樂止，皇帝行三拜禮興，詣配位前以次獻爵。行亞獻禮，奏安平之章，舞羽籥之舞。皇帝陞壇，以次獻爵，奠於左，儀如初獻，復位。行終獻禮，奏時平之章。皇帝陞壇，以次獻爵，奠於右，儀如亞獻，復位。光禄卿奉福胙進至皇地祇位前拱舉，皇帝詣飲福受胙拜位立，跪受爵，受胙，三拜興，復位，行三跪九拜禮。徹饌，奏貞平之章，送神，奏寧平之章，皇帝行三跪九拜禮，有司奉祝，次帛，次饌，次香，恭送瘞坎，奉配位前帛饌香恭送燎所。樂作，皇帝由内壝北右門出至望瘞位望瘞。禮成。皇帝由外壝北右門出至北門外陞禮輿，奏祐平之章，皇帝回鑾還宫。大清會典

增乾隆七年御製夏至日有事於方丘禮成恭紀　星火紀蒼龍，陽烏盡午中。應時陳盛祀，先事愓微躬。林筦調宫徵，方壇配昊穹。夔夔羣辟集，惴惴一誠通。永念陰陽嬗，端惟造化功。祇期長養遂，萬物育薰風。

增乾隆八年御製北郊齋宫卽事　宇静躁心排，窗虚爽氣偕。百年今重葺，預日此來齋。默驗陰陽運，深探理欲荄。僕臣方苦熱，嘉蔭有崇槐。清切玉階深，虬松蓋影森。詩拈今夕景，鳥弄舊時音。信可消塵慮，非關散遠襟。明衣披問夜，有事敢忘欽！八年夏重葺北郊齋宫，以大祭預日前

增乾隆十年御製夏至有事於方澤禮成敬述　帶月駕星輪，鳴鑾出鳳闉。

詣齋宿。適有病暍者，緣樹未成陰故，今歲仍自宮中往也。易衣遵薦陸，沃盥授絺巾。至櫺星易祭服，盥手，乃入祭。大武陳元俎，犧尊右媪神。蕃釐希帝錫，來享儼皇臻。瘞坎旋將帛，熏鑪已達薪。廣生欽厚德，坱圠實無垠。

增乾隆十三年御製夏至遣親藩恭代北郊怵惕靡安彷徨有述　北郊臨大祀，代禮制初宣。朕自卽位以來，北郊之祭每歲無不親行。今以后喪未踰百日。故遣代祭，誠虔不潔，匪慮身勞也。祇以新除沐，朕素服兩月而除沐，兹尚在三月中云。猶虔礙吉蠲。瓣香精室裏，悃愫澤壇邊。胥荷安貞德，宏承資始天。可能通旭卉，敢不潔鉶籩！迴首思恩命，流光十五年。憶自雍正癸丑，每歲蒙皇考恩命代祭北郊。卽位後，又每歲親行，屈指至昨年，蓋十五次莅事矣。

增乾隆十七年御製詣齋宫作　方澤躬親歲舉行，鑾輿法駕啓平明。齋宫却暑來先宿，都爲薰風時雨晴。大祀詣齋宫，朕所舉行，然北郊往往以盛熱，植樹尚未成蔭，慮執事病暍，仍卽宮中齋宿。今歲雨後快晴，薰風薦爽，爰遵定制，預日來齋。中矩康衢步輦旋，天安正直轉東邊。經過翰苑松槐鬱，文譙徘徊倏十年。每祭北郊，法駕必由天安門出東長安門，經翰林院署，甲子臨幸，今十年矣。謁室瞻壇盛禮陳，豆籩展視潔蘩蘋。躬親敢以時炎謝，況值司工告鼎新。預宿齋宫，應詣皇祇室展拜。今歲適值維新工竣，式覲輝煌，稍申虔敬。

增乾隆二十五年御製夏至北郊大祀禮成有述　日永火星正，雨霑曉氣清。晨趨備儀衛，夏至大祀，每逢望雨之時，率不敢御輦詣壇，以誌虔悚。今歲雨暘時若，乃得依例舉行云。祀典率公卿。八奏蕤賓律，一元瘞坎牲。躬承歲弗懈，惟是盡吾誠。

增乾隆二十七年御製夏至北郊禮成述事是日雨　澤祀寅承歲不違，連宵達曙雨絲霏。仍茲對幕欽端冕，敢曰霑裳換製衣！樂奏林鐘宣以鎛，大樂始備鎛鐘黃鍾律元，以辛巳南郊入奏，今工歌林鐘應律，則方澤初肄新宮也。祉繁富媼卜如幾。贊儀百辟胥頒賜，是日以雨，陪祀王公及執事官濕衣者皆命賜紗。其壝外著製衣陪祀者不與。小惠權衡亦慎微。

增 乾隆三十二年御製北至日方澤禮成述事 祭服惟黃卽大裘，矩旋方澤結方丘。權輿觀法遵羲頊，應節陳禋式夏周。陟降於昭咸侑食，安貞之吉久蒙庥。通宵渥雨資長養，歛錫欽敷惠愷流。時竟夕甘膏稠浹，秋苗向榮，比質明將事，霑灑尚濃。因命加賚陪位執事諸臣及番伍校尉、除道步軍等有差。

〔臣等謹按〕凡恭值方澤大祀，宸章垂詠，篇帙尤多，茲敬繹其特昭典則、考證攸關者，備録卷内。

原 出安定門外循古壕而東五里，有滿井。井面五尺，無收有榦。榦石三尺，井高於地，泉高於井。帝京景物略

〔臣等謹按〕劉侗帝京景物略謂滿井旁有小亭，柳黃時遊人泉而茗者道相屬，其初春首遊也。今安定門外東行五里許觀音庵之側有高井焉，一潤百畝，四時流溢，或卽其地。然謂井面五尺，殊不相類。而舊時烟柳亭榭，更不復可尋矣。

〔又按〕德勝門之西北東鷹房村有稱爲滿井者，廣可丈餘，圍以甎甃，泉味清甘，四時不竭，水溢於地，流數百步而爲池。居人汲飲賴之。蔬畦相錯，灌溉甚廣。蓋郊北之水來自西山，泉源隨地湧出，固無足異。而載筆者或以相去不遠，方名互訛，

亦未可知也。

原 滿井，徑五尺餘，清泉突出，冬夏不竭，好事者鑿石欄以束之。水常浮起，散漫四溢。井旁蒼藤豐草，掩映小亭。都人詫爲奇勝。長安客話

原 林堯俞滿井詩 寒泉凝碧甃，一酌冷人心。素綆無妨短，銀牀半欲沉。畦渟魚藻入，林影鳥巢深。偶值堤邊叟，悠然似漢陰。溪堂稿

增 安定門外鑲黄旗教場北有東黄寺。五城寺院册

〔臣等謹按〕東黄寺，順治八年奉勅就普静禪林興建，康熙三十三年重修。正殿簷上恭懸御書額曰大乘寶殿。簷前額曰明妙圓澄。殿内額曰妙演三摩。聯曰：梵香馥郁吉雲凝，象教西傳淨業；寶相莊嚴華月印，雁堂北護黄圖。皆皇上御書。殿前碑亭二：東碑爲順治八年大學士寧完我撰；西碑恭勒聖祖仁皇帝重修記文，碑陰恭勒皇
上御製詩。

增 聖祖仁皇帝重修東黄寺碑記 朕惟象教之傳，由來已久。其闡發宗風，宣揚梵諦，大都以清淨慈惠，倡導顓蒙，與帝王弘濟羣生之至意亦有合焉。普静禪林在京城之北，法侶攸萃，薰唄莊嚴。當順治年間，有西域緇流以祝國佑民爲請，爰奉俞旨，創建玆刹，歷有年矣。朕時巡偶至，顧視棟宇傾頹，因發内帑，命員外郎永保海倫庀材鳩衆葺而新之。夫三乘以勸善良，五戒以防淫慝，溯厥本源，洵足飭躬詆俗，裨益化成。是役也，

豈徒爲方外飾觀而已哉？工竣，勒文記之，並賜額以昭示於永久云。

增乾隆二十九年御製重修普靜禪林瞻禮有述 禪林鬱律鳳城北，辛卯（順治）。創成甲戌（康熙）。親詣瓣香修。六十餘年事重葺，百千奕葉仰前猷。無非保赤右扇念，有集衣黃偏祖流。昭慶落，七言聊當（去聲）。誌碑留。

增東黃寺西爲西黃寺。（五城寺院册）

〔臣等謹按〕西黃寺與東黃寺接連，雍正元年建，乾隆三十六年重修。殿前恭懸御書額曰覺海慈雲。四十五年御題山門額曰彙宗梵宇。大殿柱聯曰：馥郁香臺輝慧日；莊嚴寶界擁祥雲。都綱殿額曰妙緣具足。聯曰：三乘普滿仁慈願；十地常凝福德雲。樓上額曰法雲普遍。聯曰：金界擁祥輝，齊瞻七寶；香林滋法雨，溥潤萬方。樓後層額曰慧燈朗照。聯曰：福地湧華嚴，妙參功德；淨因開舍衞，境現清涼。寺内碑亭二：東亭恭勒世宗憲皇帝御製碑文；西亭恭勒皇上御製碑文。

增世宗憲皇帝御製碑文 雍正元年正月，喀爾喀澤卜尊丹巴胡土克圖、四十九旗札薩克、七旗喀爾喀、厄魯特衆札薩克汗、王、貝勒、貝子、公、額駙、札薩克台吉、塔布囊等合詞奏言：臣等荷聖祖仁皇帝教誨養育如天覆燾之恩，歷六十二年。殊域窮荒，溥徧周浹。以子以孫，世世蒙賴，無所申其報効，區區之忱不能自已。臣等同心一力，合貲凡四萬三千兩，造三世諸佛像八座塔番藏經。京城北郭外有原爲達賴喇嘛修蓋之黄寺，請以贏財葺而理之。丹青黝堊煥然以新，供佛像寶塔藏經於兹寺。臣等感激攀慕之情，庶盡涓埃。朕惟皇考聖祖仁皇帝以天下爲一家，以萬國爲一體，深仁厚澤，所以嘉惠藩服者，淪入於肌膚骨髓而不可忘也。諸藩王等詞語懇切，具見誠悃。遂允所請，命親王大臣往董厥役。工既告竣，勒文豐碑以揚皇考功德之隆，以表藩服忠愛之篤，用昭垂於久遠。自今以始，爾諸藩王等其益修乃政事，撫乃臣庶，睦乃鄰封，俾民物蕃滋，疆宇寧泰，恭順述職，永享我朝太平之福，斯則皇考陟降之靈日鑒在兹，爾諸藩王等其敬念之無斁焉。是爲記。

增御製重修黄寺碑文　象教由西竺入東土，中間流衍侵尋，論其書則譯不如梵，論其人則緇不如黄。此在能仁普燾，有平等施，無分别相，而揆諸國家善世開化之大經，則必有數典不忘其朔者，然後可以柔遠人而惇本俗。洪惟世祖章皇帝定鼎自燕，荒徼景附。達賴喇嘛在國初導諸藩傾心歸命，其功最鉅。至順治九年來朝京師，特頒册印，綜理黄教，並肇建斯寺，俾爲駐錫之所。嗣是達賴喇嘛、班禪額爾德尼間歲奉貢遣使，咸館寺中，而蒙古喀爾喀各部之以番覲至者，靡不識所嚮方，和南皈仰。夫既文釐政典而事著藩條矣。皇祖聖祖仁皇帝久道綏懷，時加繕治。皇考世宗憲皇帝雍正元年，澤卜尊丹巴胡士克圖暨札薩克王公、台吉等合辭懇鑄佛像寶塔，送寺供奉，寺宇亦輪奐一新，距今垂五十載。迺乾隆己丑冬，章嘉國師牒理藩院大臣上言：黄寺東西二區，同垣異構，土人號曰雙黄寺，蔚爲北垌名刹。茲東寺已經增葺，而西寺尚以歲渝，寖就陊剥，觀瞻曷副？矧比歲庚寅辛卯，疊逢國慶駢臻，中外延喜，純純常常，越在蕃封，方樹領翹跂思得聆潮唄，效嵩呼，胥於是焉在。願前期諏吉庀材，用荅輿望。爰俞其請，下所司支内帑金，往董厥役。物備工良，所在閎塏完緻。以今年仲夏庚戌日北至用告蕆成。朕因蹕旋道近，莅而落之。紀事詩所云敬識當時具深意，聯情因撫遠方人者是也。即日恭奉懿旨，飭尚方肅瓣香，陳伊蒲供，以展誠敬，都人皆舉首加額，衢頌交屬曰：聖母皇太后以大慈仁廣大庇佑，以大福德成大勝因，聖心與佛心無二無別，即聖壽與佛壽亦無二無別。或進而推明夫所以，又稱曰：崇祖制也，綿慈禧也，安列服也，闡宗乘也，而修寺之緣起詎復有逾乎此哉？遂摭其實以揭於碑。

增 雙黄寺西北爲資福院。五城寺院册

〔臣等謹按〕資福院，聖祖仁皇帝允哲卜尊丹巴瑚土克圖諸蒙古汗、王、貝、勒、貝子、公、台吉、塔布囊之請，賜額曰資福，御製碑文立于大殿院内，殿前恭懸世宗憲皇帝御書額曰仁彌沙界，又碑一，乾清門侍衛拉錫撰。

增聖祖仁皇帝御製資福院碑記　辛丑春澤卜尊丹巴胡土克圖諸蒙古汗、王、貝勒、貝子、公、台吉、他布囊等赴闕稽首，合詞奏言：皇帝纘承鴻業六十餘年，天地清寧，海宇安泰，邊塞遠人，歆和禔福，爲日久矣。往者噶爾丹恃强侵軼，皇帝親總六軍，盪除狡寇，安集散亡，龍沙瀚海百十部落，普蔭大慈，安土樂業，垂三十載。策妄阿喇布坦兇孽之餘，肆其頑悖，欲滅法教，皇帝討辠捄災，命師受筭，深入曠古絶域，斬俘逐北，遂恢故宇，振法輪。青海以南，三危以北，百蕃之長，悉心向化，欣覩天日。臣等伏思皇帝神功巍煥，景祚綿遠，亘古未覯。凡有知識，咸思仰報。況臣等沐累朝禄賜，受皇帝高厚，踴躍烏能自已？乞于京師鼎建梵刹，申頌無疆，且以木石磚甓之餘，于安定門外立十方院，爲飯僧所，徒衆自遠至者得有棲止。朕以建寺煩費，詔諭止之，而允其立院之請。諸汗王等復奏言：禁城西之崇國寺，故西僧香火也，今願新之爲皇帝祝釐地。朕以其誠懇，亦俞允之。夏十月，十方院建修功告竣，諸汗王等請院額，朕賜名曰資福。蓋嘉諸蒙古平日服事之勤，而取釋氏廣資福緣之諦也。書曰：而康而色，曰予攸好德，汝則錫之福。傳曰：見於外而有安和之色，發于中而有好德之言，則錫之以福也。諸蒙古貞一乃心，恪奉厥職，協和鄰部，輯睦姻親，天必迎其善意而降之以吉祥，將見户口愈滋，畜牧益盛，朕樂與共太平有永而勿替也。是爲記。

增華藏寺在安定門土城外龍到村。五城寺院册

〔臣等謹按〕重修華藏寺碑爲明户部郎中劉禹謨撰，萬曆八年立。其略云：安定門外龍到村舊有古刹，御史涂武首倡捐金買地爲義塚，因華藏寺舊址重新之。

增大屯村有護國天仙廟。五城寺院册

〔臣等謹按〕大屯村在土關之北。廟内磬一、鐘一，皆明萬曆年造。

增大屯村永安莊真武廟。五城寺院册

〔臣等謹按〕永安莊真武廟碑一，明正統十二年翰林學士陳循撰，儒士徐暘書。廟已就圮，惟碑尚存。前爲太清觀，羽士居之。乾隆戊辰年重修。磬一，識京都順天府宛平縣安定門外永安莊太清觀住持遵吉萬曆三十三年造。

欽定日下舊聞考卷一百八

京畿 通州一

原通州在府東四十五里。明一統志

〔臣等謹按〕通州明屬順天府，本朝因之。順治十六年，省潞縣入州。

增州東西距四十五里，南北距八十里。東至三河縣界二十五里，西至大興縣界二十一里，南至武清縣界六十里，北至順義縣界二十里，東南至香河縣界五十里，西南至永清縣界四十五里，西北至昌平州界三十五里。大清一統志

原在漕河之西三里。漕河圖志

〔臣等謹按〕漕河距今州城半里許。

原州秦屬漁陽郡，漢爲潞縣地，仍屬漁陽郡。清類天文分野之書

補潞，高陽氏後，祁姓，漢屬漁陽。國名紀

增通州本禹貢冀州之域，春秋戰國皆屬燕，秦屬漁陽郡，兩漢本潞縣及安樂縣地，皆漁

陽屬邑。魏晉以降，屬幽州。後魏置潞郡，隋開皇初省入涿郡。唐武德二年於此置元州，領潞、臨泃、無終等縣。貞觀元年，省元州，後爲潞縣，後以水患徙治安樂故城，今州之東北卽舊治地也；歷五代皆因之。至金天德三年，陞爲通州。元因之。領縣二：曰潞，曰三河。隸大都路。洪武元年閏七月内附，併潞縣入於州，仍以三縣隸焉，屬北平府。圖經志書

原高梁水東至潞縣，注於鮑邱之水，又南逕潞縣故城西，王莽之通潞亭也。漢光武遣吴漢、耿弇等破銅馬五幡於潞東，謂是縣也。水經注

增漁陽郡路縣，莽曰通路亭。漢書地理志

〔臣等謹按〕漢書地理志，漁陽郡下之路縣，作路；與上黨郡之潞故潞子國異文。後漢書郡國志，漁陽郡下始列潞縣，爲潞河之文承用始也。通路亭今無考。

原公孫瓚斬劉虞，虞從事漁陽鮮于輔、齊周、騎都尉鮮于銀等，率州兵欲報瓚。以燕國閻柔素有恩信，共推柔爲烏丸司馬。柔招誘烏丸、鮮卑，得數萬人，與瓚所置漁陽太守鄒丹戰於潞北，大破之，斬丹。三國志

原晉屬燕國，後魏仍屬漁陽郡，北齊時分置潞郡。方輿紀要

原隋開皇初，罷入涿郡。唐武德二年，自無終徙漁陽於此，置元州。清類天文分野之書

原元州領潞、臨泃、漁陽、無終四縣。貞觀元年，廢州，省臨泃、無終二縣，以潞、漁陽歸幽州。太平寰宇記

原遼人既强，内侵諸州皆徧。幽州東十里之外，人不敢樵牧。趙德鈞爲節度使，於州東五十里城潞縣而戍之，近州之民始得稼穡。通鑑

增潞縣隸南京析津府，在京東六十里。遼史地理志

增宋宣和四年，以潞縣隸燕山府。七年，金人復取之。宋史地理志

原金天德三年，改黎陽之通州爲濬州，以此縣陞爲通州。元因之，領二縣，屬大都路，今潞縣并入州。領縣四：三河、武清、寶坻、漷縣。清類天文分野之書

補北通州，燕山府潞縣也。北並海，金人每年於此造海船，因改爲州。海陵集

原元既隳城郭，兵火之後，衹編籬寨而已。洪武元年閏月，燕山忠敏侯孫興祖從大將徐達督軍士修城垣，始甃以磚石，周圍九里十三步，高四丈六尺。在潞河之西，因以潞水爲濠。名勝志

補洪武元年閏七月，徐達率諸將既克長蘆直沽，進抵河西務。郭英首與元兵戰，生擒達勒達判院；遇元平章安布，擊破之。距通州三十里爲營，深溝高壘，爲持久計。衆請速攻城，英曰：吾師遠來，敵以逸待勞，攻城非我利也，宜出其不意破之。翌日大霧，英以千人伏道旁，率精騎三千直抵城下。元將五十八國公率敢死士萬餘，張兩翼出戰。良久，英佯敗，敵乘勝來追，伏兵起，截其軍爲二，斬首數千級。元知院布延特穆爾力戰死之。擒元宗室梁王博囉。二十七日夜三鼓，遂克通州。鴻猷録 按：達勒達，滿洲語隱避處也，舊作達達。安布，唐古特語不善之謂也，舊作奄卜。布延，蒙古語福也，特穆爾義見前，舊作卜顔帖木兒。今俱譯改。

原通州上拱京闕，下控天津。潞、渾二水夾會於東南，幽燕諸山雄峙於西北。舟車輻輳，冠蓋交馳，實畿輔之襟喉，水陸之要會也。畿輔通志

原城門四：東曰通運，西曰朝天，南曰迎薰，北曰凝翠；各有樓。通州志

原宣德八年閏八月，命都指揮劉斌董修通州城樓。明宣宗實録

原新城，景泰間築，周七里有奇，中有西、南二倉，蓋國家歲入東南漕運四百萬石，析十之三貯於通倉，故爲城以屏蔽之。名勝志

原成化十二年十一月，鎮守通州都督同知陳逵、監察御史徐鏞奏：通州密邇京師，南北糧運積貯於此，城池不可不謹。正統十四年，額森侵境，以倉廒在西城外，乃築新城障之。倉卒經營，未如制度。舊城高三丈五尺，垛口五尺，臺廣三丈五尺，而新城不及其半。請拆舊城西面，而展新城北角與相連接，增其丈尺，使上下齊一。仍建甕城敵臺於城北，開一門以通河道。上命逵會巡撫汪霦覆勘以聞。明憲宗實録

原新城連接舊城，正德六年，巡撫都御史李貢增崇之，加五尺。萬曆十九年復修南門，題曰望帆雲表，西門題曰尺五瞻天。通州志

原李東陽重修通州新城記 通州在國初爲北平布政司之屬郡，舊有城。自文皇帝定都以來，肇立京府，並置州衛。東南漕運歲入四百萬，析十之三貯於州城。既久且富，乃於城兩門外闢地爲西、南二倉。景泰間，以外警，復築城七里有奇，環而翼之，爲新城。時倉卒規制未備，高止丈餘，視舊城不及其半。比年甎石剥落，外内出入可登而越也。正德辛未，流氛爲患，副都御史李貢巡撫其地，深以爲憂，引水而環之三周。已乃詢諸有司，圖所以禦災捍患

者。上疏言：天下之治，與其有事而圖，孰若先事而慮？今番上京軍數千名，方留城守，宜以其隙計工修築，工部分司有廢甎數十萬，宜借以供用。上命户部左侍郎邵君寳、兵部左侍郎李君浩、工部右侍郎夏君昂率僚屬往相其宜，悉如所議。君又留罪人所贖金爲凡百費用。新城舊基增築五尺，其外爲甎，內實以土，上復爲垛牆六尺有咫，而長廣皆如其數。又爲敵臺，其西南爲甕城，重門懸橋，皆舊所未有。其爲役皆分番迭作，人樂趨事，不數月而成焉。於是知州楊濬、州學正洪異等謂茲役之重，不可以無述，介吾妻之從子岳序班梁以請于予。予惟天下大計不外於兵民，兵民所賴以生者必資乎食。茲役也，皆有賴焉。若所謂先事而備，則李君固言之，即唐李絳所以告其君者也。顧狃於安逸者恒以爲不足憂，而張皇者又有所不及謀。比盗賊芟刈略盡，遠近諸司皆宴安不復致慮，而李君方矻矻不暇，議者或以多事爲疑，亦獨何哉？予感其事，因敘其始末，爲方來者勸，俾以羨財餘力益增而高焉。其爲補豈小哉！是役也，巡按御史陳君祥、巡倉御史詹君源實協其謀。董其事者則分守都指揮黄璽等十餘人。系之詩曰：文皇建都，治必南向。州名曰通，作我東障。高城巍峩，有兵有民。漕河北來，餉粟雲屯。儲盈庾增，新城是築。有功弗終，高及其腹。月傾歲頽，寖不及前。窺覘之患，孰防未然？矻矻臺臣，出治斯土。遭時多虞，實備羣侮。陳謨在廷，惟皇聖明。乃集羣議，乃睹地形。營兵如林，時屬戍守。且練且修，工弗外取。倉有餘粟，鍰有贖囚。斯納斯出，財弗外求。因城爲高，幾倍其半。其周七里，環彼三面。望之巖巖，即之巉巉。河流在陽，其水潭潭。前有連城，後有臯壤。越百餘年，既崇且廣。古亦有言，安不忘危。惟臺有臣，爲藩爲維。金湯高深，同彼帶礪。守在四方，傳於萬世。懷麓堂集

原唐文獻重修通州新城記　通州，古漁陽地，相傳勝國前無城，捍以籬寨，其有城自洪武初忠敏侯孫興祖始。其奏建二城以護西、南二倉，自正德間總督糧儲李德始。其增修新城，自嘉靖六年中丞李貢始。今重修新城以聯舊城，使之唇齒相附，則萬曆十九年濟南晴江王公始。公博大精敏，負文武異才。簡書之餘，出就行部，相度要害，謂通州乃肘腋上流，咽喉重地，無若修新城爲急。於是上其議。既疏聞，制曰可。公乃檄將吏，捐朽剜蠹，役夫悉取諸營軍，不以煩父老；經費悉出儲帑金贖鍰及屯粟之餘，不以括民廩商橐。城高一丈，厚尺有咫，長一千三百四十丈有奇。首城樓，次角樓，次窩舖，繚以周垣，濬以溝塹，工中程，材中度，延袤中地勢，摶埴中準繩。楛更而良，老更而壯。蓋自癸巳以迄乙未，再浹歲而竣。天子爲賞賚勤勞諸臣大小有差，而中外諸君子亦無不樂成於是役者。夫通州非郡邑之城，天子之城也。明王以四方爲守，三輔爲衛，今上垂拱二十餘年，邊城狃於恬嬉，武備廢弛。猶幸公身親畚鍤，天險屹然，仰拱京闕，俯控天津，將自今伊始，謹蓋藏，收保聚，貢道以肅，屯積以固，名雖重修而事若鼎創。昔春秋書築城者二十九，獨叔敖城圻，君子以爲敏；子囊城郢，君子以爲忠。维忠與敏兼之，則通州今日之役是已。公名見賓，號晴江，魯人，由甲戌進士至今官。占星堂集

增通州舊有城，今圮。明洪武元年，裨將孫興祖因舊址修築。正統間，糧儲太監李德、

鎮守指揮陳信奏建新城護之。周八里，高三丈二尺，連接舊城，西面，爲門二。萬曆十九年，密雲兵備又大修之，城垣連垛口高三丈五尺，長一千三百四十丈有奇。二十二年，户部郎中于仕廉周視兩城隍並可爲池，請引通惠河注之。詔濬三千三百餘丈，加深二尺許，廣視深四倍，建牐一、橋四。本朝康熙九年，知州密完福因新舊兩城坍塌，復修葺。（畿輔通志）

〔臣等謹按〕乾隆三十年，總督方觀承奏請動帑重修新舊城合而爲一。其舊城拆去西面，共爲五門，各建重樓。舊城通運、迎薰、迎翠三門名，新城望帆雲表、尺五瞻天二門名俱仍其舊。

原 崇禎四年，督部范公景文閱視通州，舊城東北、新城西南皆受敵衝，遂各建臺一座，形如扇，自左至右長十二丈，高三丈七尺，虛其中以架礮。（通州志）

〔臣等謹按〕通州舊城、新城兩臺尚存。

增 古城在城東八里甘棠鄉，周圍四里，相傳爲前朝駐兵處，今觀遺跡乃似邑墟，或曰即潞縣。（通州志）

〔臣等謹按〕古城遺址今尚存，地名古城莊。

補 建武中，漁陽太守彭寵被徵書至，明日潞縣火災起城中，飛出城外，燔千餘家。後漢書五行志

【原】平谷故城漢縣，廢城在今潞縣北。（太平寰宇記）

【原】州北平谷城漢所置縣，屬漁陽郡。後漢建武初，光武遣十二將軍追破大槍五幡於平谷，即此。晉省，石趙復置。北魏太平真君七年廢入潞縣。（方輿紀要）

〔臣等謹按〕平谷故城遺址無考。

【原】安樂故城漢縣，廢城在今潞縣西北。（太平寰宇記）

【原】通州西北安樂城漢漁陽郡屬縣，晉屬燕國，北魏太平真君七年，廢入潞縣。（方輿紀要）

【原】濕餘水東南流逕安樂故城西，更始使謁者韓鴻北徇，承制拜吴漢爲安樂令，即此城也。（水經注）

【原】沽水南逕安樂縣故城東，晉書地道記曰：晉封劉禪爲公國。俗謂之西潞水也。（同上）

【原】晉穆帝永和六年二月，燕王儁使慕容霸將兵伐趙，軍至三陘。趙征東將軍鄧恒惶怖，焚倉庫，棄安樂遁去，與幽州刺史王午共保薊，徒河南部都尉孫泳急入安樂，撲滅餘火，籍其穀帛，霸收安樂北平兵糧，與儁會臨渠。（通鑑　以上五條原在順義縣卷内，今移改。）

【增】更始立，使使者韓鴻徇河北。或謂鴻曰：吴子顔奇士也，可與計事。鴻召見漢，説之，遂承制拜爲安樂令。注云：安樂，縣名，屬漁陽郡。故城在今幽州潞縣西北。（後漢書吴漢傳）

〔臣等謹按〕安樂故城遺址雖不存，然方輿紀要既云北魏廢入潞縣，則在今通州境內可知也。太子賢後漢書注云：安樂故城在今幽州潞縣西北。則唐人言之矣。樂史太平寰宇記：安樂故城今在潞縣西北。則宋人言之矣。又馬端臨文獻通考亦載安樂故城於潞縣下。則元人言之矣。朱彝尊原書獨載此安樂故城五條於順義卷內，則因顧炎武昌平山水記後魏安樂郡故城一條牽連書之，以致誤耳。考安樂本非因縣爲郡，郡自在今順義縣境，縣自在今通州境，不得以名之相同而混郡縣爲一也。謹改移於此。

增乾隆七年御製通州道中詩　白雲紅樹通州道，麥壠禾場九月秋。好景沿途吟不了，豳風圖畫望中收。漁舟蟹舍儼江鄉，蝃蝀横波飲練長。策渡漫思荷芰緑，亞洲賸有荻蘆黄。

增乾隆十二年御製過通州詩　青郊和以暄，風物近清明。不禁霜露思，駕言東上陵。前旌渡潞川，後旅背鳳城。予昔青宮時，此路頻長征。雍正年間，屢經奉命恭祭景陵。憶彼慈雲壁，慈雲寺在通州西十里。幾度題句曾。林坰故好在，髭鬚非後生。沿堤柳已黄，出隴麥未青。望雪繼望雨，東畝遲力耕。教養雖並要，富庶之未能。經歷始知艱，所志嗟何成。

增乾隆十七年御製過通州浮橋即景雜詠　飛梁駕水響梢東，轉漕連艘此處通。南望江鄉渺何極？遥源猶憶自雲中。汀蒲岸芷染烟光，仲月融怡麗百昌。依舊廿年寒食景，吟髭贏較幾莖長。郡城塔影落波尖，生齒休和日日添。纔命農官出紅朽，頓教米賤樂窮閭。近釐太倉夙弊，因命預給臣工二年俸糈，京師米價爲之頓減。來往艅艎藉底因？陽關唱處解維新。便教一晌思南客，豈必九重無故人？謂沈德潛甫由此南旋。

增 乾隆三十五年御製過通州詩　樹梢看塔影，烟外過通州。沙嶺延東亘，潞河自北流。浮橋連巨鷁，野岸起閒鷗。發帑完城郭，各省城垣有應修葺者，特發帑五百餘萬繕治之，以資保衛。通州爲畿東首治，工作先施，兹則崇墉屹峙，益臻壯觀矣。無非保障謀。

〔臣等謹按〕通州御製詩，謹繹有關紀述者恭載卷内，餘不備録。

原 馬祖常通州詩　潞水年年沙際流，都人車馬到沙頭。獨憎楊柳無情思，送盡行人天未秋。石田集

原 貢奎通州道中作　萬雉參差雲霧開，四千里外客重來。平岡日出車牛喘，古道塵飛驛騎回。白玉至今傳楚璞，黄金自古説燕臺。高樓紅旆應如昨，莫遣新愁到酒杯。雲林集

原 貢師泰發通州作　日日思歸未有期，及歸翻恨數年遲。開船聽得吴歌起，絶似閶門送别時。玩齋集

原 州治在城北門迤西，洪武三年建。儒學舊在州治西，元大德二年知州事趙居禮建。明永樂十四年重修，正統十二年再葺，有弋陽李奎碑記。嘉靖四十二年，知州事張守中撤而新之，改建文廟於明倫堂之基。學西舊有通惠書院，去之，改建明倫堂於其址，州人程綬記其事於石。通州志

【原】吴澂通州文廟重修碑　皇元有天下，文教自京師達郡縣，雖遐陬僻壤莫不建學設官，以闡教事。通州近在畿甸，素闕廪給，學官每至輒去。不惟教事廢弛，而孔廟亦且不葺，將就傾圮。永平楊齊賢由豐潤縣教諭來爲通州學正，思振厥職，擇民間子弟可教者得三十家，籍之入學，謂之誦書，白之官府而復其身。州之參李侯與州之長協心主張於上，於是人願出力以修廟學。至治二年七月役興，八月績成。孔廟正殿東西兩廡爰及外門，上瓦下甓，杇墁一新，講堂敝壞，蓋覆而塗墐之。前後窗牖，中外甃砌悉備其所未備。其南則敞門塾一間，其北則續檐宇三間，學者遂有藏息之所。廟之南豎穹碑，刻加封詔書，示永久，積年之頽靡一旦而完整。雖曰學官之勤，微州官挾持之功，胡能致是哉？古之牧民者常以教民孝悌忠信爲急務。通州之官能用意於廟學不敢後，庶幾不媿古良牧之政矣。州長名蘇拉吉達，其官承直；李侯名額森，其官承事；在州多惠政，通民便之。初榆河之西有閒田，欽依至元三十一年詔旨撥隸州學，後運官奪取造廬舍而私其僦利。齊賢愬於官，户部禮部暨監察御史直其説以畀州學如初。今齊賢又以餘暇率所轄三河縣之民修其縣之廟學，概可書也。吴文正集　按：蘇拉吉達舊作速朗吉大。今譯改。

（臣等謹按）州學，明萬曆年間巡按黄吉士修，刑部主事蔡成己撰碑，崇禎十三年，知州嚴錫命修葺殿門，開泮池。本朝康熙十一年，知州閻興邦重修，吏部左侍郎張士甄撰文，國子監祭酒沈荃書石。十八年地震傾圮，知州于成龍修，吏部尚書張士甄撰碑，乾隆三十二年復修。

【原】通州取漕運通濟之義。郡縣釋名

【原】元通州十三倉：曰有年、曰富有、曰廣儲、曰盈止、曰及秭、曰迺積、曰樂歲、曰慶豐、曰延豐、曰足食、曰富儲、曰富衍、曰及衍。禁扁

【原】延祐六年七月，通州、漷州增置三倉。元史文宗紀

（臣等謹按）十三倉見元史職官志。又地理志，通州有豐備、通濟太倉，或即延祐時增置之倉云。

增通州都漕運司在通州大道之北。析津志

〔臣等謹按〕都漕運司署遺址俱無考。

原永樂七年七月，修通州衛倉。十三年二月，設北京通州左右衛、神武中衛、定邊、武清五衛倉。十六年八月，置通州衛通濟倉。明成祖實録

原通州衛在州治南，建文四年成祖置衛於此，又有左右二衛，俱永樂中建。方輿紀要

原神武中衛亦在州治南。建文二年燕王所置。又有定邊衛在州治西南，則建文四年所置也。同上

〔臣等謹按〕通州衛、神武中衛、定邊衛、武清衛遺基今俱廢，惟左右二衛各設千總一員督運。

原景泰六年二月，增置通州倉。明景帝實録

原西倉在舊城西門外新城中，俗呼大倉，永樂七年建。中倉在舊城南門内，永樂中建。南倉在新城南門内，天順中添設。東倉在舊城南門内，亦永樂中建。隆慶三年歸并中倉。通州志

原宣德五年，添設户部尚書一員，專督倉場；後或用侍郎，無定銜，俱不治部事。嘉靖中，令兼理西苑農事。隆慶初罷兼理。萬曆九年裁革，命本部侍郎分理之。十一年復

設。明典彙

原通州倉，户部歲委員外郎一人、主事四人或七人或九人，監出納之政。其所居公館中有園亭，有事議焉，有客燕焉，皆於斯在。容春堂稾

原宣德間設總督倉場太監一員，正德間添置二三員，嘉靖間裁革。正統間設總督倉糧太監一員，至正德間添至十七八員，嘉靖初止留二員，至十四年盡裁革。通州志

原户部尚書梁材奏：本朝酌古定制，監局等官供事於内，府部等官分治於外。具載祖訓，體統截然。若京通等倉，户部職掌督收則有侍郎、郎官，巡視則有御史，綱舉目張，萬世無弊。宣德、正統以來，始用内臣，亦止一二而已。正德間陸續增置，一羊九牧，需索多門，虐害輓卒，漕政大壞。宜一體裁革，以復聖祖設官分職之典。從之。儉庵議疏

增王國光拜南京刑部尚書，未上，改户部，再督倉場。神宗即位，還理部事。京軍支糧通州者，候伺甚艱，國光請遣部郎一人司之，名坐糧廳，投牒驗發，無過三日，諸軍便之。明史本傳

〔臣等謹按〕本朝定制，通州置二倉：一曰大西倉，一曰中倉。每倉滿漢監督各一員，隸於倉場總督。總督帶户部侍郎銜，亦滿漢各一人，專司漕政。通州、京城各

有衙署，每年以春月駐通，冬月回京署治事。坐糧廳滿漢各一人，以御史及六部司員充之，綜收糧石轉撥各倉。又欽命巡漕御史綜核之。規制盡善，此漕政之遠邁於元明也。

原 通州距京城東四十餘里，城中積糧數百萬石。己巳之變，額森南犯，諜報欲據通州，朝議先焚倉廩。會周文襄忱至京師，都御史陳僖敏問計於周。周曰：若如此，敵未至而棄軍實，非計也。盍若檄示在京官軍旗校，預給一歲之糧，各令自支，則糧歸京師，又免輦運之費。不數日，敵至通州，無所獲而去。長水日抄

〔臣等謹按〕明史于謙傳：景帝立，謙入對，奏曰：通州積糧令官軍自詣關支，以贏米爲之直，勿棄以資敵。帝深納之。此作周文襄忱，或者忱曾發此議而謙適入奏，所見略同，可並存耳。

補 先是漕運京糧，唯通州倉臨河近便。自通州抵京倉陸運四十餘里，費殷而增耗不給。各處赴京操軍，久役用乏。劉本道慮二者之病，奏將通州倉糧於各月無事之時，令歇操軍旋運至京，每三十石給官銀一兩。而漕運之糧止於通州交納，就彼增置倉厫三百間，以便收貯。歲積羨餘米五十餘萬石以廣京儲。上賜二品服以旌之。本道常州江陰人，由掾吏仕至户部右侍郎。智囊

原新城西南隅爲工部廠，以其屬主事一人領之，所治不一其事，而惟修倉掌收甎料爲專職。正德戊寅，海陵華源楚來領廠事，外闢重門，内廣廳事，總爲舍百二十楹。乃立石廳事，題名其上，通政司使楊杲爲作記。通州志

〔臣等謹按〕甎廠在今通州北門外，每年臨清州附漕船解運交廠，通永道掌之，工部有用則徵之。

原潞河驛，隆慶中被火，萬曆五年秋，因舊址興工。驛西爲總會舖，東爲來賓館，後爲撫夷館。其扁額曰四方來同，曰涣號，曰綸音，曰不遑，曰來賓，曰歸心，曰向化。快雪堂集

原張翥早發潞陽驛詩 征車如水轡如絲，望入金河欲曙時。萬里山川環拱把，九天宫闕起參差。風林泥泥秋多露，野淀稜稜曉有澌。三十餘年觀國願，白頭今日到京師。蜕菴集

增潞河驛在通州舊城東關外潞河西岸，明永樂中置，又驛西舊有遞運所，今革。和合驛在通州東南三十五里，舊名合河驛，以白、榆、渾三河合流而名。明永樂中置，萬曆中移置張家灣，改今名，今有驛丞。大清一統志

〔臣等謹按〕潞河驛康熙三十四年併歸和合驛。

原潞河一名沽河，一名鮑邱水，北自檀州密雲縣界流入。魏氏土地記，潞縣城西三十里有潞河，源出北山，南流，謂此水也。太平寰宇記

原 潞水自塞外丹花嶺合九泉水，一南經安樂故城，與螺水合爲東潞河。一南經狐奴故城，與鮑邱水合爲西潞河。長安客話

原 潞河東半里許有潞沙。曹操征烏桓、袁尚等，鑿渠自滹沱由泒水入潞沙，即此地。奉使行程録

原 幽之潞縣有潞水，即露河也。路史

〔臣等謹按〕潞河源出密雲縣霧靈山，潮河水自塞外注之，南流經州城東北，會渾、榆諸河，凡三百六十里，至直沽合衞河入海。元史所謂通州運糧河全仰白、榆、渾三河之水合流，名曰潞河，是也。又名白河。詳見下。

原 潞河鐵狻猊，元季物。燕都遊覽志

〔臣等謹按〕鐵狻猊今無考。

原 遼聖宗統和五年，幸潞縣西，放鶻擒鵝。十二年十一月，漁於潞縣西濼。十四年六月，漁於潞河。遼史聖宗紀

補 金海陵煬王謀南侵，命户部尚書蘇保衡造戰船於潞河。建炎以來朝野雜記

補 正隆庚辰春正月，再役天下軍民夫匠，不限丁而盡起之，委右丞相李通提造軍器於燕山之西北隅，遣工部尚書蘇保衡、侍郎韓錫、郎中張參愈造戰船於通州潞河。正隆事迹

補 正隆四年二月，造戰船於通州。詔諭宰臣以伐宋事。十月乙亥，觀造戰船於通州。六年二月，徵諸道水手運戰船。金史海陵紀

補 周麟之造海船行 造海船海旁，樸斲雷殷山。大船闞艦容萬斛，小船飛鶻何翾翾！傳聞潞縣燕京北，木梯翻空浪頭白。近年升作北通州，謂是背吭宜控扼。坐令斬木千山童，民間十室八九空。老者駕車輦輸去，壯者腰斧從鳩工。自期鼓楫滄溟隘，他時取道膠西砦。檣頭相風風北來，飛航信宿趨吴會。誰爲此計狂且愚，南北土性天淵殊。北人鞍馬是長技，南人濤瀨如坦途。果爾疑非萬全策，驅民忍作魚龍食！任渠轉海入江來，自有周郎當赤壁。海陵集

補後至元己亥歲，廣帥進鱷魚，放之潞河，滿林木皆梟鳴，日夜不止。蛻庵集

原永樂十三年十月，上獵近郊，經白河之上，顧侍臣曰：朕昔靖難時，嘗冬月欲渡此河，甫至河而冰合，遂濟師。當時亦豈計有今日！神明之相，未嘗忘也。遂親爲文，遣都督譚廣以特牲祭河。明成祖實録

增乾隆十年御製過潞河浮橋詩　東風已解碧琉璃，坡草堤楊春與宜。恰是昔年承使命，雍正年間，景陵清明大祭，屢經奉命承祀。浮橋西畔覓題詩。石火光陰電影馳，幻中歡喜幻中悲。卽看逝者東流水，昔日今朝有所思。潞河千古帶通州，物色風光望裏收。馬上得詩成半偈，浮橋徹底幾曾浮。

增乾隆十五年御製過潞河詩　潞河潦雖退，平川水猶漲。以此例永定，狂瀾詎能障？黍莖帶沙痕，結穗久豐壯。景異向所觀，憑輿增悒怏。頗有爲解者，云此河灘上。本爲水由處，人不與相讓。於茲得免潦，高田恐無當。我聞吁益顰，何莫非吾民。使人有餘地，孰與水爭利？高下皆獲收，吾願其少酬。

原乾隆三十一年御製潞河懷古詩　空傳彭寵守漁陽，城水東西究莫詳。祇有德鈞趙衛耕稼，至今鄉尚號甘棠。

〔臣等謹按〕潞河御製詩，謹繹有關紀述者恭載卷内，餘不備録。

原傅若金潞縣舟中寄楊上舍詩　買得吴船繫柳根，潞河新雨過黄昏。都門只隔煙中樹，一夜尋君若夢魂。春風亭館看花時，自變新聲教柳枝。只恨秀娘空第一，不曾歌得斷腸詩。傅與礪詩集

原陸顒潞河詩　久住頻看雪，天寒未見花。經年常在客，聽雁忽思家。春重眠多夢，年侵鬢有華。何由遣懷抱？惟仗醉流霞。頤光集

【原】謝遷曉發潞河作　千里鄉心逐雁飛，晨光初動尚熹微。送迎深愧勞賓從，今昨何煩問是非？自在沙鷗眠岸迴，凋零霜葉挂林稀。十年京洛歸來晚，猶喜緇塵未染衣。木翁歸山稿

【原】林春澤出都次潞河作　朝發都城闉，夕宿潞河舟。雁落沙渚淨，霜降菰蒲秋。天寒節物換，河漢曉夜流。回望郭隗臺，黄金不可求。廢興已陳迹，懷古心悠悠。人瑞翁集

【原】陳師潞河舟中作　夾岸垂楊青可憐，出門仍是葛衣天。鄉書不到東吴雁，客夢重尋潞水船。季子貂裘無那敝，王喬舄幾時旋？年來作客渾南北，囊底曾無貫酒錢。復生子稿

【原】簡霄潞河舟中作　潞水經年别，風塵又覺非。岸蘆迎棹舞，檣燕掠人飛。澤國魚梁竭，江城候吏稀。人煙沙草外，一縷起斜暉。蓉泉集

【原】潘恩潞河晚泊詩　水宿鼉龍窟，波翻蘆荻風。漁燈然夜月，客思渺秋空。人似長卿病，途非阮籍窮。平生霄漢志，進止任飄蓬。潘恭定集

【原】陳暹發潞河作　扁舟發潞河，駕言返舊服。津路多邅迴，舟行往如復。回首黄金臺，宛然猶在目。仲春天氣和，新鶯上喬木。菁葱布邱甸，牛羊散平陸。緬懷滄洲間，栖遲動信宿。拚瓴集

【原】范言詩　煙沙潞河晚，客思奈愁何！殿閣天非遠，江湖夢已多。月憐清夜柝，風想早朝珂。短燭傾燕酒，孤篷聽楚歌。菁陽集

【原】黄鳳翔告歸發潞河作　方朔本吏隱，相如常病渴。明時許乞身，初衣辭魏闕。苹車逐扁舟，長河接溟渤。舳艫争唱呼，鷗鷺閒出没。帆影日外落，津頭棹歌歇。舉酒酬暮雲，卷簾對夜月。悠然萬里心，頓與江天豁。黄宗伯集

【原】沈啓原潞河留别錢給事詩　扁舟南下更依依，兩地含愁共落暉。欲别他鄉手頻執，每思故里夢先歸。黄金臺上龍媒老，白鷺洲前雁影稀。縱説江城春色早，可同帝里遍芳菲？存石居士集

【補】屠隆潞河晚泊詩　迴浦落帆盡，長堤帶郭斜。暮烟平吐樹，春雨薄沈沙。白艇藏漁市，黄茆覆酒家。一瓢雲水外，不復問年華。白榆集

欽定日下舊聞考卷一百九

京畿 通州二

【原】白河自密雲南至牛闌山，與潮河合流，至通州入直沽，一名白遂河。明一統志

【原】河兩岸皆白沙，不生青草，故名。通州志

【原】都城經通州六十里爲大通河，通州至至直沽三百六十里爲白河。漕船志

〔臣等謹按〕大通橋河即通惠河，白河即潞河。

【原】州東二十里白河，源出宣府衛龍門所東滴水崖，東流入密雲縣北境之石塘嶺，過縣西入通州界。其支流亦從石塘嶺過懷柔縣西，順義縣東，入通州東境，合焉。東南經漷縣、武清縣東而入直沽，合衛河入海。一名潞河，亦曰沽水。水經：鮑邱水出禦夷鎮北塞中，俗謂之大榆河，南通潞縣爲潞水。後漢建武二年，遣將鄧隆討彭寵於漁陽，隆軍潞水南，爲寵所敗。宇文周宣政初，幽州人盧昌期起兵據范陽。高寶寧時據和龍，引兵聲援，至潞水，昌期已爲周軍所平，乃還。唐武后萬歲通天二年，契丹孫萬榮侵掠河北諸

州，既而敗走潞水東，爲其下所殺。宋宣和六年，金沃哩布自平州破檀薊至三河，郭藥師迎戰於白河敗還，遂以燕山一路降金。明嘉靖二十九年，古北口有警，御史王忬馳至通州，收漕舟艤潞河西，敵阻水不得渡。是也。方輿紀要

原白河在漷州東四里，北出通州潞縣，南入於通州境。又東南至香河縣界，又流入於武清縣境，達於静海縣界。至元三十年九月，漕司言通州運糧河全仰白、榆、渾三河之水合流，名曰潞河，舟楫之行有年矣。今歲新開牐河，分引渾、榆二河上源之水，故自李二寺至通州三十餘里，河道淺澁。今春夏天旱，有止深二尺處，糧船不通，改用小料船搬載，淹延歲月，致虧糧數。先是，都水監相視白河，自東岸吴家莊前就大河西南斜開小河二里許，引榆河合流至深溝壩下，以通漕舟。今丈量，自深溝榆河上灣至吴家莊，龍王廟前白河西南至壩河八百步。及巡視，知榆河上源築閉，其水盡趨通惠河。止有白佛、靈溝、一子母三小河水入榆河，泉脈微，不能勝舟。擬自吴家莊就龍王廟前閉白河，於西南開小渠，引水自壩河上灣入榆河，庶可漕運。又深溝樂歲五倉積貯新舊糧七十餘萬石，站車輓運艱緩，由是訪視通州城北通惠河積水，至深溝村西水渠去樂歲、廣儲等倉甚近。擬自積水處由舊渠北開四百步至樂歲倉西北，以小料船運載甚便。都省準焉。通惠河自通州城北至樂歲西北，水陸共長五百步，計役八萬六百五十工。大德二年五月，中書

省劄付都水監，運糧河堤自楊村至河西務三十五處，用葦一萬九千一百四十束，軍夫二千六百四十九名，度三十日畢。於是本監分官率壕寨至楊村歷視壞堤，督巡河夫修理。以霖雨水溢，故工役倍元料。自寺洵口北至蔡村、清口、孫家務、辛莊、河西務堤，就用元料葦草修補卑薄，創築月堤，頗有成功。其楊村兩岸相對出水河口四處，葦草不敷，就令軍夫採刈，至九月住役。楊村河上接通惠諸河，下通滹沱入江淮，使官民舟楫直達都邑，利國便民。奈楊村堤岸隨修隨圮，蓋爲用力不固，徒煩工役。其未修者候來春水涸土乾，調軍夫修治。延祐六年十月，省臣言：漕運糧儲及南來諸物商賈舟楫皆由直沽達通惠河，今岸崩泥淺，不早疏濬，有礙舟行，必致物價翔湧。都水監職專水利，宜分官一員以時巡視，遇有頹圮淺澁，隨宜修築。如工力不敷，有司差夫助役，怠事者，究治。從之。至治元年正月十一日，漕司言：夏運海糧一百八十九萬餘石，轉漕往返，全藉河道通便，今小直沽汊河口潮汐往來，淤泥壅積七十餘處，漕運不能通行。宜移文都水監疏滌。工部議：時農作方興，兼民多艱食，若不差軍助役，民力有所不逮。樞密院言：軍人不敷。省議：若差民丁，方今東作之時，恐妨歲事。其令大都募民夫三千，日給傭鈔一兩，糙粳米一升，委正官提調，驗日支給。令都水監暨漕司官同督其事。四月十一日入役，五月十日工畢。泰定元年二月，福府臣奏，臨清萬户府言：至治元年霖雨，決壞運糧河岸，宜差軍修築。臣等議誠利益事，令本府差軍三百執役。從之。三年三月，都水監言：河西務菜市灣水勢衝嚙，與倉相近，將來爲患。宜於劉二總管營相對河東岸截河築堤，改水道與舊河合，可杜後患。四年正月，省臣奏准，樞府差軍五千，大都路募夫五千人，日支糙米五升，中統鈔一兩，本監工部委官與前衞董指揮同監役。是年三月十八日興工，六月十一日工畢。致和元年六月六日，臨清御河萬户府言：泰定四年八月二日河溢，壞營北門堤約五十步，漂舊椿木百餘，崩圮猶未已。工部議：河岸崩摧，理宜修治；既都水監會計工物，各處支給，其役夫三千人若擬差民，方春恐妨農務，宜移文樞密院撥軍。省准修舊堤岸，展闊新河口東岸，計工五萬九千九百三十七，用軍三千、木匠十人。天曆二年三月，漕司言：元開劉二總管營相對河比舊河運糧迂遠，乞委官相視，復開舊河便。四月九日，奏准差軍七千，委兵部員外郎鄧衡、都水監丞阿哩、漕使台哈布哈等督工修濬。後以冬寒，候凍解興役。三年，工部移文大都，於近甸募民夫三千，日支糙粳米三升，中統鈔一兩，兵部改委辛侍郎暨元委官修闢。至順元年六月，都水監言：二十三日夜白河水驟漲丈餘，觀音寺新修護倉堤已督有司差夫救護。今水落尺餘，宜候伏槽興作。元史河渠志　按：台哈，蒙古語長毛也，布哈義見前，舊作大不花。今譯改。

〔臣等謹按〕元史所載李二寺，即今里二泗也。地在張家灣。見下卷。又考北運河向以白、榆、渾河之水濟運，今渾河不入運，而通惠河、涼水河尾閭亦導歸運河，復於楊村河西務以上設立刮板叉夫，隨時疏濬，河漕永利矣。

〔又按〕今白河自北來南至天津之三汊河入海，衛河自西來亦至三汊河會流入海。静海在衛河之濱，乃衛河所經，若白河則不能逆流至静海。元史白河達静海之説應屬舛誤。謹附辨於此。

原至治元年七月，通州潞縣榆村水決。元史英宗紀

原洪武二十四年春正月，北平布政使司左參政周偉言：通州白河北接大山諸河水道，東南至直沽海口，每霖雨時降，水潦泛漲，橋梁頹圮，修築勞民。其通州舊有糧船六十餘艘，罷運已久，宜改爲浮梁於白河之上，以便經行。書奏，命廷臣議行之。明太祖實録

原秦使天下飛芻輓粟，起於黄埵瑯琊負海之郡，轉輸北河。北河蓋卽白河也。隋煬帝穿永濟渠，引沁水北通涿郡，蓋自白河入丁字沽，由易水而達於涿也。唐明皇事邊功，運青萊之粟浮海以給幽平之兵，蓋亦由白河也。宋太平興國中，於清苑界開徐河、雞距河入白河，以通關南漕運。元至元中，海運出直沽入白河以抵京師。按：桑乾河自盧溝橋東南流，經固安縣楊先務，又經霸州苑家口，合灰河、渾源川、嘽川、胡良河、琉璃河、廣陽河、鹽河至武清縣丁字沽，凡四百里，入白河。自楊先務至丁字沽通舟楫。又

保定府西北，曹河、徐河、石橋河、一畝泉河、滋河、沙河、鴉兒河、唐河諸水，發源不一，至安州西北十八里合流，總名易水。過安州至雄縣南，又名瓦濟河。東北經保定縣猫兒灣，又會中堡河、長流河、温義河、拒馬河、白溝河至霸州苑家口，與桑乾河合。自安州至丁字沽四百餘里通舟楫。又鐵釘竿河自博野縣東北流至河間府，數支繞城而北，相合東北流五十餘里，至市莊分爲二。一自市莊西北十五里流經任邱縣南分爲二，遶城而北，相合東北流二十餘里至武盍淀。一自市莊東北流經東莊橋至武盍淀，二水又合，東北至猫兒灣與桑乾河合。自河間府至丁字沽五百餘里，任邱縣至丁字沽四百餘里，俱通舟楫。按此則白河西北可通固安縣，又可通安州，東南可通河間府，桑乾、易水亦可以漕運無疑矣。抑燕趙之間地方千里，其間巨細河流，悉至武清縣丁字沽注於白河，故一遇雨潦，白河滿溢。武清縣要兒渡口、南蔡村等處衝決堤岸，壞民田廬，起夫築塞，勞費萬計。逮時乾旱，舟行白河，又或淺阻。以此知水勢盈涸不常，不可以經久而論也。漕河圖志

原 蔣山卿白河寒望詩　極目空原野，蕭條此水村。茫茫河自白，慘慘月初昏。遠岸迴蒲口，寒河接海門。扁舟忽漁唱，楚客正傷魂。南泠集

原 富河在州城北，源出甕山，自白羊口經榆河下流爲沙河，由順義縣南界流至州城東北，與白河會焉。通州志

〔臣等謹按〕富河卽温餘河，亦稱榆河，詳見本朝一統志温餘河條下。

原永樂十五年十月，修通州城東白河富河橋。明成祖實録

原宣德三年七月，命通州修白河、富河橋梁。四年九月，上謂工部尚書吴中等曰：天氣向寒，白河等處人難徒涉，當治橋梁。中奏：惟白河水深沙溜，橋梁難成，宜用官船爲梁以濟，餘皆用民修治。從之。明宣宗實録

原正統元年十月，造通州白河浮橋，以馬快船及預備運甎船爲之。三年十二月，工部奏：通州白河自正統元年水溢決孩兒等口，傷民田稼，請令把總都指揮同知劉斌及通州發夫築塞之。上從其請。且曰：河決非細事，再踰年乃言之，何緩也？工部言：今年二月始得順天府實報。上命下順天府尹姜濤、通州掌州事治中楊衡於獄。九年三月，修通州富河、白河橋。明英宗實録

〔臣等謹按〕富河橋久圮，今於北門外建置浮梁，往來利涉焉。

原石壩在州城北，嘉靖七年建，京糧從此盤入通惠河。土壩在州城東，通糧從此起車運入西倉、南倉、中倉。萬曆二十二年，郎中于仕廉相舊蹟，建新閘，開隍濟漕，省費甚多。通州志

〔臣等謹按〕石壩在州城北一里許。

原嘉靖二年三月，御史向信請修復大通橋至張家灣廣利等八閘，以紓民陸運之苦。工部議行河道侍郎相度以聞。明世宗實録

原普濟牐距平津下牐十三里，至元中建上下二木牐。延祐後易以石，廢上牐。水部備考

原溥濟上下二牐相距五里，元至元二十九年始建木牐，名楊尹牐，延祐以後修石牐，改名溥濟。漕河圖志

原正統八年九月，修通州普濟牐。明英宗實録

原通流上下二牐，上牐在州治西門外，西至普濟下牐十里；下牐在南門外西北，至上牐五里。元至元二十九年始建木牐曰通州牐，延祐以後修石牐，改名通流。漕河圖志

原通流牐西至普濟牐十二里，至元中始建二木牐名通州。延祐後易以石，併二牐爲一，改今名。水部備考

原宣德七年八月，修通州通流牐。明宣宗實録

原廣利牐在張家灣中馬頭西，上至通流下牐十一里，下至牐河口三里。元至元二十九年始建木牐，名河門牐。延祐以後修石牐，改名廣利。漕河圖志

〔臣等謹按〕今州治計有三牐：一曰通流，在城中；一曰南普，在城東南；一曰普濟，在城西。其平津上下等閘俱隸大興縣境。

原臥虎橋在北關月城外，舊以板爲之，萬曆六年，工部郎中李熹易之以石。通州志

〔臣等謹按〕臥虎橋又名通濟橋，今存。

原正統十一年八月，建通州八里莊橋，命工部右侍郎王永和督工。明英宗實録

原八里莊橋卽永通橋，在普濟牐東。正統十一年勅建，祭酒李時勉作記。通州志

〔臣等謹按〕永通橋距州治八里，明李時勉碑尚存。

原李時勉永通橋記 通州城西八里有河，京都諸水會流而東。河雖不廣，每夏秋之交雨水泛溢，常架木爲橋，比舟爲梁，數易輒壞。內官監太監李德以聞於上，欲於其地建石橋。乃命司禮監太監王振往經度之。總督漕運都督武興發漕卒，都指揮僉事陳信領之，工部尚書王巹會計經費，侍郎王永和提督之，又命內官監太監阮安總理之。橋東西五十丈，爲水道三券，券與平底石皆交互通貫，錮以鐵，分水石護以鐵柱，當其衝，橋南北二百尺兩旁皆以石爲闌。表二坊，題曰永通橋，蓋上所賜名也。又立廟以祀河神。經始在正統十一年八月，告成於十二月，明年三月立石。古廉集

原虹橋在通州河東三十里。燕石集

〔臣等謹按〕虹橋今無考。

原天曆元年，丞相雅克特穆爾將大軍東出薊討圖們岱爾，與王禪前軍戰榆河，勦之，追殘兵於虹橋北。兩軍隔虹橋水爲營，合兵鏖戰白浮之野，大敗之。石田集 按：圖們，蒙古語萬數也。岱爾，牡鹿也，舊作秃滿迭兒。今譯改。

原博羅特穆爾調伊蘇南禦庫庫特穆爾軍。伊蘇次良鄉，不進而歸永平，遣人西連太原，東連遼陽。博羅特穆爾患之，遣驍將姚巴延布哈統兵出禦，至通州，河溢，營虹橋以待。伊蘇出其不意，襲而破之，擒姚巴延殺之。博羅特穆爾大恐，自將出通州，三日大雨而還。元史逆臣傳 按：庫庫特穆爾義俱見前，舊作擴廓帖木兒。今譯改。

原宣德三年八月，車駕發京師，渡潞河，駐蹕虹橋。明宣宗實録

原宋褧詩 野春平碧生暖烟，虹橋南畔沙漫天。潞陽河上見酒旆，直下復有釣魚船。燕石集

補 雙橋在柳巷之西，通州、大興界也。文徵仲出都詩云：立馬雙橋日欲斜，沙塵吹霧暗征車。從今絶跡江南去，只見青山不見沙。蓋經此地作也。潞沙筆綴

〔臣等謹按〕雙橋在城西十八里，柳巷在城西十五里。

原 城西北隅有佑勝教寺，内建浮圖十三層，高二百八十尺，下作蓮花臺座，高百二十尺。周圍百四尺，虚其中以祀佛。考斷碑，創於唐貞觀七年，塔頂有鐵矢一，相傳金將楊彦升所射，迄今猶存。每天氣清朗，塔影遠垂，映白河中，作摇動勢。名勝志

〔臣等謹按〕佑勝教寺在城西北隅，寺内然燈佛塔及蓮花臺座、鐵矢俱在，斷碑無考。

原 然燈佛塔建自後周宇文氏，貞觀中尉遲敬德修，元至德間都哩都爾蘇再修。帝京景物略按：都哩都爾蘇義俱見前，舊作篤列圖述。今譯改。

〔臣等謹按〕至德爲唐肅宗年號，元代無之。帝京景物略所載元至德，應是大德之誤。

補 然燈佛塔在潞河城北，敦峻多級，外剥内文，中空下實，非十丈梯不能上。客雪吟

原 開平王常遇春祠在舊城南門内東隅，明太祖時勅建，以燕山侯孫興祖配。每年春秋上丁，有司致祭。通州志

原 通州南門内有鄭國公祠，碑稱公下通州，嚴戢士卒，民不知有兵，愛公如父母。公薨，喪過通，罷市迎哭，共醵財立廟。稗史言常將軍剽鋭嗜殺，所至縱士卒殺掠，故兵鋒爲一時冠，獨於北方能爾。蓋知天下將平，行事當與草昧時異也。燕山叢録

〔臣等謹按〕常遇春祠惟碑尚存。

原 王直重修開平忠武王廟碑 正統十二年秋八月，通州守臣李經言：州城東南隅舊有廟以祀開平忠武王常遇春。蓋洪武三年奉勅建，每歲春秋守臣以少牢行禮庭下，載在祀典。今八十年矣，修治不繼，日入於敝，懼無以稱朝廷崇德報功之意，請繕完如法。制曰可，命工部聚材鳩工，撤而新之。通州諸衞及州所屬縣各以丁夫給役，且命總理通州諸務都指揮僉事陳信督之。命既下，文武吏士奉承惟謹，財不徵而集，工不召而至。智者效謀，壯者效力。作正殿翼以兩廡，前啓三間，旁列廚庫，凡諸象設，靡不畢備，宏麗廣深，有加於昔。經始於九月己酉，而以明年四月成。惟王以忠信智勇佐太祖渡江，削平東南郡縣，遂議北征，車駕至汴，申命大將軍徐達，而王爲之副。天聲所臨，無思不服。王先至通州，禁侵暴，務安輯，人不知兵，市不易肆，皆愛戴如父母，遂收燕都。明年，平河東入秦，元之敗卒復侵通州，王還兵拒之，州人免於荼毒，其德王尤深。既率師破開平，大俘獲而還，至柳河川，以疾薨。柩歸過通州，州人皆罷市迎哭，既去而念之不衰，飲食必祭，上思王之功而知民之感慕如此，此廟之所以作也。王生爲上公，没有顯號，而廟祀永久，其在京師尤盛，此特其別祠耳。王文端集

原 靖嘉寺在州治東，原名慈恩寺，元至正二年建，天順二年賜今額，弘治十年災，正德十年重修建，俗呼爲大寺。通州志

〔臣等謹按〕靖嘉寺在城東隅，今前殿僅存。

原 文彭宿通州靖嘉寺詩 古寺荒烟合，巍然三殿存。迴廊餘礎石，曲逕滿苔痕。歲久罘罳暗，庭閒鳥雀喧。獨憐車馬客，一宿戀空門。文博士集

原 靖安寺在州治東南，金大定十三年建。通州志

〔臣等謹按〕靖安寺今存。

原 悟仙觀創於元至正初，明宣德三年因舊址拓之，建通明殿。通州志

〔臣等謹按〕悟仙觀在舊城南門内，今存。

原 南臺坡在舊城南關，有元潞陽郡公李廷墓。天啓初，水潦岸崩，墓石盡露，乃藝文監丞揭傒斯所撰，土人録其文，仍取土揜之。通州志

〔臣等謹按〕李廷墓無考。

原 揭傒斯潞陽郡公墓誌略　天曆元年春二月八日，淮東宣尉使李公薨。贈通奉大夫 江西等處行中書省參知政事、護軍，追封潞陽郡公，謚忠靖。元統二年冬十有一月念二日，其配潞陽夫人柴氏薨。十有二月六日合葬通州潞縣之南臺坡先塋。嗣子世安請銘。公諱廷，字端卿，其先漳南人，今家京師，起家京尹曹，由將仕郎十遷爲中奉大夫。秋宜集

原 寶通寺在新城南門外，明天順七年太監張文鋒建，賜額。通州志

〔臣等謹按〕寶通寺在州城南門外半里許，有明天順八年禮部尚書姚夔碑及成化五年户部尚書薛遠碑。

增 姚夔寶通禪寺碑略　通州新城南門故有招提，名曰天寧，圮廢滋久。天順七年，管糧張公文鋒覩玆荒涼，頓發大願，涓吉捐資。逾月而天王殿成，又逾月而伽藍殿成，祖師殿禪堂兩廊相繼成。鐘鼓有樓，苾芻有房，繚以周垣，屏以山門，極其華飾。疏以上聞，賜額寶通禪寺。請予爲文，鐫石以垂不朽。天順八年六月立。通州册

增 薛遠寶通禪寺記略　予奉命總理京儲，至通州，遊憩於寺，得遍觀其勝，喜其清幽爽塏，俗氛迥絶。主僧請一言以記其勝，俾垂悠久。成化五年九月立。同上

原 葉元玉寶通寺詩　詰朝載酒寶通寺，食盒春檠但小裝。千里春風傷鬢雪，十年塵夢愧松篁。緑陰屈指無三月，白日題詩共一堂。醉後浩歌還起舞，不妨人笑老夫狂。古崖集

原 通惠祠，嘉靖四十五年建，以祀監察御史吴仲，有督學御史慈谿顔鯨碑記。通州志

〔臣等謹按〕通惠祠無考，惟記文載州志，今存其略。

增 顔鯨通惠祠碑記略 國家建都燕幽，歲漕自東南抵灣僦車牛資丁壯，陸輓以達京師，費脚價鉅萬。先是元郭守敬謂京西北白浮神山諸泉可瀹，以省搬運之苦。成化、弘治間，言者交章，每爲異論所乘，事輒中罷。嘉靖丁亥，昆陵吴公仲以御史按京儲，周視水道，盡得其狀，抗疏以聞。詔命仲專董其役。於是斥山通澤，决去陀泐漫漶，而泉流始清，塞諸水口之罅漏旁溢者，而小川始入則壞。置閘鱗次，轉運皆有程度，水利大通，千艘銜尾，直達都門。公去後數十年，民益思之，相與立祠歲祀焉。通州志

原 通州城北五里有黄船埠河水瀠洄，官柳陰映。永樂中設黄船千艘，以其半輪往江浙織造，俗名黄船塢。同上

〔臣等謹按〕黄船塢在州城北五里，船制今廢。

原 高麗莊在州西十五里，盧溝河所經，又州西二十里曰大黄莊，州西十里曰東流村，州東十里曰召里店，皆官軍巡哨處也。方輿紀要

原 州境有烟墩五：曰召里店、烟郊、東留村、大黄莊、高麗莊。又有馬房八，俱在州北二三十里内。又有草場三：曰崇教、鳴玉、花園；俱在城西南十里。邊防考

〔臣等謹按〕烟墩舊址久廢。馬房在鄭村，今隸大興縣。崇教草廠在城南八里，鳴玉草廠在城南五里，花園草廠在城西南五里，今俱廢而僅存地名耳。

原 倒馬坡在安德鄉，相傳都司平安倒馬處。通州志

〔臣等謹按〕安德鄉在城北二十里，倒馬坡無考。

原將臺在通州西二十五里，中山武寧王徐達建。寰宇通志

原將臺有三：其二在州城西，相傳武寧王徐達建，或曰唐薛仁貴征遼所築，用席壘土爲之；其一在州城北，通京師東直門中路，舊傳慕容氏拜將臺也。名勝志

〔臣等謹按〕將臺故址今存。

原金幼孜過將臺追憶先皇作　憶從先帝北征時，親奉鑾輿誓六師。威駕風雲嚴號令，陣分龍虎耀旌麾。指揮掌握真無敵，駕馭英雄政有爲。一自鼎湖仙去後，幾回過此重增悲。金文靖集

原淨業寺在通州南一十五里。燕都遊覽志

〔臣等謹按〕淨業寺今名立禪庵，在州南張家灣。

原陸光祖重修淨業禪寺記略　通州之南十五里有淨業寺，唐大曆間淨業院之故址也。宣德三年，因其址建寺，建而復圮。嘉靖中，大學士西蜀趙大洲先生與寺之律師時實爲方外交，乃捐金搆材重修之，子亦佐其費。迄萬曆五年工乃成。又八年，余遷官留都，舟南下經寺前，入宿律師丈室，因爲作記。陸莊簡集

補温陵李贄墓在通州迎恩寺西。客雪吟

〔臣等謹按〕迎恩寺州志作迎福寺，久圮，今其地尚名迎福寺街，距城北三里。李贄墓尚存。

欽定日下舊聞考卷一百十

京畿 通州三

原 張家灣在州南十五里，元萬户張瑄督海運至此而名。東南運艘由直沽百十里至河西務，又百三十里至張家灣，乃運入通州倉。蓋盧溝河與白河會流處也。方輿紀要

原 張家灣爲潞河下流，南北水陸要會，自潞河南至長店四十里，水勢環曲，官船客舫駢集於此，絃唱相聞，最稱繁盛。長安客話

原 張家灣置巡檢司，在土橋西。鹽倉批驗所在烟墩南。名勝志

〔臣等謹按〕張家灣，本朝添設通判一員、都司一員。

原 竹木局建於通州，自永樂始，其抽分有二八、九一之額。舊制，張灣之滸設有大通關巡檢司，通州竹木局又以大使領之。桴筏至者，各列其材板枋之多寡長短闊狹厚薄之差等，以達之關司長，關司長據所差等較勘虛實而上之巡倉御史，御史據所陳報而下之竹木局，使如例抽之。其署額曰抽分竹木廠。通州志

〔臣等謹按〕張家灣稅務，本朝定制歸坐糧廳收；竹木之稅歸通永道收，别無專員。竹木廠舊署今尚存，每年各省貢木暫貯於此，設廠役典守之。

【原】行在户部侍郎王佐言：通州至河西務河道淺狹，漕船動以千計，兼四方商旅舟楫往來，無港汊可泊。張家灣之西舊有渾河，若疏濬近京師一二十里，更加充廣，瀦爲巨浸，令可泊船，公私俱便。上命都督馮斌、尚書李友直同佐審視。宣德七年冬十月，斌等以圖進，上以其役重大，命姑止。明宣宗實録

【原】正統元年十一月，修張家灣通濟倉。先是，管糧通政使李暹奏，欲移置張家灣通濟倉於通州，行在户部工部議如所請，令漕運總兵官都督僉事王瑜量遣運糧軍三千人興役。至是，瑜奏：臣所領運糧船二萬有奇，令兩處交納，河道稍得疏通；若并於一處，不免阻塞。況通濟倉雖有損敝，易爲修葺；若欲移之，則所費數倍，三千人必不能辦，請仍舊修葺爲便。從之。明英宗實録

〔臣等謹按〕通濟倉遺址無考。

【原】大通關在張家灣之長店，百貨彙集處也。方輿紀要

【增】大通關，明永樂中置巡司，正德間革。通州志

〔臣等謹按〕長店距州城十三里，關久廢。

原御馬監太監于經寵幸，嘗導上於通州張家灣置皇店，榷商賈舟車，微至擔負，亦皆有稅，中外怨之。其請祠額者，則香山碧雲寺所自置塋域也，工作糜費以百萬計，上亦嘗幸焉。明武宗實録

原正德十六年八月，户部左侍郎秦金上言，寶源、吉慶二店課程，弘治以前係順天府批驗茶引所官收受，按季解部。後太監于經奏爲皇店，科取擾害，人皆怨咨。乞將二店課額依弘治年例，庶軍民樂業，上下俱利。上命如所議行。明世宗實録

〔臣等謹按〕寶源、吉慶二店遺址無考。

原嘉靖三十一年五月，修築張家灣鎮城堡工完。明世宗實録

〔臣等謹按〕張家灣城今尚存。

原徐階張家灣城記 自都門東南行六十里，有地曰張家灣。凡四方之貢賦與士大夫之造朝者，舟至於此，則市馬僦車陸行以達都下。故其地水陸之會，而百物之所聚也。嘉靖癸亥冬，世宗皇帝以有警，詔發營兵戍之。先聲播聞，敵不敢犯。然戍者無所據依，晝夜披甲立，勢實不可以久。甲子春，順天府尹劉君畿因以城請。司空雷公禮上議曰：城於戍便，於守固。世宗報可，敕順天府丞郭汝霖、通判歐陽昱、內官太監桂琦以二月二十二日始事，財取諸官之贖及士民之助者，木取諸營建之餘，甎取諸內官廠之積，石取諸道路橋梁之廢且圮者，夫取諸通州之衛卒及商若民之饒於資者。工既舉，而財不時集。階具以聞。詔光禄寺出膳羞之餘金三萬兩貸之。於是諸臣咸悦以奮。而巡按御史董君堯封、王君用楨程督加嚴，越三月，遂以成告。周九百五丈有奇，厚一丈一尺，高視厚加一丈，內外皆甃以磚。東南濱潞河，阻水爲險，西北環以濠。爲門四，各冠以樓，又爲便門一，水關三，而城之制悉備。中建屋若干楹，遇警則以貯運舟之粟，且以爲避兵者之所舍。設守備一員，督軍五百守之。而灣之人，南北之縉紳，中國四夷朝貢之使，歲漕之將士，下逮商賈販傭，胥恃以無恐。至於京師，亦隱然有掎角之助矣。仰惟國家建都燕薊，百六十年於兹，乃灣之有城，實自世宗遺戍之詔始。蓋世宗雄才大略出於天縱，而訏謨睿算又得於夙夜。計安天下之心非偶然者。其功在社稷，廟稱爲世，雖未易以名言，然此固其一也。夫覩河洛而思禹，情也，亦義也。今而後登兹城者，於世宗能無思乎！誠使文武吏士體保固郊圻之意，而殫謀以奠封疆，兵之守者懷據依之便居處之安，而竭力以奮武衛；其在賓旅，遡周防曲護之恩而各修厥職以供朝廷之事，則庶幾爲能思世宗矣。階不敏，敢因紀成以規焉。世經堂集

原王崇慶張家灣曉發作 沙鳥知山雨，舟人狎海潮。五雲堆魏闕，回首路迢迢。端谿集

原許天錫曉發張灣詩　黄鸝啼歇曉陰開，兩岸垂楊蔭緑苔。葉底輕花看不見，暖風吹入短篷来。許黄門稿

原樊阜張灣舟中作　朝發燕山陽，夜宿張灣側。高樹蔚繁陰，浮雲淡無色。睠彼西日馳，憂心恒惻惻。賴我同心人，相期崇令德。樊氏摘稿

原王問張灣送客詩　旅舍臨官陌，秋風一惘然。獻書芸閣上，歸夢草堂前。燕市人初去，江天月共憐。應尋鹿門隱，同宿五湖烟。王仲山詩集

原邱雲霄曉發張家灣作　舟車變春夏，倦與水雲期。月明宿沙灣，雞聲何咿咿？寒烟薄汀渚，征人事驅馳。長河就東没，明星亦西移。鳴鑣揚緇塵，策馬縱青羈。遠瞪鸞鳳樓，有懷金玉姿。元髮抱衷素，緑絲方見治。輾轉繁慮積，緬邈千古思。止止齋集

原陸深張家灣棹歌　張灣水出北山頭，十里洪身九里洲。惟有老漁知進退，深灘撒網淺灘拏。儼山詩

補桑紹良下第宿張家灣詩　貂裘敝盡客還家，郭隗臺前日欲斜。回首鳳城春色好，鶯聲啼碎碧桃花。明詩正聲

原殷雲霄長店作　牽舟下潞河，河淺不可行。前途漫浩浩，日暮悲孤征。緣流百里間，淼茫卽東瀛。掛帆越萬里，快哉平生情。失計今如此，憂懷徒自盈。石川集

補緱山陳文靖公天祥告歸，上遣使追及通州，賜楮幣五千緡，以無功辭。或曰：昔二疏去漢，未聞辭賞。公曰：辭受在人，何得以前輩相律？歸田類稿

補李秉彝仲常，通州潞縣人，官至工部尚書、兩浙轉運使，所謂閑邪公也。聊城周馳爲作傳，趙文敏公書之。元史不爲立傳，其行事賴文敏之書以傳，則史之絓漏不少矣。潞沙筆綴

〔臣等謹按〕元周馳所撰閑邪公傳，趙孟頫書，其刻石在快雪堂帖中。

原林臯寺唐太和中建，明景泰五年重修，賜額曰興國寺。廣福寺本元高麗寺舊址，明正統己未更建，賜今額。圓通寺，明洪武庚午年建。三寺俱在張家灣。又有鐵牛寺、孤舟寺。通州志

〔臣等謹按〕林臯寺久圮，僅存石碣。廣福寺今尚存。圓通寺僅存殿宇三楹，及弘治

間重修斷碑而已。鐵牛寺舊名五行寺，久圮，止存石刻，門額上鐫古剎五行寺，萬曆四十一年三月重修十五字。孤舟寺無考。

原 里二泗近張家灣，有佑民觀，中建玉皇閣醮壇，塑河神像。嘉靖十四年道士周從善乞宮觀名，賜今額，名其閣曰錫禧。萬曆十年，靈壁侯湯世隆復新之。通州志

〔臣等謹按〕里二泗佑民觀，本朝順治八年世祖章皇帝臨幸其地，賜帑重修。

原 王嘉謨里二泗東皇祠下作 梩桐發春華，藹藹照中圃。杳渺平湖闊，孤帆逗新雨。中流見古祠，松雲澹羣樹。舉酒酬芬芳，村巫起屢舞。雪消蕨初緑，蘋香魚正乳。但醉不須辭，此樂真堪取。薊邱集

增 湯顯祖登張灣里二泗道院高閣詩 弭舳聚氤氳，躍舄凌暉皎。旅積方此舒，波情亦堪繞。榛邱見蒙密，重關思窈窕。況此羽人居，青熒滿幽眺。雙扉永平直，層樓迴飛矯。陵岳翠西矗，河渠白東淼。幢檣密林樹，伊優軋魚鳥。封畛四如畫，岐術紛可了。非經灞陵役，復異河陽繞。如何帝鄉雲，悠然映江表。玉茗堂集

原 孤山在州東四十里，四面平曠，一峯獨秀，因名。靖難初，李景隆攻北平，燕王自大寧還至孤山，列陣於白河西，即此。方輿紀要

〔臣等謹按〕孤山高二十餘丈，與三河縣交界處。

原 馬中錫登孤山書寶峰寺壁詩 禪宮金碧照林邱，人道重經内監修。鶴擾下聽僧説法，犬嗥知有客來游。山腰石潤初過雨，碑額苔深不記秋。若少簿書催我去，放歌於此十旬留。東田漫稿

原 永濟寺，唐貞觀中建，明弘治間重修。善通寺，遼乾統二年建。隆興寺，金天會七年建。三寺俱在富河鄉。永慶寺，金大定中建。寶林寺，元大德初建。壽安寺，遼天慶十年建。三寺俱在孝行鄉。寶光寺舊名法華寺，元大德元年建，在城西南次渠莊。通州志

〔臣等謹按〕永濟寺在雙橋，非富河鄉。善通寺即普通寺，與隆興寺俱在富河鄉。永慶寺在竇家莊，寶林寺在大東家莊，壽安寺在王近疃，俱隸孝行鄉。寶光寺在次渠莊，均多圮廢。

補 范欽出都宿永濟寺作 落日促行輈，停林賦遠遊。雲烏驚不定，冰壑凍仍流。世態徒青眼，風塵易白頭。好憑今夜月，流影入皇州。天一閣集

原 漷縣在州城南四十五里。明一統志

〔臣等謹按〕通州漷縣舊境，於順治十六年省入州。原書別漷爲一縣，今既裁併，謹附載通州簡末。

原 在漕河之三里。漕河圖志

原 縣本漢泉山之霍村鎮，遼每季春弋獵於延芳淀，居民成邑，就城故漷陰鎮，後改爲縣，在京東南九十里。遼史

原 漷縣，漢泉州地，遼太平中改爲漷陰縣，金因舊名。清類天文分野之書

原 元初爲大興府屬縣。至元十三年陞漷州，割大興府之武清、香河二縣來屬。元史

原 明初復爲縣，屬通州。寰宇通志

增 漷縣，漢泉州地，遼初爲漷陰鎮，後陞爲漷陰縣，以在漷河之南也。元至元十三年，改漷州，屬大都路。明初復爲縣，改順天府，屬編户十五里。本朝順治十六年裁併通

州。方輿紀要

〔臣等謹按〕通州志附載漷邑職官年表，自本朝順治十六年以前俱有姓名可據。至十六年，知縣鄭駿以其地狹人稀，申請裁併，遂於是年改併通州。畿輔通志作九年，誤。

原 縣舊無城郭，正德初，知縣郭梅始築土城，周圍二里，嘉靖二十二年增修之。門四：北拱闕、南迎薰、東臨津、西通都。萬曆四年始甃以甎，周圍六百二十三丈，高一丈八尺，雉堞一千一百八十三，濠深一丈，闊二丈五尺。崇禎八年，知縣涂應召增高五尺，闊五尺。漷縣志

〔臣等謹按〕縣城今尚存。康熙三十六年設州判一員駐劄其地，兼理巡檢河工之事。

原 吴萊漷州詩 數株楊柳弄輕烟，舟泊漷州河水邊。牛羊散野春草短，敕勒老公方醉眠。吴淵穎集

原 陳秀民漷州望古北居庸諸山作 古北居庸一望中，風沙滿眼亂芙蓉。曦車夜轉崑崙脊，華蓋陰移太乙峰。金口水流終到海，玉泉雲起又從龍。兩京形勝今如此，可擬秦關百二重。寄情稿

原 蔣山卿漷縣晚行作 漠漠平沙闊，荒荒白日低。朔雲孤鴈度，昏樹亂鴉棲。戍鼓聽猶隔，村烟望欲迷。關山有戎馬，憐爾尚征西。南泠集

原 顧夢圭漷縣行 入城半里無人語，枯木寒鴉幾茆宇。蕭蕭酒肆誰當壚？武清西来斷行旅。縣令老羸猶出迎，頭上烏紗半塵土。問之不答攢雙眉，但訴公私苦復苦。雨雹飛蝗兩傷稼，春來況遭連月雨。縣城之西多草場，中官放馬來旁午。中官占田動阡陌，不出官租地無主。縣中里甲死誅求，請看荒墳遍村塢。疣贅録

增 卞永吉漷縣舟中作 征帆緣路轉，別馬憶驕嘶。前路方疑遠，鄉關漸欲迷。岸平沙水急，野闊塞雲低。日暮頻回首，荒村雞盡棲。來遠堂集

原縣舊治在城南隅，元升爲州，遷於河西務。至正間復移舊地，改立於城東北隅。洪武五年復爲縣，仍舊治。儒學舊在縣東南河西務，洪武四年遷於縣治西北隅。永樂四年，教諭楊溥葺之；正統七年，知縣王文復葺之；天順八年，知縣賈貞復葺之，有刑部侍郎董方碑記。漷縣志

〔臣等謹按〕縣舊治及儒學今廢。

原岳文肅公正祠在文廟東，嘉靖十年敕建，春秋二仲月上丁以少牢致祭。漷縣志

〔臣等謹按〕岳正祠今圮。

原乾統四年十月，鳳凰見於漷陰。遼史天祚帝紀

原遼統和十二年正月朔，漷陰鎮水，漂溺三十餘村。詔疏舊渠。遼史聖宗紀

原元延祐二年正月，發卒濬漷州漕河。元史仁宗紀

原泰定四年正月，築漷州護倉堤。元史泰定帝紀

〔臣等謹按〕護倉堤今尚存。

原天曆二年四月，濬漷州漕運河。元史文宗紀

原揭傒斯以年七十致事去，詔遣使追及於漷南，召還撰明宗皇帝神御殿碑，文成，賜楮幣萬緡、白金五十兩，中宫所賜白金數亦如之。黄文獻集

原白河濱有長陵營、馬頭店、白浮圈、曹家莊諸堤舖，皆運河必經之道。漷縣志

〔臣等謹按〕長陵營等堤舖在白河西岸，村莊堤岸今俱完整。

原 泗河在漷縣東四里，即運河也。四水會流，故名泗河。一發源自塞外東流，經密雲縣與潮河川合流，注通州城東北入白河，即通州潞河也。一自塞外西流，入白洋口，經榆河下流沙河由順義南界至通州城東北入白河，即通州富河也。一發源於昌平白浮村神山泉，出西南滙爲西湖，東入都城積水潭，入宮牆太液池，南至玉河橋，由東南大通橋迤東入慶豐等牐，即通會河，入白河。一自都城右安門外草橋，流入南海子，東出宏仁橋，由水南新河至張家灣板橋入白河，總名運河，亦名白河。長安客話

〔臣等謹按〕泗河即運河，在漷縣舊城東三里。

原 漷河在縣西，一名新河，自盧溝河分流至縣界析而爲三：其正河爲漷河，東入白河；其一爲新莊河，南流入武清縣界；其一爲黃漚河，東注馬家莊之飛放泊，各去縣十里。方輿紀要

〔臣等謹按〕漷河今名新河，在漷縣城西二十五里。

原 馬家莊飛放泊在縣城北八里，南新莊飛放泊在縣南二十五里，栲栳垈飛放泊在縣西南二十五里。漷縣志

〔臣等謹按〕飛放諸泊俱堙廢。

原天津橋俗呼新河店橋，元總管郭汝梅建，在縣西北二十五里。灤縣志

〔臣等謹按〕天津橋久廢。

原棗林在縣西北。元致和元年，上都兵破通州，雅克特穆爾與戰於檀子山之棗林，敗之。至正十八年，山東賊毛貴等攻灤州，至棗林，敗元兵，遂略柳林，逼畿甸。檀子山或曰縣境小阜也。方輿紀要

〔臣等謹按〕遼東軍破通州，雅克特穆爾擊之，皆渡潞水走。元史明言戰薊州之檀子山，又云戰於檀子山之棗林。蓋薊爲遼東孔道，遼東軍敗，故追戰於此。若灤縣在通州之南，棗林在縣西北，遼東軍未嘗經其地，且今灤縣亦無所謂檀子山者，是以薊之棗林爲灤之棗林。方輿紀要致和元年一條誤，當辨也。

原柳林在縣西，元至元十八年如灤州，又如柳林，是後以柳林可游畋之地，建行宮於此。方輿紀要

原至正十五年三月，毛貴犯灤州，至棗林，樞密副使達國珍戰死，遂略柳林。元史順帝紀

原毛貴略柳林，劉哈喇布哈時爲同知樞密院事，奉詔以兵拒之，戰於柳林，大捷，貴衆悉潰退走。元史本傳

〔臣等謹按〕柳林在灤縣西，元時行宮遺址無考。

原出左安門東南行四十里，石橋長二十五丈，曰宏仁橋。橋東碧霞元君廟西向臨橋，元君祠在北京日加廣，麥莊橋北曰西頂，草橋曰中頂，東直門外曰東頂，安定門外曰北頂。盛莫如宏仁若，歲四月十八日傳是元君誕辰，士女進香，鳴金號衆，四十里道相屬也。帝京景物略

原天順七年四月，新建宏仁橋成，橋在南海子東牆外，舊名馬駒橋，水自城西南經南海子出。歲以木爲橋，水漲卽衝去。往來者病涉。上憫之，發帑金數萬，改建石橋。因命閣臣李賢、陳文、彭時往觀焉。賢言：工役浩大，莫若用軍士一月，人給銀一兩，則力齊而功易完。從之。橋成，改名宏仁，命賢爲碑記。明英宗實録

〔臣等謹按〕宏仁橋亦名馬駒橋，乾隆三十八年奉敕修，易九洞爲七洞，概甃以石。復命葺碧霞元君廟，三十九年春落成，皇上親詣瞻禮，有御製詩記勒於石。正殿御書額曰廣生利濟。聯曰：仁澤布東方，慶貽佩觿；靈風護南苑，惠普成梁。東嶽殿御書額曰神皋鍾秀。聯曰：木德盛於東，自南布化；山宗冠維嶽，因瀆資仁。玉皇閣御書額曰泰鈞宣澤。閣下供太乙真人，御書額曰衆妙真樞。聯曰：藜杖照曾輝秘閣；蓮舟坐可濟仙源。

增御製重修馬駒橋碑文 水自南苑出者二，其南源曰團河，出南苑牆東南巃爲鳳河，又

東滌永定之濁，由大清河以歸海，向固疏治之矣。其北源曰一畝泉，出新衙門北，屈曲東南流，逕二牐，涼水河自北來會之。涼水河者，出右安門西南鳳泉東，流逕萬泉寺，分爲二，其一南逕草橋曲折東注，一自北逕廣恩寺曲折東注，至永勝橋復滙爲一，東南流，循南苑繚垣而東，至小紅門之西入苑牆，東南逕沙底橋折而南，與一畝泉合。又南而東至鹿圈村三海子。以上之水自西南來注之，又東南流穿苑垣而出，逶迤至張家灣入運河。是水之初出苑垣也，瀠演歕飲，千溜一趨，瓴如矢如，迴激弗止，則有巨梁揵之，曰馬駒橋。橋建自勝國，歲渝寖以圮壞，農旅交病。石陁入水，水梗或溢出妨民田廬，而中澁則旁淤閶塞水所由道。益不可以不亟治。乃命將作相視，因其舊材撤而新之，縱之得丈二十有五，横之得尺亦二十有五，爲孔洞者七，視昔制雖少陿，而壯固有餘。工始於乾隆三十八年之春，越其冬落成。夫治水者必溯其源，由源而及其支流條泒，剔之釁之，乃可以不紊。今一畝泉源委既已𠜱治，而涼水河所逕，漫流積潦，寖成沮洳，爰自鳳泉至馬駒橋濬河八千餘丈，修葺橋牐凡九，新建牐五，即以濬河之土於右安門外築甬道一千餘丈，以便行人。其河旁稻田數十頃，既墾且闢，益資灌溉之利。而茲橋實下游關鍵，暢尾閭以利導之，尤施工之弗可已者。若前代著述家，睫視臆論，妄以玉泉傅合南海子之水，舛錯糾紛，至可嗤笑。曩賦海子行，曾詳著其説。茲因所司請記，復爲銓治水道大略，俾方來圖經輿記知所考據。而若河、若塗、若橋，皆王政之大端，所繫綦鉅，毋廢毋墜，誠有司所當務。書之碑，用示來許。

增御製重修碧霞元君廟碑記 馬駒橋南不數武，故有廟以奉碧霞元君。橋既頹圮，廟亦陊蕆弗治。歲癸巳，飭工建橋，並命繕葺其廟，踰年落成。崇殿傑閣，自門達廡，采雘塗塈，翼然改觀。是固神所憑依，禮不可以不稱也。粤稽岱宗秩祀，著在經訓，而碧霞元君之名號，惟出於道書，他無所考。推闡其義，蓋以岱居木位，其色惟碧；而東方主生，一本乎坤元之資生萬物，故有元君之稱，亦若古所稱后土爲富媪者。其宰化育物，肸蠁斯著，則世之奔走崇禮也固宜。而是廟傅橋而建，閱歲茲多，若與橋相爲興廢者。橋既復舊，則廟之鼎而新之，亦其宜也。或者疑神祠所在多有，詎必是廟焉憑之，而亟嚴奉爲者？夫神固無乎不在，惟所宅之地重，則其憑之也專。茲橋以涼水河所經，治而灑之，俾益農旅。今者梁成利涉，水宅田腴，而是廟之揭虡迓庥者，亦煥然一革其故貌。則當人之便於橋，卽可知神之妥於廟也，而烏得謂所憑者之不在是耶？或又有謂是廟卽舊南頂者，其說無當，不具論。而予之所以因橋以及廟者，意實在此而不在彼。司工請記其事，爰書此以諗之，俾揭諸石。

增乾隆三十九年御製碧霞元君廟落成瞻禮有作 周禮或弗讀，遂人久失職。治水並治塗，互因難惜力。然古實用民，今惟發價值。國家之善政，從弗興力役。橋以跨川修，廟以鎮橋飭。需殷相得彰，落成值此日。清曉出東門，（在海子東紅門外。）郵民多喜色。輪奐致瓣香，祈祐民福國。祥霮剛濕地，（正值微雨。）歸輿雲破翼。優渥以爲佳，降馨媿無德。

原李賢勑建宏仁橋碑記 都城之南，一水橫流於巽方。其源由兑而坤而離，四來沮洳，會而爲河，至巽乃大。有一津焉，在南苑之左，去城四十里。凡外郡畿内之人自南而來者，東西二途胥出此渡。車之大而駕者，小而挽者，物類之馱者，人之有肩負者騎者步者，紛紛絡繹，四時不休。有力者每歲爲駕木橋。然寒沍之際，不免涉水。況秋夏漲，即有覆溺艱阻之虞，而人之病涉莫此爲甚。天順癸未春，皇上聞之，惻然軫念曰：此先務也，尚可緩耶？乃命創建石橋，凡百所需悉出内帑，而一毫不干於民。應用工役皆以白金傭之，聽其自願而不强也。卜日興造，人皆踴躍歡欣，争趨効力，不知其勞，而木石灰鐵之類率以萬計，不督而集。橋長二十五丈，廣三丈。爲洞有九以釃水，爲欄於兩旁以障田者，精緻工巧，無以復加。增岸於南北，以防衝突，爲寺爲廟，以資維護。經始於是歲四月十五日，訖工於十一月初一日。總其事者内官監太監臣黄順臣、黎賢，董其工者工部右侍郎臣蒯祥、臣陸祥。告成之日，上賜名曰宏仁橋。乃命臣賢爲撰碑記，用示永久。臣聞古先聖王之治天下也，以不忍人之心行不忍人之政，綱紀法度，細大具舉，而於橋梁道路未嘗不留意焉。觀夏令所謂除道成梁，月令所謂開通道路，可見矣。是以利澤及人，如天地之於萬物，無有不足其分者。恭惟皇上復位以來，夙夜孜孜，躬理政務，惟恐一民不得其所。出一令也必順於人心，行一事也必合於天理，真無異於古先聖王之用心矣。今以一津乏濟，聞之惻然，是即不忍人之心也，爲建石橋以便往來，是即不忍人之政也。名之曰宏仁，蓋宏者廓而大之也，仁則不忍人之政也。是橋之建，信乎能宏其仁矣。然歷年之患，由此而弭，無窮之利，由此而基，又非經世之遠圖與？嗚呼！一橋之利尚不遺焉，況其大此萬萬者乎？由是以知皇上擴充仁道，被於四海，而利澤及人之廣，信如天地之於萬物矣。故宜大書而特書也。既爲之記，復系以詩曰：大哉元后，作民父母。民之休戚，同其安否。所以先王，發政施仁。憂勤惕厲，罔或因循。仰惟我皇，博施濟衆。視民如傷，惟樂與共。大綱小紀，乃舉乃張。有或遺者，於心則惶。都城巽方，有水病涉。惻然興懷，務遂所愜。不惜内帑，爲建石橋。工役之費，民無秋毫。易危而安，利澤惟久。億萬斯年，厥跡不朽。古穰集

原覺華寺在縣西十八里，明真定公主請勑賜額。（漷縣志）

〔臣等謹按〕覺華寺今尚存。

原漷縣西有延芳淀大數頃，中饒荷芰，水鳥羣集其中。遼時每季春必來此弋獵，打鼓驚天鵝飛起，縱海東青擒之，得一頭鵝，左右皆呼萬歲。海東青大僅如鵲，既縱，直上青冥，幾不可見。俟天鵝至半空，歘自上而下以爪攫其首，天鵝驚鳴，相持殞地。燕山叢録

〔臣等謹按〕延芳淀久湮廢。

原遼每季春弋獵於延芳淀。淀方數百里，春時鵝鶩所集，夏秋多菱芡。國主春獵，衛士皆衣墨緑，各持連鎚、鷹食、刺鵝錐，列水次相去五七步。上風擊鼓驚鵝，稍離水面，國主親放海東青鶻擒之，鵝墜，恐鶻力不勝，在列者以佩錐刺鵝，急取其腦飼鶻。得頭鵝者例賞銀絹。國主、皇族、羣臣，各有分地。遼史

原統和七年春，駐蹕延芳淀。十二年正月，幸延芳淀。十三年正月，幸延芳淀。十四年正月，幸延芳淀。十五年正月，幸延芳淀。十八年二月，幸延芳淀。二十年正月，如延芳淀。同上

原又統和十二年正月，幸延芳淀。十三年九月，奉安景宗及皇太后石像於延芳淀，不言南京。按：統和四年十月，命皇族廬帳駐東京延芳淀，是東京亦有延芳淀也。北平古今記

原神潛宮在縣西南二十里，前代妃嬪從獵行宮也。名勝志

〔臣等謹按〕今縣西南二十里俗呼神仙村，或即是宮故址，相傳字音之訛也。

原 晾鷹臺在縣西南二十五里。高數丈，周一頃，元時游獵，多駐於此。方輿紀要

〔臣等謹按〕今漷縣西南十五里有晾鷹臺。

原 至大元年七月，築呼鷹臺於漷州澤中，發軍千五百人助其役。元史

〔臣等謹按〕呼鷹臺無可考。今漷縣西四里有放鷹臺故址，高一丈周二丈，或卽呼鷹臺之舊蹟歟？

原 呼鷹臺，元至大間所築也。元人以鷹坊爲仁虞苑，秩正二品，使首相領之，可笑如此。穀城山房筆麈

原 打捕鷹坊萬户府歲用喂養肉三十餘萬斤。草木子

原 舊臺在縣西南得仁務西，遺址尚存。長安客話

原 得仁務在晾鷹臺東。名勝志

原 漷縣得仁務有三大冢相望。其西北有岡隆起，岡首有洞，其中窅然深黑。嘗有以燭入者，行里許，有瓷甕貯油，一燈熒熒然，人間什物俱備。試擲以礫，卽有矢外射，其人懼而出。蓋遼金諸貴人冢也。燕山叢録

〔臣等謹按〕三冢遺蹟無考。

原 畫眉塚在縣南五里，相傳漢張京兆葬焉。冢廟記

〔臣等謹按〕畫眉冢無考。

原 隆禧觀原隰平衍，洄流芳淀，映帶左右。建元以來，羽獵歲嘗駐蹕。民庶觀羽旄之光臨，樂游豫之有賴。秋澗集

〔臣等謹按〕隆禧觀遺址無考。

補 漷州距今新都東南百里而近，本漢泉州地，遼爲鎮而金縣焉。至元十有三年，升縣爲州，從吏民之請也。秋澗集 原在良鄉、固安等縣卷内，今移改。

〔臣等謹按〕此條與上原書隆禧觀一條皆王惲秋澗集中隆禧觀銘之序也。朱昆田載此條與下隆禧觀銘一條於二十五卷補遺中。彼卷分載良鄉、固安、永清、東安、香河五縣，不應闌入漷事，乃因王惲固安道中詩牽連錯簡耳。今移載於此。

補 王惲大都路漷州隆禧觀銘 道家者流元默稱。抱持其雌無所矜。屋居火食相奉承。鳶飛戾天魚在泓。疇不若爾休其生。爰因象設心自兢。仍用善俗滋良萌。漷州維南泉故城。玉晨有庵無所營。敞廬數間僅幪帡。一旦締結三十楹。烟光粼粼萬瓦青。正自肯構今有成。要擴師授昭子誠。爲國迎祥禱上清。鑾輿歲幸實省耕。延芳春水紛霓旌。游豫何啻歌三登？千秋萬歲樂事并。道人再拜乞此銘。隆禧因之播永馨。雲間歎賞聞慨聲。安知不有成公興？秋澗集

原 獨秀園亭在縣北二里，遼司徒郭世珍建，今廢。漷縣志

〔臣等謹按〕獨秀園亭今無考。

原 崔氏園亭在漷縣南小安村，邑人崔禮仕金爲四鄉學諭。金亡，隱居於此，作園亭，盛植花卉以自娛。元名人時往游觀焉。寰宇通志

〔臣等謹按〕崔氏園亭無考。

原 兩家店在縣東十二里，官道所經也。方輿紀要

〔臣等謹按〕兩家店在州城南四十一里。

原 景命殿在永樂店，其西爲保國慈孝華嚴寺、護國崇寧至德真君廟，俱萬曆三十六年勅建，爲孝定皇太后祝釐地也。漷縣志

〔臣等謹按〕永樂店在縣城南。景命殿久圮，寺廟僅存。

原 明慈聖太后生於漷縣之永樂店，事佛甚謹，宮中稱爲九蓮菩薩。每歲十一月十九日爲其誕辰，百官率於午門前稱賀。長安百姓婦孺俱於佛寺進香祝釐。享天子奉養四十三年，古今太后稱全福者所未有也。菊隱紀聞

原 明神宗御製漷縣景命殿碑文 朕惟帝王之興，率本母德。華渚洽陽，鍾靈肇慶。載之詩書，炳乎盛矣。朕以藐躬，御極三十五年，仰憑慈訓，方内乂安。深維聖母皇太后功德宏茂，千古稀聞。順天府通州漷縣永樂店乃誕育之地，淑氣所鍾，宜有表章，以示來許。用是躬承慈命，量度經營，中創慈聖景命殿，前門後閣，繚以周垣，樹三坊於門外。左爲保國慈孝華嚴寺，右爲護國崇寧至德真君廟。爽闓宏壯，足以昭地靈，章濬發，稱聖母所爲篤念源本之意。告成之日，慈顔悦豫，朕志用寧，爰勅中官守護，仍各爲文勒石，垂諸永久。以朕涼德，寧敢方古帝王？庶幾此地之無愧於華渚洽陽，則有聖母之烈在。其垂裕將千萬年，則景命亦千萬年。朕與内外其祇承之！爲紀其事，並系之詩。詩曰：翼翼京邑，漷水縈之。璇源遠濬，載奠坤維。尊靈長樂，歡洽重闈。緜緜景命，百禄咸宜。睠兹湯沐，啓瑞集禧。周原膴膴，寶殿攸基。重門邃閣，崇敞逶迤。仁祠左拱，靈宇右麗。甍連棟接，鳥革翬飛。虹祥式闡，慈念載怡。爰及溥海，耀景咸熙。聖母之德，綏此烝黎。百千萬禩，永永無斁。時萬曆三十六年戊申十月。明神宗實録

欽定日下舊聞考卷一百十一

京畿 三河縣

原 三河縣在州城東七十里。明一統志

（臣等謹按）三河縣明隸通州，故云在州城東，本朝隸順天府，在府東一百一十里。

增 縣東西距七十里，南北距九十里，東至薊州界二十里，西至通州界五十里，南至香河縣界三十里，北至密雲縣界五十五里，東南至寶坻縣治九十里，西南至通州界七十里，東北至平谷縣界十五里，西北至順義縣治九十里。大清一統志

原 三河縣本漢臨泃縣地。清類天文分野之書

（朱彝尊原按）前、後漢志，上谷、涿郡無臨泃縣。

增 三河縣本漢臨泃縣地，唐析潞縣地置三河縣，屬幽州。明一統志

增 明一統志，三河本漢臨泃縣地。今考兩漢書，並無臨泃縣。唐書地理志，幽州范陽郡潞縣下云：武德二年置臨泃縣，貞觀元年省臨泃。而薊州漁陽郡三河下云：開元四年析

潞縣置。故知本是一地，先分爲臨泃，後分爲三河，皆自唐非漢也。日知録

原臨泃，石趙所置，亦曰臨渠。晉永和六年，燕慕容霸伐趙，收安樂北平兵糧，與其主雋會於臨渠，卽此城也。後魏廢。方輿紀要

原唐武德二年，析潞縣置臨泃縣，貞觀元年省，開元四年，更置三河縣。新唐書

原縣初置屬幽州，開元十八年，改隸薊州。大平寰宇紀

原金元並屬通州。清類天文分野之書

增三河漢潞縣地，唐武德二年，析置臨泃，屬元州。貞觀初廢。景龍三年，改臨泃置三河。開元四年，析潞縣，置三河縣，屬幽州。十八年，改薊州。五代初廢。後唐長興三年，復置三河。晉天福中，入於遼，屬薊州尚武軍。保大末入於金，尋入宋。宣和五年，屬廣川郡。七年，仍入金。天德三年，升潞縣爲通州，以三河隸焉。元屬大都路，明屬順天府通州。洪武十年，省平谷縣入三河。十三年，仍設平谷，屬薊州。畿輔通志

增乾隆七年御製三河縣詩　近山風轉嚴，當秋樹如綺。策渡過三河，馬足怯寒水。秉穗堆圃場，老幼趁墟市。稍免凍與饑，憂餘亦生喜。尋思赤縣廣，安得皆似此？

〔臣等謹按〕三河縣御製詩，恭載首見之篇，餘不備録。

原呂高渡三河詩　白馬渡三河，春風起緑波。天圍燕樹合，山繞漢宮多。落電流弓影，青雲遏劍歌。邊烽方未息，吾敢問漁蓑。江峯集

原縣城高二丈五尺，明嘉靖二十九年，知縣事張仁增崇五尺。至四十二年，知縣事劉文彬又增五尺。其角樓、敵臺，則知縣張倫所建也。三河縣志

〔臣等謹按〕縣城自本朝康熙十八年以後，屢次領帑重修。城方四里，高二丈五尺，城門四，東曰就日，南曰來薰，西曰瞻雲，北曰承恩。

原舊城在今縣東三里泃河南，被水衝廢。今三河城卽趙德鈞所改置，城方六里，濠濶三丈，深半之。城邑考

原縣治洪武初建，正統間重修。儒學在縣治西南，金泰和間建，元至正戊子，教諭劉元皓建文廟兩廡，明宣德間重修。三河縣志

原元禮部郎中王約有重建三河講堂記，亦以縣城始創於後唐明宗云。名勝志

原元王約重建三河講堂記 禮部侍郎田君嘉甫告予曰：吾邑三河始城於後唐明宗長興三年，宣聖廟未詳其初，而廟之講堂乃金泰和五年富察公創焉，榜之曰明道，迄今將百年而摧圮無餘。令尹劉君鐸自元貞二年宰是邑，卽明道故基而爲堂，費不擾民而厥績告成焉。三河縣志按：富察舊作蒲察，今從八旗姓譜改正。

增元珠克三河縣學創建兩廡記略 我朝開闢之初，首命內外郡邑各建廟學，泃陽當衝道，絃誦蔑聞，禮樂弗振。泮宮僅蔽風日，而兩廡俱闕，殊乏從祀之儀。至正戊子，教諭劉元皓由平谷秩滿調是邑，惄焉傷之。卽白於縣之令佐，刱建兩廡六間，兩齋二間，計己束修及官吏捐俸里閈助費，工趨事集，不數月而成。同上 按：珠克，索倫語房屋也，舊作祝阿。今譯改。

原段家嶺在縣東二十里官道旁。方輿紀要

原靈山、華山、聖水山、駝山，俱在縣北。靈山去縣治十五里，三面出泉，形勝記所謂

北倚靈山者也。又十五里爲華山，一名兔兒山。又十五里爲駝山，即香河縣駱駝港之源，水繞駝山而出，故名。其地又有石城、青梁諸山口。聖水山在縣西北三十里，又十五里爲鳳凰山。名勝志

增 蟠龍山在縣西北五十里，舊名旁立山，後改新名。三河縣志

〔臣等謹按〕蟠龍山舊有行宫，乾隆十九年始移建於山迤北之大新莊。詳見後。

增 乾隆九年御製蟠龍引 蟠龍山名，前建行宫，偶來駐蹕有作。我聞金陵自昔稱龍蟠，千秋形勝想像間。奕奕瑶光照薊野，蟠龍亦得名兹山。江南江北不異地，天龍游戲同歸禪。獅峯鷲嶺詎獅鷲？何如九二見在田。南陽卧客吾心企，敢誇乘六以御天。

〔臣等謹按〕蟠龍山御製詩，恭載首見之篇，餘不備録。

原 三河以地近七度、鮑邱、臨泃三水而名。郡縣釋名

增 泃水又東南，逕臨泃城北，屈而歷其城東，側城南出。水經注

〔臣等謹按〕七度河之度，亦作渡。

原 七渡河在縣西北，一名黄頒水，源自順義縣黄頒峪流注縣界，下流入於白河。鮑邱河在縣西南，即白河之别名也。自密雲縣流經通州東境米莊村，又流經縣界，至寶坻縣境合於泃河。泃河在縣北，自薊州平谷縣流入縣境，又東南流入寶坻縣界，合於鮑邱河。

唐志縣北十二里有渠河塘，西北六十里有孤山陂，溉田三千頃。渠河疑即泃河之譌也。方輿紀要

原 三河縣西北有泉，汲以洗目，可愈目疾，因名聖水。長安客話

原 泃河石橋俗名小河橋，在縣南門外，正德十二年御馬監太監張鋭建，大學士楊一清作碑記。鋭，邑人也。三河縣志

〔臣等謹按〕泃河石橋明正德中建，萬曆四十六年重修。本朝順治七年康熙三十年乾隆十三年屢經修葺。

原 明楊一清新建泃河石橋記略 三河縣城南百步有河，即古之泃河也。東通錯橋，西達金雞塘，境接通薊，往來經由之路，歲治浮橋以渡，河水泛濫，橋輒壞。僉謂易以石，庶可久，而工役繁，莫之能舉也。左都督張明捐金數千，鳩工伐石，屬前大同副總兵指揮同知趙杲董其事，度之長三十步，高五尺，廣若干尺，以正德十年十月工成。石淙稾

原 錯橋在縣東五里之七渡河。長安客話

〔臣等謹按〕錯橋久廢。本朝康熙年間於其地額設渡船四，以便行者。

增 錯橋一名草橋，今廢。三河縣志

原 宣德三年七月，順天府三河縣奏：本縣錯橋，東通遼海，西達京師。今年五月霖雨，山水暴漲壞橋，甃石皆缺，驛使往來不便，乞撥軍夫工匠於華山石廠取石修砌，庶幾可

成。從之。明宣宗實録

原 宣德三年八月丁未，車駕發京師。戊申，駐蹕三河縣東之草橋。上同

原 宋褧宿錯橋詩 偶來城下錯橋西，神樹棲鴉迫暮啼。數騎東來飲河水，一聲羌管碧雲低。燕石集

原 劉希彝詩 錯橋臨七渡，山色繞洵陽。地脈沿溪潤，春流到海長。沙容開麗景，樹影弄晴光。川上情何極，東遊憶故鄉。名勝志

增 大新莊行宮，乾隆十九年建，前建石橋一座，西石橋一座，東木橋一座。三河縣志

〔臣等謹按〕大新莊行宮内恭懸皇上御書扁曰止水靈淵，曰隨安室，曰物外情。聯曰：法雨普沾資海滴；慧珠通映仰燈然。又聯曰：勒寒花樹芳遲發；向暖郊原潤逮耕。又曰：萬頃緑雲秋麥蔚；千村紅雨杏花深。

增 乾隆三十五年御製大新莊行宮晚坐詩 過午非常暖，蒸爲雲密垂。遠山藏影暗，平野罨烟披。作雨庶幾遇，去年有所思。春郊霑尺澤，心幸復斯時。昨歲至盤山，適當好雨優霑，迴蹕經此，村農共趁春耕，覽之心慰。兹將屆興犁，正思甘雨，幸午暄雲佈，冀釀尺霖，復如去年之霑澤，以紓望念。

增 乾隆四十年御製於大新莊行宮作 列岫對龍蟠，是處又名蟠龍山，以南對列岫得名。居停一宿安。村民迓行輦，衛士解征鞍。書史静如待，庭軒清且寬。杏花將欲綻，芳信遞田盤。

〔臣等謹按〕大新莊行宮御製詩，謹繹有關紀述者恭載卷内，餘不備録。

原 泥窪鎮在縣西二十里有巡司，又西十里曰夏店，有五槐公館，又西二十里曰烟郊，與

通州接界，有官兵戍守。方輿紀要

增 烟郊行宫，乾隆二十年建。三河縣志

（臣等謹按）烟郊行宫建自康熙年間，乾隆二十年移建於舊址迤南。正殿外簷恭懸聖祖御書額曰虛明向遠開。殿内恭懸皇上御書額曰緑淨雲畦。聯曰：爲元后則時天若；知小人依所逸無。樓額曰眺遠樓，曰遠含澄景。聯曰：樹色溪光成静賞；花香鳥語絶塵緣。又曰：目同碧宇朗無盡；心與白雲散以閒。捲房聯曰：春色昌昌有脚，化工蕩蕩無私。佛室聯曰：慈慧顯三千大化，圓通示不二法門。皆御書。

增 乾隆十年御製煙郊行宫晚坐詩 春宵雪後寒，古月望前潔。雪月成雙清，幽齋景殊絶。瓷檠餤花落，竹竈茶煙歇。託好有常因，卽事愜静悦。去歲將今夕，不起心分別。

（臣等謹按）烟郊行宫御製詩，恭載首見之篇，餘不備録。

原 三河驛在縣南關，正德初併公樂、夏店二驛創之者，嘉靖二十九年知縣張仁重修，今廢。三河縣志

原 明李貢併三河驛記略 三河縣東有驛曰公樂，西有驛曰夏店，皆去縣二十里。使者東西至，以驛在野且隘，恒不止宿，必抵縣宿。先是，巡撫都御史平湖屠公勳請併於縣爲三河驛，爲衆議廢格。正德辛未，貢檢舊牘，乃運二驛舊材併作，成之甚速，由是東西使者至皆領於驛，縣釋重累。爰刻銘於石曰：漁陽之西，潞河之東，有三河縣，處乎其中。兩驛距縣，各二十里。使者不留，必縣是止。前賢謀國，節財裕人。併二爲一，道里亦均。我聞於朝，天子曰可。經之營之，有堂有廈。昔者候吏，輟食而嗟。今領於驛，寧其室家。昔者邑民，苦於帳具。今領於縣，有害斯去。事雖由我，恐蔽前賢。刻銘於石，冀永歲年。同上

【原】三河縣多曠土宜耕屯，有唐會莊爲昔時墾植之址。屯政考

【補】三河縣有延福寺。元崇國寺碑陰

【補】普安禪師至温於三河作蓮宮寺。道園學古録

【增】舍利塔在縣西門外，金正隆元年顯武將軍孟勝建。相傳藏佛牙舍利子於内，高十三級。三河縣志

【原】金中都轉運使劉樞墓在縣西五十里。同上

【原】劉樞，字居中，通州三河人，天眷二年進士。張浩營建燕京宫室，選樞分治工役，官至中都路轉運使，大定四年卒於官。金史本傳

【原】後唐長興三年，趙德鈞爲節度使，於幽州東北百餘里城三河縣，以通薊州運路，遼人來爭，德鈞擊却之。九月朔，城三河畢，邊人賴之。通鑑

【增】後唐李存勗拔燕，以趙德鈞鎮幽州爲節度使，乃城三河而戍之。五代史

欽定日下舊聞考卷一百十二

京畿 武清縣

原 武清縣在州城南五十里。明一統志

〔臣等謹按〕武清縣，明隸通州，在通州南九十里。明一統志作五十里，誤。本朝隸順天府，在府東南一百二十里。

增 縣東西距八十里，南北距一百八十里。東至寶坻縣界五十五里，西至東安縣界二十五里，南至天津府静海縣界一百五十里，北至通州界三十五里，東南至天津府天津縣治一百二十里，西南至東安縣治三十五里，東北至香河縣治六十里，西北至通州治九十里。大清一統志

原 在漕河之西二十五里。漕河圖志

原 武清本漢雍奴縣地，屬漁陽郡。清類天文分野之書

原 雍奴，藪澤之名，四面有水曰雍，不流曰奴。漢光武建武二年，封潁川太守寇恂爲雍

奴侯。魏遣張郃、樂進圍雍奴，即此城矣。水經注

原晉屬燕，後魏仍屬漁陽郡。方輿紀要

原隋屬涿郡，唐屬幽州，天寶初改爲武清縣。清類天文分野之書

原唐改雍奴爲武清，其舊城距白河十七里，在今邱家莊南。城邑考

〔臣等謹按〕舊城在邱家莊之南，距縣東十二里，今其地名舊縣，有城隍廟。蓋今之縣城自明洪武初始遷，明以前縣治即邱家莊南之故基也。

原五代宋金並因舊名，元屬大興府，至元十二年割屬漷州，明仍屬通州。清類天文分野之書

原洪武初舊城遭水患，遷縣於西八里元衛帥府鎮撫衙，即今治也。正德六年，罹流賊之變，知縣陳希文始築土垣。嘉靖二十二年，霸州兵備副使楊天章以垣内多曠地，截去東北二面，築土城，樹以女牆。隆慶三年，巡撫都御史劉應節、總督軍務兵部侍郎譚綸甃以甎，城周圍一千五百七十丈，高二丈七尺，雉堞一千九百八十八，敵臺一十八座，三門各建城樓，北面無門，建鎮雍樓。武清縣志

〔臣等謹按〕武清縣城於乾隆三十一年領帑重修。城門三：東曰遡潤，西曰景岡，南曰定澄。北面不設門，建北極臺於其上。

原縣治在城北儒學在縣治之南。武清縣志

〔臣等謹按〕今武清縣治即元衞帥府故基也。儒學當明洪武時在縣治東北隅，嘉靖十六年始移建於縣治之南。

原白河在縣東三十五里，即運河也。北接漷縣，南達天津。方輿紀要

原沽河東南逕泉州縣故城，王莽之泉調也。水經注

原泃水又南入鮑邱水，又東合泉州渠口故瀆，上承滹沱水於泉州縣，故以泉州爲名。北逕泉州縣東，又北逕雍奴縣東，西去雍奴故城一百二十里，自滹沱北入其下，歷水澤一百八十里入鮑邱河，謂之泉州口。陳壽魏志，曹太祖以蹋頓擾邊，將征之，從泃口鑿渠逕雍奴泉州以通河海者也。今無水。同上

原烏丸承天下亂，破幽州，略漢民合十萬户。遼西單于蹋頓尤彊，公將征之，鑿渠自滹沱入泒水名平鹵渠。又從泃河口鑿入潞河，名泉州渠，以通海。三國志

〔臣等謹按〕泃水、鮑邱水詳見通州、薊州等卷。泉州渠當酈道元時已稱無水，今其故道久湮矣。

原至元十三年八月，穿武清蒙村漕渠。元史世祖紀

原郭守敬言：通州以南，於藺榆河口徑直開引，由蒙村跳梁務至楊村還河以避浮雞淘盤淺風浪速轉之患。元史本傳

【原】縣南八十里有三角淀，周迴二百餘里，即古雍奴水也。笥溝其別名耳。水自范甕口、王家陀河及劉道口、魚兒里諸水滙於大沽港，入于海。名勝志

【原】南極滹沱，西至泉州雍奴，東極於海，謂之雍奴藪。其澤野有九十九澱。水經注

〔臣等謹按〕三角淀即古雍奴水，今已淤成平陸。乾隆七年丈明，實止地百頃餘，分給附近貧民耕種，與名勝志所載二百餘里不符。當由今昔異形，漸淤則界址漸小耳。范甕口在縣南七十五里。王家陀今名王慶陀，在縣南九十里。劉道口在縣南六十里。魚兒里今名魚壩口，在縣南八十里。大沽港屬天津。

【原】武清三角淀，云是舊城，陰晦之旦，漁人多見城堞市里，人物填集。燕山叢録

〔臣等謹按〕武清舊城在縣南八里。泉州舊城在縣東南四十里，遺址尚存。至三角淀，相傳即古雍奴水，何由築城？燕山叢録所云，恐傳聞之誤。若所稱陰晦之旦見城市人物，或亦如蜃樓海市之類，以是證其爲舊城，鑿矣。

【原】清沽港在縣南八十里，西接安沽港，東合丁字沽，入於海。丁沽東南去天津六十里。方輿紀要

〔臣等謹按〕清沽港今名東沽港，在縣西南九十里，屬武清。安沽港丁字沽俱屬天津。

原沽河從塞外來，南過漁陽狐奴縣北，西南與濕餘水合爲沽河，又東南至雍奴縣西笥溝，又東南至泉州縣，與清河合，東入於海。水經

原笥溝濕水入焉，俗謂之合口也。水經注

原至大二年十月，渾河水決武清縣王甫村堤，闊五十餘步，深五尺。三年二月，委官督工修治，至五月工畢。延祐元年六月，渾河決武清縣劉家莊堤口，差軍七百與東安州民夫協力同修。元史河渠志

原泉州城在縣東南四十里。漢縣，屬漁陽郡，後漢因之，晉屬燕國。北魏太平真君七年廢入雍奴。方輿紀要

原縣西南三十里有長城故址，延袤數百里，相傳戰國時燕所築。武清縣志

〔臣等謹按〕長城故址今廢。

原㶟水店在縣北三十里，往來孔道也。方輿紀要

〔臣等謹按〕㶟水店今名㶟水舖，與通州接壤。

原河西務在縣東北三十里，自元以來皆爲漕運要途。明初大軍由直沽敗元人於河西務，今爲商民攢聚舟航輻輳之地，設户部分司駐焉。隆慶六年，築城環之，可以守禦。有河西驛，并置巡司於此。方輿紀要

原 中衛屯田，世祖至元四年，於武清、香河等縣置立。十一年，以各屯地界，相去百餘里，往來耕作不便，遷於河西務、荒莊、楊家口、青臺、楊家白等處。元史兵志

原 至元二十四年正月，以修築柳林河堤南軍三千濬河西務漕渠。元史世祖紀

原 至元二十五年，內外分置漕運司二，其在外者，於河西務置司，領接運海道糧事。元史食貨志

原 二十六年五月，發武衛親軍千人，濬河西務至通州漕渠。二十九年二月，發通州河西務粟，賑東安、固安、薊州、寶坻縣饑民。元史世祖紀

原 河西務十四倉：曰永備南倉、永備北倉、廣盈南倉、廣盈北倉、充溢倉、崇墉倉、大盈倉、大京倉、大稔倉、足用倉、豐儲倉、豐積倉、恒足倉、既備倉。元史百官志

〔臣等謹按〕河西務十四倉今廢。

原 隆慶四年八月，築通州河西務城。明穆宗實録

原 傅若金河西務詩 驛路通畿甸，敖倉俯漕河。騎瞻西日去，帆聽北風過。燕薊舟車會，江淮貢賦多。近聞秫米價，素食定如何。傅與礪詩集

原 王懋德過河西務詩 霜滿平堤柳漸凋，月移帆影過東橋。卧聽柔櫓鳴秋水，絶勝鄰雞報早朝。文翰類選

原 吴寬宿河西務遇雪詩 客懷牢落鬢毛斑，水宿淹旬去路艱。一夜雪花如席大，始知身已到燕山。匏翁家藏集

原 李東陽舟發張家灣宿河西務作 蒼茫正合塵中眼，縹緲真來水上舟。江月海雲疑是夢，畫圖詩卷坐消憂。沙邊細浪隨鷗鳥，樹裏青山入柁樓。行過驛亭三十里，五更風急住灘頭。懷麓堂集

原靳貴宿河西務詩　信宿河西務，離心日幾回。望凝天闕近，門訝使車來。寒氣著人薄，晴光向客開。明朝須早發，匹馬上金臺。戒庵集

原江以達河西務柬談地官詩　沙黄日赤天欲暮，長河簸濤風力怒。遠樹全分薊北門，行人正滯河西務。緘書寄與地官郎，可惜相逢不盡觴。扁舟兀兀共誰理？回首故人空斷腸。午坡集

原樊阜河西務詩　遠樹蒼茫夕照低，短篷沽酒泊河西。王孫歸去春無力，莎草含烟緑未齊。樊氏摘稿

原鄭伯興河西務詩　早向河津涉，東風意盎然。碧迎堤上柳，青鎖渡頭烟。鶯語聲猶澀，花飛色轉妍。春光憐已暮，更憶五湖船。修吉堂稿

原楊村驛在縣南五十里。建文三年，平安敗燕兵於楊村，進攻通州不克。宣德初，駕征高煦，駐於楊村，即此。舊有巡司，今設管河通判駐焉。方輿紀要

原至元十三年七月，以楊村至灣雞泊，漕渠洄遠，改從孫家務。元史世祖紀

原至元十九年，用丞相巴延言，初通海道，漕運抵直沽以達京城，立運糧萬户三，以羅璧、朱清與張瑄爲之。璧首部漕舟，由海洋抵楊村，不十日入京師。元史本傳　按：巴延，蒙古語富也，舊作伯顔。今改。

原顧夢圭夜泊楊村詩　秋風嫋嫋燕山外，海月娟娟潞水隈。萬里舟航心已倦，六年宫闕夢初回。金莖不慰文園渴，羽扇難遮紫陌埃。寄語三江好泉石，征夫還逐雁南來。疣贅録

補馬臻舟次楊村作　前望同舟遠不分，打頭風急御河渾。蹇驢無力牽船纜，行到楊村日已昏。霞外集

〔朱昆田原按〕今京東五牐轉運，率用驢挽船，誦馬虚中詩，則在元已然矣。

原楊村而東二十里爲桃花口，又二十里爲丁字沽；由楊村而西北四十里爲黄家務，又三十里爲河西務，皆運道所經也。輿程記

〔臣等謹按〕黃家務在河西務東南三十里，屬武清。桃花口、丁字沽俱屬天津。

原 新莊在縣西南八里，亦運河所經，今爲新莊舖。又縣有八里莊，正德中流賊劉六等作亂，官軍擊之於八里莊，敗績。方輿紀要

原 霍堡在縣西。唐武德初竇建德攻幽州不克，乃分兵掠霍堡及雍奴等縣，爲幽州總管羅藝所敗。堡蓋居人霍氏所築以自固也。同上

原 河西務，漕渠之咽喉也。春夏之交病涸，夏秋之交病溢。濱河建有龍祠，以時祭禱。兩崖旅店叢集，居積百貨，爲京東第一鎮。户部分司於此榷税。長安客話

〔臣等謹按〕河西務龍神祠今尚存。

補 河西務萬曆中重築河堤，有關使者米公萬鍾碑，又有關侯廟記。黃圖雜志

〔臣等謹按〕河西務關聖廟今尚完整，明米萬鍾碑記尚存。

補 米萬鍾重建河西務漢前將軍關侯廟記略 距雍奴東北一舍而遥，有關市焉，以其在白河之西曰河西務，居然重鎮也。故榷部駐是。市口舊有漢關侯廟，建自勝國，一新於弘治丙寅，再新於萬曆丁丑。至辛亥夏，淫霖爲虐，堤潰，侯之廟正當其衝。樓廡雖壞，殿宇屹立如故。殿右居民賴以存。衆荷侯庇，復謀所以新廟，而鳩工未集。明年萬鍾來董關政，益以奉錢，殿廡門垣，丹堊相錯，層楗外障，可永無虞。雍奴故隸涿郡，侯與昭烈帝、張桓侯奮迹之區，神既宜先及之，其爲白河禦灾捍患必然矣。勺園稾

原 法昌寺在縣治東北，永樂十八年建。寰宇通志

原 彭寵攻朱浮於薊，帝使遊擊將軍鄧隆救薊。隆軍潞南，浮軍雍奴。後漢書

補漢安平相孫根碑：遷雍奴令，先施博愛，威而不猛。隸釋

原至德二載正月，李忠臣以步卒三千自雍奴爲葦筏過海。舊唐書

原遼重熙八年二月，獵於武清寨之葦甸。遼史

〔臣等謹按〕葦甸，據縣志云即三角淀。

〔又按〕武清縣自本朝雍正八年分邑之東南一百四十餘村歸天津縣。如直沽、楊柳青等處，朱彝尊原書所載，今均非武清所屬。謹將原書各條另編附載武清卷後，以存其舊云。

原縣南百里有韓家村河泊所，今廢。武清縣志

〔臣等謹按〕自韓家村以下，原書各條皆非今武清所屬，附載於此。

原至元二十五年四月，增立直沽海運米倉。元史世祖記

原羅璧督漕至直沽倉，潞河決，水溢幾及倉，璧樹柵，率所部畚土築堤捍之。元史本傳

原至大二年四月，摘漢軍五千，給田十萬頃，於直沽沿海口屯種。三年四月，市耕牛農具給直沽酸棗林屯田軍。元史武宗紀

原延祐三年正月，改直沽爲海津鎮。元史仁宗紀

原延祐七年四月，海運至直沽，調兵千人防戍。至治元年三月，發民丁疏小直沽白河。

五月，海漕糧至直沽。三年二月，海漕糧至直沽。元史英宗紀

原 泰定三年八月，作天妃宫於海津鎮。元史泰定帝紀

原 天曆元年九月，募丁壯守直沽。元史文宗紀

原 至正九年四月，立鎮撫司於直沽海津鎮。十一年六月，發軍一千，從直沽至通州疏濬河道。元史順帝紀

原 至正十七年，毛貴率賊衆由河間趨直沽，遂犯漷州。元史列傳

補 至正十九年，納琳由海道趨直沽，山東俞寶率戰艦斷糧道。納琳命其子安安及同舟人拒之，破其衆於海口。元史 按：納琳，蒙古語細也，舊作納麟。今譯改。

原 二十六年六月，命知樞密院事瑪魯以兵守直沽。元史順帝紀 按：瑪魯，滿洲語瓶也，舊作買閭。今譯改。

原 直沽河淤數年，中書省委崔敬浚治之，給鈔數萬錠，募工萬人，不三月告成。元史木傳

原 直沽設廣通倉。元史百官志

原 元都於燕，去江南極遠，而百司庶府之繁，衛士編民之衆，無不仰給於江南。自丞相巴延獻海運之言，而江南之糧分爲春夏二運。蓋至於京師者，一歲多至三百萬餘石，民無輓輸之勞，國有儲蓄之富，豈非一代之良法歟？初，巴延平江南時，嘗命張瑄、朱清等以宋庫藏圖籍，自崇明州從海道載入京師，而運糧則自浙西涉江入淮，由黄河逆水至

中灤，旱站陸運至淇門，入御河以達於京。後又開濟州泗河，自淮至新開河，由大清河至利津河入海，因海口沙壅，又從東阿旱站運至臨清入御河，又開膠萊河道通海，勞費不貲，卒無成效。至元十九年，巴延追憶海道載宋圖籍之事，以爲海運可行。於是請於朝廷，命上海總管羅璧、朱清、張瑄等造平底海船六十艘，運糧四萬六千餘石，從海道至京師。然創行海洋，沿山求嶼，風信失時。明年始至直沽，時朝廷未知其利。是年十二月，立京畿江淮都漕運使二，仍各置分司以督綱運。每歲令江淮漕運司運糧至中灤，京畿漕運司自中灤運至大都。二十年，又用王積翁議令阿巴齊等廣開新河。然新河候潮以入，船多損壞，民亦苦之。而蒙古岱言海運之舟悉皆至焉。於是罷新開河，頗事海運，立萬户府二，以朱清爲中萬户，張瑄爲千户，蒙古岱爲萬户府達嚕噶齊。未幾，又分新河軍士水手及船於揚州、平灤兩處運糧，命三省造船二千艘，於濟州河運糧，猶未專於海道也。二十四年，始立行泉府司，專掌海運，增置萬户府二，總爲四府。是年，遂罷東平河運糧。二十五年，内外分置漕運司二，其在外者於河西務置司，領接運海道糧事。二十八年，又用朱清、張瑄之請，併四府爲都漕運萬户府二，止令清、瑄二人掌之。其屬有千户、百户等官，分爲各翼，以督歲運。至大四年，遣官至江浙議海運事，時江東寧國、池饒、建康等處運糧，率令海船從揚子江逆流而上，江水湍急，又多石磯，走沙漲淺，糧船俱壞，歲歲有之。又湖廣、江西之糧運至真州，泊入海船，船大底小，亦非江中所宜。於是以嘉興、松江秋糧并江淮、江浙財賦府歲辦糧充運，海漕之利蓋至是博矣。初，海運之道，自平江劉家港入海，經揚州路通州海門縣黄連沙頭萬里長灘開洋，沿山嶼而行，抵淮安路鹽城縣，歷西海州海寧府東海縣密州膠州界，放靈山洋，投東北路多淺沙，行月餘，始抵成山。計其水程自上海至揚村馬頭凡一萬三千三百五十里。至元二十九年，朱清等言其路險惡，復開生道，自劉家港開洋，至撐脚沙轉沙觜至三沙洋子江，過匾擔沙大洪，又過萬里長灘，放大洋至青水洋，又經黑水洋至成山，過劉島至之罘、沙門二島，放萊州大洋，抵界河口，其道差爲徑直。明年，千户殷明略又開新道，從劉家港入海，至崇明州三沙放洋，向東行入黑水大洋，取成山轉西至劉家島，又至登州沙門島，於萊州大洋入界河。當舟行風信有時，自浙西至京師不過旬日而已，視前二道爲最便云。然風濤不測，糧船漂溺者無歲無之，間亦有船壞而棄其米者。至元二十三年，始責償於運官，人船俱溺者乃免。然視河漕之費則其所得蓋多矣。元史食貨志　按：阿巴齊，蒙古語行圍人也，舊作阿八赤。蒙古岱即蒙古也，舊作忙兀䚟。今俱譯改。

原元自世祖用巴延之言，歲漕東南粟由海道以給京師，始自至元二十年，至於天曆、至順，由四萬石以上增而爲三百萬以上。歷至元後，歲運之數漸不如舊。至正元年，益以河南之粟，通計江南三省所運，止得二百八十萬石。二年，又令江浙行省及中正院財賦總管府撥賜諸人寺觀之糧，盡數起運，僅得二百六十萬石而已。同上

原 朱張海餉自三山大洋徑至燕京，且言自古所未嘗行，此道昉自今始。然杜少陵出塞詩云：漁陽豪俠地，擊鼓吹笙竽。雲帆轉遼海，粳稻來東吴。越羅與楚練，照耀輿臺軀。又昔游詩云：幽燕夙用武，供給亦勞哉。吴門持粟帛，汎海淩蓬萊。然則自昔燕地皆海運，非始於今矣。浩然齋視聽抄

原 海漕運米南土，給餉京師，内置漕運使司暨萬户府於京畿，外立都漕運萬户府於吴會，歲運米三百五十萬石，北抵直沽。漕運萬户之在内者，部署其官，數往翼舟航，交受所運，達之京倉，朝廷又選官接臨交護，名曰接運。柳待制集

原 世祖定都於燕，合四方萬國之衆仰食於燕。以中吴，水所聚也，故建漕府，萬艘如雲，畢集海濱之劉家港。於是省臣漕臣，齋戒卜吉於天妃靈慈宫，卜既協吉，乃率其屬鳴金鼓以統漕，建纛置牙，莫敢後先。每歲春夏運糧舟將抵直沽，即分都漕運宫出接運，中書省復遣才幹重臣，從至海壖交卸，石以數百萬計，而較計至於合勺顆粒，畸不得虧，盈不得溢，是亦難矣。玩齋集

原 元海運自朱清、張瑄、羅璧始，歲運江淮米三百餘萬石以給元京。四五月南風至起

運，得便風十數日即抵直沽交卸。朝廷以三人之功，立海運萬户府以官之，賜鈔印，聽其自印。鈔色比官造加黑，印朱加紅。草木子

原朱清、張瑄者，海上亡命也，久爲盜魁，出没險阻，若風與鬼，劫掠商販，人甚苦之。至元二十一年，巴延建議海運，乃招二人授以金符千户，押運糧三萬五千石。仍立海道萬户府三，以清、瑄與羅璧爲萬户，轄千户、百户所，領虎符、金牌、素銀牌。船大者不過千石，小者三百石，自劉家港出揚子江，盤轉黄連沙嘴，月餘始至淮口，過膠州牢山，一路至延真島，望北行，轉成山西行，到九皋島、劉公島、沙門島，放萊州大洋，收界河，兩月餘抵直沽，實爲繁重。至元二十六年，增糧八十萬石，二月開洋，四月直沽交卸，五月還復運夏糧，至八月回，一歲兩運。是時船小，人多恐懼。至元二十七年，朱萬户請長興李福四押運自揚子江開洋，落潮東北行，離長灘至白水緑水，經黑水大洋，北望延真島，轉成山西行入沙門，開萊州大洋，進界河，不過一月或半月至直沽，漕運利便。是歲加朱爲浙江省參政，張爲浙江鹽運司都運，如是者二十餘年。大德七年，招兩浙上户，自造船，與脚價十一兩五錢，分撥春夏二運。延祐以來，各造海船，大者八九千，小者二千餘石，歲運三百六十萬石，京師稱便，迤南番貢亦通。蓋自上海至直沽内楊村馬頭，凡一萬三千三百五十里，不出月餘可以達，省費不貲。若長樂

港出福州經崇明以北，又自古未有之利也。國朝洪武三十年，猶倣其制，歲運七十萬石以給遼東。至永樂間通會河成，始不復講。廣輿圖

補永樂初定鼎幽薊，嘗海運米七十萬石至直沽交卸，以實京儲，故道猶存。海運編

補元人海運始於丞相巴延。初，巴延平江南，以宋庫藏圖籍，命張瑄、朱清等自崇明從海道載入燕京。後遂獻海運之議。江南之糧分爲春夏二運，歲至三百萬餘石。其運道初自劉家港入海，至海門縣界開洋，月餘始抵成山。計其水程，自上海至楊村馬頭，凡一萬三千三百五十里。最後千户殷明略者，又開新道，從劉家港至崇明州三沙放洋，向東行入黑水大洋，取成山轉西，至劉家島，又至登州沙門島，於萊州大洋入界河，當舟行風信有時，自浙西至京師，不過旬日而已。明初亦歲運七十萬石以給遼東。及會通河成，海運遂廢。隆慶五年，河道潰決，户科給事中宋良佐請復海運。時山東巡撫梁夢龍極言可行，謂海道多潰，猶陸地多岐，海人行海，猶陸人行陸，傍海而行，非橫海而渡。今踏出海道，傍海居多，較元人殷明略踏出之道尤屬穩捷。遂以山東布政王宗沭爲總河，專司海運。至萬曆元年，以龍鬬傷七艘，議罷。禹貢山水考

增景泰元年，運糧共撥十五萬，自丁字沽直抵雄縣諸處，令軍民官司設法每處運五萬石收貯備用。明典彙

原正德五年六月，罷濬沽河之役。先是，巡撫都御史劉聰建議開濬自沽河抵鵶鴻橋，以便輸運。至是工部言其非便，罷之。明武宗實録

原正德十六年九月，工部覆遮洋運糧指揮王瓚奏直沽東北有新河以轉輸薊州，所司不及時疏導，河流阻澁，必候潮至舟乃可行，以致邊餉每匱。請濬之使深廣，以通歲漕。從之。明世宗實録

原嘉靖元年正月，命工部主事江珊會同巡按御史天津兵備督理新河工程。先是，海口淤塞，漕舟從天津出海，復折入梁河而達薊州，道遠水湍，舟數敗。議者謂直沽東北岸有二道，一曰新開，一曰水套，北接梁河，徑四十里，可以疏濬成河，改由北道，無涉海之慮，謂之新河。行之天順間，民大稱便。後歲久湮塞，漕臣以爲言，工部議委官督濬，疏珊名以請。從之。同上

增後世漁陽之泉州雍奴去海不遠，北境之水驟注其地，自下溢流鍾爲水澤，說者謂爲九十九淀，又目之以爲派河尾也。夫水之鍾爲淤淀，其多至九十有九，豈有致功而陂蓄之者哉？水聚而地卑，其藪澤之多，固其所也。程大昌禹貢論

原直沽在縣東南一百二十里，衛河、白河、丁字沽合流於此。又東南四十里名海口，通典謂之三會海口。元於此置海津鎮。天順三年，議自小直沽鑿河四十里達薊州，以免海

運，每三年一濬，尋罷。方輿紀要

原三沽者，丁字沽、西沽、直沽，並禹跡疏導之處。其曰丁字沽者，以河形三岔如丁字也，合衛河、白河會於直沽，相縈入海。土人呼直沽曰大直沽。長安客話

原大河以北之水多從直沽入海，此卽古者九河入海之處。地勢卑下，遇霖潦直與海平，昔人嘗欲因其填淤，置稻田以足賦，今府境諸水類以直沽爲壑。武清縣志

原小直沽有巡司。同上

補洪武元年，徐達等規取河北，進攻直沽，獲海舟作浮梁，濟師。常遇春率舟師，諸將率步騎，夾河進。元丞相伊蘇帥衆禦海口，望風大潰。鴻猷録

原完顏佐初爲武清縣巡檢，完顏耀珠爲柳口鎮巡檢，久之以佐爲都統，耀珠副之，戍直沽寨。金史 按：耀珠舊作斂住。今對音譯改。

〔臣等謹按〕柳口鎮直沽寨俱屬天津。

原元臧夢解直沽謠 雜遝東入海，歸來幾人在。紛紛道路覓亨衢，笑我蓬門絶冠蓋。虎不食堂上肉。狼不驚里中婦。風塵出門即險阻，何況茫茫海如許！去年吴兒赴燕薊，北風吹人浪如砥。一時輸粟得官歸，殺馬椎牛宴閭里。今年吴兒求官遷，復禱天妃上海船。北風吹兒墮黑水，始知溟渤皆墓田。勸君陸行莫忘萊州道，水行莫忘沙門島。豺狼當路蛟龍争，寧論他人致身早？君不見：賈胡剖腹藏明珠，後來無人鑒覆車？明年五月南風起，猶有行人問直沽。寰宇通志

原黄鎮成直沽客行 直沽客，作客江南又江北。自從兵甲滿中原，道路艱難來不得。今年却趁直沽船，黑洋大海波連天。順風半月到閩海，只與七州通賣買。嗚呼，江南江北不可通，只有海船來海中。海中多風多賊徒，未知來年

來得無？

秋聲集

【原】傳若金直沽口詩　遠漕通諸島，深流會兩河。鳥依沙樹少，魚傍海潮多。轉粟春秋入，行舟日夜過。兵民雜居久，一半解吳歌。海戍沙爲堡，人家葦織簾。使收通漕米，兵捕入京鹽。蟹憶霜時賤，蚊愁夏夜添。南人倚船坐，閒愛草纖纖。

傅與礪詩集

【原】王懋德直沽詩　極目滄溟浸碧天，蓬萊樓閣遠相連。東吳轉海輸粳稻，一夕潮來集萬船。長安客話

【原】張昱輦下曲　國初海運自朱張，百萬樓船渡大洋。有訓不教忘險阻，御廚先飯進黄粻。張光弼詩集

【原】王洪過直沽城詩　水出漁陽地，山横薊北天。高樓瞰海日，遠嶼入江烟。市集諸番舶，軍屯列郡田。風高激刁斗，露重濕旌旃。匪獨關河壯，由來節概全。精兵亘雲朔，勁騎出幽燕。大漠黄塵外，三韓落照前。將持定遠策，不用繞朝鞭。

毅齋集

【原】徐石麟夜發静海抵直沽作　禾黍高低弄夕曛，檣燈零亂破黄昏。樹蒸夜氣三分雨，帆掛秋風一葉雲。静海金鉦傳古戍，直沽牙闉駐新軍。援遼已竭東南力，何日辰韓始策勳。可經堂集

【原】無名氏直沽櫂歌　天妃廟對直沽開，津鼓連船柳下催。釃酒未終舟子報，柁樓黄蝶早飛來。雲帆十幅下津門，日落潮平不見痕。葦甸茫茫何處泊？一燈明處有漁村。蘼蕪楊柳緑依依，檣燕檣烏立又飛。賺得南人歸思緩，白魚紫蟹四時肥。

黄圖雜志

【補】袁桷直沽口詩　二水赴滄海，客行殊未休。漁舟維病鶴，歸棹起輕鷗。雨重雲光濕，天低樹色浮。京塵今已洗，從此問菟裘。清容居士集

【補】張翥代祀天妃廟次直沽作　曉日三叉口，連檣集萬艘。普天均雨露，大海静波濤。入廟靈風肅，焚香瑞氣高。使臣三奠畢，喜色滿宮袍。蜕菴集

【補】朱晞賢直沽詩　直沽風月可消愁，標落燕山第一州。細問花名何處出，揚州十里小紅樓。自序：詩尾聯以古句，蓋滑稽也。鯨背吟

【補】張以寧直沽詩　野濼天低水，人家時兩三。雁聲連漠北，魚味勝江南。雪擁蘆芽短，寒禁柳眼緘。持竿吾欲往，拙宦爾何堪。翠屏集

【補】釋來復燕京雜咏　南風吹到運糧船，萬斛香秔倍上年。傳勅漕臺添氣力，賜金多辦太平筵。蒲庵集

原楊柳青地近丁字沽，四面多植楊柳，故名。于文定慎行詩：楊柳青垂驛，蘼蕪緑到船。潘舍人季緯詩：客路蘼蕪緑，人家楊柳青。長安客話

原楊青驛在縣東南一百五十里，舊置驛并遞運所於此。嘉靖十九年改置於天津衛。今屬河間府静海縣。方輿紀要

補袁桷朱窩楊柳青詩 朱窩楊柳青，自愛青青好。亦如遠行客，相逢不知老。清容居士集

原謝遷楊柳青詩 直沽南頭楊柳青，昔時楊柳今凋零。霜風滿地散黄葉，河邊寂寞雙郵亭。人道垂楊管離別，北往南來競攀折。我來袖手憐枯枝，躑躅臨河駐旌節。五雲回首懷漢宫，丹楓轉眼經霜空。李梅冬實豈佳味，垂涎奔走嗤狂童。陽回萬物自生色，斡旋造化慚無力。百年心跡歲寒同，却憶南山舊松柏。木翁歸田稿

原高承埏過楊柳青作柳梢青詞 春事今年。山桃無恙，花朵依然。細雨霑沙，歸雲逗日，淺碧羅天。青青楊柳堤邊。且繫住烏篷小船。荻笋新芽，河豚欲上，拚醉壚前。稽古堂集

欽定日下舊聞考卷一百十三

京畿 寶坻縣 今制分設寧河縣

〔臣等謹按〕寶坻縣於本朝雍正九年分邑之東南境置寧河縣，今先敍寶坻於前，而以境隸寧河者列於後。

原寶坻縣在州城東南一百二十里。明一統志

〔臣等謹按〕寶坻縣明隸通州，故云在州東南一百二十里。本朝以縣隸順天府，在府東稍南一百八十里。

原縣東西距九十里，南北距一百三十里。東至遵化州玉田縣界六十五里，西至香河縣二十五里，南至天津府天津縣一百十三里，北至薊州一十七里，東南至寧河縣界九十里，西南至武清縣界四十里，東北至薊州界二十里，西北至三河縣治四十里。大清一統志

原寶坻，漢泉州縣地，後唐於此置鹽倉，金初爲新倉鎮，大定十二年置寶坻縣。方輿紀要

原以香河縣近民附之。承安三年升盈州爲大興府支郡，以香河、武清隸焉。金史

原泰和四年，州罷仍爲寶坻縣，元屬大都路。清類天文分野之書

原劉晞顔新建寶坻縣記略 幽州秦爲上谷郡，歷漢魏至隋唐，或爲燕國，或爲廣陽國，或爲涿郡，或爲范陽郡，廢置更易不常。唐末劉仁恭帥燕，其子守光僭稱燕王，置蘆臺軍於海口鎮，以備滄州。後唐莊宗命大將周德威破燕軍於平岡，復收蘆臺軍。同光中，以趙德鈞鎮其地，遂因蘆臺鹵地置鹽場。又舟行運鹽東去京國一百八十里，相其地高阜平闊，因置榷鹽院，謂之新倉，以貯鹽。復開渠運鹽，貿於瀛莫間，上下資其利。清泰三年，晉祖以遼主有援立之勞，遂以山前後十六州遺遼，改爲燕京，因置新倉鎮。其後，居民漸聚成井肆，遂於武清北鄙孫村度地之宜，分武清、潞縣、三河之民置香河縣，仍以新倉鎮隸焉。國朝天德間，詔建都於燕京。於時畿内重地，新倉鎮頗爲稱首，以榷院自趙德鈞創始以來，歷遼室及國朝二百年，每歲所出利源不竭，以補國用故也。主上中興，撥亂反正，思補正隆殘弊，命有司改榷鹽院署置使司，陞爲五品，設副使之官，傔從俸秩視諸刺郡，以重其事。於時居人市易井肆連絡，加之河渠運漕，通於海嶠，篙師舟子，鼓楫揚帆，懋遷有無，雖千里之遠，旬日而至。稻粱黍稷魚蟹不可勝食，而材木亦不可勝用也。大定十有一載辛卯，冬至郊天後，鑾輿東巡，幸於是邦，歷覽之餘，顧謂侍臣：此新倉鎮人煙繁庶，可改爲縣。明年，有司承命析香河縣東偏鄉閭萬五千家爲縣，謂鹽乃國之寶，取如坻如京之義，命之曰寶坻。列爲上縣，著於版籍。是歲春，除令丞簿以典其事。粤有縣令振威將軍王褪來尹是邑，縣丞忠武校尉李願、主簿儒林郎李拱昌、縣尉昭信校尉孫告中參豫連判，以備其職。時坊郭居民千有餘家，自餘村閭著爲四鄉，東曰海濱，南曰廣川，西曰望都，北曰渠陽。縣治草創，未有公廨，縣僚乃相地之宜，於渠水之南，大覺招提之西，卜爲縣廨，招提之東，縣丞、主簿公署次之，又於縣北郛郭之外卜尉廳焉。方營建間，吏民鼓舞，莫不子來，不一二年，皆以即敘。於是礱石以紀其實。寶坻縣志

原縣治，金大定間相地在大覺寺之西，元季兵火無存。洪武元年，遷於城之西南隅。三年，縣丞柳青重葺。上同

原縣舊爲土城，弘治間知縣事莊襗始易之以甎，高二丈六尺，周一千二十八丈，厚與高等，池闊倍之。門四，其名循金之舊。門各建樓：東觀瀾，南迎薰，西拱恩，北威遠。水關二：北開源，南節流。角樓四：東北挹青，東南環碧，西南慶豐，西北樂治。合而名之曰拱都城。有吏部侍郎王鏊、左春坊吴儼二碑。上同

〔臣等謹按〕寶坻縣城於乾隆三十一年領帑重修，城門及門樓、水關等名俱如其舊。

增 明王鏊寶坻新城記略　維寶坻作固京畿，故有城，歲久而惡。弘治戊午，武進莊侯檡以進士來知是邑，始謀重作之。相方視址，程材蒧工，法嚴令一，衆手競勸，經始於庚申之四月，迄辛酉夏孟而城立矣。何其速也！城之周可七里，池繞之而貫乎其中。爲門四：東曰海濱，南曰廣川，西曰望都，北曰渠陽。門之上爲樓，四隅爲角樓。作石堰於水者二，作浮梁於河者四，城高而堅，池廣而深。於是邑之老稚欣欣相告。予謂城之設以備患也，故城謝城朔方詠於詩，城邢城楚邱書於春秋。則城之作豈可少乎！莊侯可謂能用其民矣。寶坻縣志

增 明吴儼新修寶坻城記略　縣故城其興廢不可考。自入版圖百餘年，四境乂安，守土者不思重門擊柝之戒，不復修築。今則漸復於隍，遺址之存者無幾矣。武進莊君誠之出宰是邑，顧瞻咨嗟，卽欲有所爲，而猶恐民以爲厲已，未暇也。既二年，政成民和，乃以白於巡撫都憲洪公。公曰：是在畿内，保障之計不可緩，顧財用安出？爾其毋病小民，毋耗公帑，惟其富且義者圖之。誠之承命惟謹，乃募民出粟受冠帶，民皆歡然聽命，而貴戚大族寓於邑者亦皆爲之助焉。甫期而工畢。名之曰拱都城，蓋取其密邇皇都也。書曰：爾身在外，乃心罔不在王室。公實有焉。同上

原 儲巏寶坻道中作　黄渡坎西仍渡河，行行官樹夕陽多。客程莫怨黄昏近，明月滿空流素波。柴墟集

原 儒學在縣治東北，元大德二年中書省左丞劉深、宣慰使都元帥朱斌、御史布延創立。至正十年監邑哈斯彥明重修，有雷州路總管府經歷鄭惪撰記。洪武七年，知縣事何文信卽學宮之右闢地建射圃亭，自爲記。弘治間，知縣事武尚信復修之，鉛山費宏作記。寶坻縣志

原 淤泥河在縣西北二十五里。同上

原 潮河堤自縣西北金陵口抵縣東南江湟口二百餘里。同上

〔臣等謹按〕潮河一名薊運河，自縣治西北與三河縣接壤之新集起，流經城東南至寧

河縣之江湟口，又南流出北塘口入海。雍正四年，世宗憲皇帝命王大臣相度，頒發內帑，修築潮河舊堤，截灣取直，加高培厚，自新集起至料馬莊止，計長一百八十里。又開濬鮑邱河、窩頭河二道，以洩境内之水。至雍正八年，奉旨開青龍灣引河，自香河至寶坻縣西之楊家場，直抵寧河之寧車沽，計長九十里。又於縣境之繡針口開支河一道，至八門城止，計長八十餘里。自是以來，寶坻境東西北三面皆濱河，繞以長堤，境内又有支河數道，以備宣洩，潮汐通流，灌溉攸資，永爲民利矣。

原 潮河在縣東二十里，一名白龍港，其上源一自遵化縣之黎河，一自三河縣之泃河、鮑邱河，至縣界三叉口合流，亦曰糧運河，東南入於海。志稱縣治東北有渠河自香河縣來。蓋泃水經香河縣而後東入縣界，故縣有渠陽之稱。方輿紀要

原 寶坻縣，潮河經其東，三叉緯其北，渠水遶西而絡其南，白龍港自薊州而通於天津橋頭，由夏店而合於三叉，所謂四水瀠洄也。寶坻縣志

原 渠河水自香河縣蒲石河東注，疏經城池，内開源水關入城，經武曲橋直注文昌閣下，過文明橋西抵文廟之泮池，復南流由通津橋出節流水關，蜿蜒百里，至八門城會潮河入海。同上

原 柳沽河在縣東北三十里。玉田縣之水會流入縣境曰柳沽河，下流注於白龍港。方輿紀要

〔臣等謹按〕渠河亦名窩頭河。

原 縣東南有草頭湖，遵化豐潤縣境之水流入縣界，溢而爲湖，會潮河入海。同上

原 自寶坻之草頭沽至豐潤之黑雞地，宜各以衞兵守之。籌兵三十六字

原 縣東南有七十二沽。寶坻縣志

原 三叉城在城東北。名勝志

原 秦城在縣南十里，秦始皇并燕，築城置戍，唐太宗征高麗，嘗駐蹕焉。方輿紀要

補 秦城相傳始皇所築，李君虞詩，惆悵秦城送獨歸者，蓋卽此地也。薊邱雜抄

原 城内有金大定十年所建舍利甎塔。寶坻縣志

〔臣等謹按〕舍利塔旁有石志，云前大安間所建。考大安乃遼道宗年號，則建塔當始自遼矣。

補 李益送客還幽州詩：惆悵秦城送獨歸，薊門雲樹遠依依。秋來莫射南來雁，縱遣乘春更北飛。李益詩集

原 王甫營在縣北三十里，又縣北八里有橋頭店，縣東南百二十里有黄沽店，俱官軍巡戍處。方輿紀要

原 歇馬臺故址在寶坻縣南五里，相傳金章宗駐蹕處。長安客話

原羅將軍墓在縣北羅村，即羅士信也，征高麗經此道卒葬焉。名勝志

〔朱彝尊原按〕新唐書，士信從秦王擊劉黑闥洺水上，得一城守之，城陷不屈死，王購其尸以葬。初，士信爲裴仁基所禮，及東都平，出家財斂葬北邙以報德。且曰：我死當墓其側。至是如所志。然則士信之墓當在北邙矣。

增大覺寺在縣東街，遼重熙時建。寶坻縣志

原舊縣治在東門大覺寺，内有古鐘，傳自東海浮來。名勝志

〔朱彝尊原按〕張瓚記鐘爲寺僧行超所鑄。東海浮來之説，傳之者妄也。

增僧洪源自潁州來居寶坻，建彌陀庵於城南，後趺坐而化。其徒闍維之，烈焰已絶，色身如故。乃作龕供之。髮鬖鬖長，月一削之，後爲女子摩其頂，髮遂不長。燕山叢録

原金張瓚大覺寺記 下管院在新倉水南，始遼重熙間老僧常住建彌陀佛舍，後趺坐而化，火之不灰，夏臘七十餘，其徒二人以師像立于佛側，已而髮再生，盈月則削，爲女子所污而止。二僧傳其法，度沙門五人：志普、志言、志名、志遠、志月。自是佛宫日廣，建毗盧殿，尋更爲十方院，遼之天慶六年也。其後又建彌陀殿與兩廡及藏經之所，又治鐘，既成，將建樓，而主僧行超遇疾，以貞元初年十二月逝。僧善昶主寺，建窣堵以葬其師，又建内經一藏，漆函金飾，工製瑰瑋，刻毗盧壇，覆以毳幙，珠纓寶幰，文采燦然。又建東堂及鐘樓，開園鑿井，甎垣一周。於是僧徒伐貞石，屬西來客張瓚書其事。瓚爲孔氏學，若浮屠非宿所嗜，見昶師不忘祖功，有足嘉者，於是乎書。寶坻舊志

原廣濟寺有遼碑二：一銀青榮禄大夫檢校司徒宋璋佛殿記，太平五年立；一重熙五年立。寶坻縣志

增遼宋璋廣濟寺佛殿記略 夫聞宏高威德，運大神通，金剛座中，果結菩提之樹；靈鷲山上，經宣菡萏之花。是以明帝夢從於漢室，佛寶初光；奘公取至於唐時，法輪漸轉。故自三千界神化之後，五百年象教以來，通覺路於羣生，

闢空門於歷代。粤有僧宏性，演武井邑生身，文殊閣院落髮。竭總持之力，振拔沉淪；宏方便之機，贊裨調御。屬以新倉重鎮，舊邑多人，悉謂鄉風，咸云渴德。載勤三清，深契四宏。此則振錫爰來，寧辭越里；彼則布金有待，永奉開基。因適願以經營，遂立誠而興建。富庶傾心，賓寮率己。材呈而風舉雲摇，匠斵而雷奔電擊。乃以鑿甘井，樹華亭，建法堂，延講座。累功歲久，報力時虧。念光陰之不停，嗟羸老之將至。乃謂門人道廣曰：吾以撥土匡時，踏荒成辦，然稍增於締搆，奈罔備於規模。今汝勤修慧炬，播植福田，度人宜體於三輪，證果俾昇於二梵。詎勞謙於後進，當善斷於前修。廣法師諦聽斯言，恭承彼事。應當根之善，立匪石之心。會頭陀僧義宏雅好遊方，同諳化道。率王文襲等數十人，共結良緣，將崇勝概。度功量費，價何啻於萬緡？糾邑隨緣，數須滿於千室。欒栱疊施，棼橑複結。雲矗花甎，霞舒丹雘。奇標造立，三門之滿月睟容；妙畫鋪題，四壁之芳蓮瑞相。其基搆備也如彼，其功德圓也若此。香界初就，道場永開。閻浮業廣，咸歸精進之門；兜率觀成，悉有開生之路。適謀論撰，可敍因緣。庶紀録以具存，用刊修而克永。同上

原　寶坻城中有石幢高三丈，凡七級，石上雕刻工巧，中貫鐵柱，頂以金爲之。金皇統中建，俗傳下有海眼。長安客話

原　朝霞寺在縣西五里。寶坻縣志

原　元世祖至元十六年，僉大都屬邑編民三百户，立屯於大都之寶坻縣，爲田四百五十頃。元史兵志

補　正統戊辰，寶坻縣民周本家馬生角，長二寸。鬢剔譙奇

補　崇禎十五年，大盜蘇鳴秋結其黨靳時魁、姜計民等，聚衆於寶坻之埋珠莊，勢張甚。時吾鄉高工部承埏知縣事，以計禽之，縣境以安。黄圖雜志

原　吴師道陳教授捕蝗寶坻歌　去年之夏畿生蟲，捕除分道疾如風。寶坻從事心獨苦，調選强力休罷癃。焚香禱神神與通，蝗自相食一夕空。大書聯帛擁歸馬，兒童父老争言功。我聞開元相姚崇，按稽古法畀火攻。目前除患事應爾，潛乎乃在冥冥中。當今明良布德澤，四錢斗米何難同。近聞遺種時出地，若遺督捕無如公。吴禮部集

〔臣等謹按〕以上各條係寶坻縣。

增寧河縣於雍正九年分寶坻之梁城所新設。寶坻縣新志

〔臣等謹按〕寧河縣分寶坻之東南鄉置，屬順天府，在府東三百里。

增縣東西距一百三十五里，南北距一百三十二里。東至遵化州豐潤縣界四十五里，西至武清縣界九十里，南至天津府天津縣界一百二十里，北至豐潤縣界十二里，東南至豐潤縣界五十里，西南至天津縣界一百五十里，東北至豐潤縣界二十五里，西北至寶坻縣界二十里。大清一統志

原梁城在縣東南境，五代劉仁恭築，其子守光爲燕王時據之。名勝志

〔臣等謹按〕梁城卽今之寧河縣境守禦千户所，今改爲縣治，并立儒學於其旁，俱雍正十二年建。

原梁城卽今梁城所，在縣東一百四十里，明置梁城守禦千户所。寶坻縣舊志

原七里海在縣東南一百三十里。同上

原七里海計二百五十二里，有荒地二萬一千五百餘頃，太監汪直立莊於其中，相傳爲御用監公物，而民墾其内者一千四百六十餘頃。嘉靖初，有姦民以水退地百餘頃，欲奪民業，投獻内監。民訴之闕下。遣主事柴儒往勘，還奏曰：民之久業，輸糧飼馬，煎鹽出税，養生送死，出於其中，不宜漁奪。惟水退堪熟地可入本監，然亦當聽民漁獵樵採。

上曰：地既勘明，如擬撥給内監，餘悉與民。明世宗實録

【增】三角淀在武清縣南八十餘里，東西五六里，南北十餘里，又東爲四汊港，四汛可四五里，又東爲西沽三十里，合運河達天津七里海，在寶坻縣東南一百三十里。通志：七里海即北運河，青龍灣藉以宣洩也。大清一統志

【原】紅心堤在縣東南二百里，秦始皇所築，潮水雖湧而堤不没。名勝志

【原】蘆臺軍在縣東南一百六十里，後唐同光中劉守光所置，俗名將臺。上同

【原】後梁乾化三年三月朔，晉周德威拔燕蘆臺軍。通鑑

【原】趙德鈞祠在蘆臺巡檢司。德鈞鎮蘆臺軍，榷鹽院其所置也。名勝志

〔臣等謹按〕榷鹽院舊基元至正間改爲儒學，見寶坻縣志。

【原】金至寧元年八月，衛紹王之變，是日海水不潮。寶坻鹽司懼其虧課，致禱無應。九月，宣宗即位，乃潮。金史五行志

【原】大都之鹽，太宗丙申年初於白陵港、三叉沽、大直沽等處置司，設熬煎辦。世祖至元二年，又增寶坻二鹽場。十九年，改立大都蘆臺越支三叉沽鹽使司一，二十五年，復立三叉、蘆臺、越支三鹽使司。元史食貨志

【原】張斛蘆臺峭帆亭詩　高秋客未還，何處望鄉關？喬木蒼煙外，孤亭落照間。雨晴山覺近，潮滿水如閒。自斷峒陽路，歸雲不可攀。元好問云：漁陽有峒陽，故詩中多及之。中州集

【原】蘆臺聖母廟距縣治一百六十里。寶坻縣舊志

原元平州路廉訪趙鑄重修蘆臺興寶聖母廟記 漁陽東南三百里有蘆臺焉，面海背山，左踞曠野，右跨大河，地僻而卑，民勤而野，男薪女汲，聚土而煮之成鹺而後已。舟車水陸，運之於民，令貴富賤貧庇俔大小均食之，日獲萬緡以輸公府。向者大安末，河朔不逞之徒，嘯聚山谷，後天下革，人獲小康。歲次庚寅，國朝設十路徵收所，選通古今、練錢穀、明儒術、嫻吏事者以補之。前學士陳公秀玉爲舉首，充燕路長，前太學正趙德輝副之。明年，辟鑄行提領關防鹽使司事。於是集場中遺民五七人，俾誅茅翦棘，拾瓦礫，平陷穽，屋而居之。一日沿水而西，見有廟巍然，榜曰聖母。詢諸由來，僉曰不知。獨一老能道之。昔五代時南北各據，限以疆界，幽燕之地鹽絕者歲餘，百姓病之。忽有姥語人曰：此地可煮土成鹽。遂教以煮之之法，不數日，俄失所在。居人神之。聖母之號實自此始。由是公私饒足，祈祠下者皆如所請。鑄因禱之，黎明有告者曰：臺南十里皎白如春雪者十數頃，其厚寸餘，迫而視之，則鹽也。盡驅士人挾箕筥收之，力未竟，復嬰而爲水，乃作瑞鹽歌以頌之。學士陳公亦留詩廟壁。後二載，聶赫公來長鹽政，謁聖母祠，仆者起之，闕者補之，顛者扶之，壞者成之，天龍置之於左，雷師風伯安之於右，廟貌一新焉。屬鑄書之刻於石，丁未年二月望日也。寶坻縣舊志

按：聶赫，滿洲語鴨也，舊作粘合。今譯改。

原翰林直學士高鳴興寶聖母廟記 至元二年，大中大夫禮部侍郎倪德政爲中都轉運使，提領稅使司丹珠爾丹同知使事，寶坻縣鹽使曹嚴臣副之。三人共政，動無遺慮，而又諮議石慶祥、經歷王榮諸掾使交修參贊，盡祛宿弊，人誦其德不輟。侯聞之，曰：方今朝廷清明，法度修舉，吾屬第行之惟謹，何德之有？若考其所自，神之錫汝，不既大矣乎？今聖母遺廟雖存，風日隤圮，苟能完覆，其庶幾矣。闔場耆舊聞其言，庀徒蕆事，不踰歲，殿堂門廡煥然一新。歲在戊辰，副使崔鶚，鹽判張仲智、李士珍、李昭，管勾李伯俊、劉甫等謀刻石以識本末，介詳議張君孝純來請。予惟世之人有片能銖效輒自負，惟恐人之不我與。今侯裕俗之能，理財之效，著人耳目，顧乃溫恭恪遜，與人言則歸美朝廷，歸德於神之所自，可謂賢也矣。同上 按：丹珠爾，蒙古語續藏經名也。丹，有也，舊作答朮丁。今譯改。

原高承埏蘆臺聖母廟神絃辭 我擊鼓兮潭如。神之來兮七十二沽。我牲牢兮既薦。神之去兮九十九澱。煮水兮海堧。紛萬竈兮青煙。魚龍安宅兮風霧毋作。詔我民兮報祀有恪。稽古堂集

欽定日下舊聞考卷一百十四

京畿　薊州一

原薊州在順天府東二百里。明一統志

〔臣等謹按〕薊州明初屬順天府，本朝因之，在府東一百八十里。

增州東西距一百十里南北距一百十五里。東至遵化州界六十里，西至三河縣界十五里，南至寶坻縣界六十五里，北至黄崖關五十里，東南至遵化州玉田縣治八十里，西南至三河縣治一百二十里，東北至遵化州治一百二十里，西北至平谷縣治七十里。大清一統志

原禹貢冀州之域，春秋戰國屬燕，秦於此置漁陽郡，兩漢因之。太平寰宇記

原晉爲燕國及北平郡地，後魏仍置漁陽郡。隋初郡廢，開皇六年，始置元州於此，立總管府。大業初，府廢，改置漁陽郡。唐初，郡廢，屬幽州。方輿紀要

原漁陽廢縣卽今州治。隋置漁陽縣，唐初入幽州。武后時營州陷於契丹，寄治漁陽。神龍初，縣改屬營州。開元四年，復屬幽州。十八年，置薊州治焉。同上

原開元十八年，析幽州之漁陽、三河、玉田三縣置薊州，取古薊門關以名州。太平寰宇記

〔臣等謹按〕古薊門關在州城東南六十里，一名薊邱，今遺址尚存。

原天寶元年，復爲漁陽郡，就置靜塞軍。乾元元年，復爲薊州。五代石晉割以賂遼，遼號尚武軍。金天輔五年，議以其地遺宋，宋宣和四年，賜名廣川郡。七年，金復取其地，仍名薊州，屬中都。清類天文分野之書

補宣和四年，更漁陽縣名平盧。宋史地理志

原元屬大都路。清類天文分野之書

原明仍爲薊州，以州治漁陽縣省入。方輿紀要

原州舊有土城，洪武四年甃以甎石，圍九里十三步，連女牆高三丈五尺，爲堞二千四十。北倚山原，南瀕沽水。城門三，各有樓。東曰威遠，南曰平津，西曰拱極。崇禎壬午，城拆毀，僅存基一半。薊州志

原明陸樹聲薊州重修城樓記略 薊州爲京輔要鎮。左扼山海，右控居庸，背連古北，距東西南各四百餘里，而薊當其衝。枕山帶河，重關複鎮，遞爲應援，以翼蔽畿輔。又其東則朝鮮朵顏貢使往來，率道境上，南通西河餽餉食，玉田寶坻魚鹽之利，雄甲他鎮，故崇墉巨屏，特設守備，宿勁兵，豐儲峙，以顯城守。城北阻岡不門，惟東西南設三門，上緣崇墉，各建麗譙角樓弩穴，分峙四隅。中衢則建鼓樓，屹立與三門等，俯瞰闤闠，足稱壯鉅。歲久傾圮，寖失舊觀。臬司西平王君誥、户曹固安段君錬圖新理之，經始於嘉靖二十六年六月，落成於二十八年七月。陸文定集

〔臣等謹按〕州城於康熙四十一年賜帑重修，城門三，各建樓一座：東曰永固，西曰

永寧，南曰永康。四角各建角樓一座。正北無門，城上有樓一座曰北極臺。

增聖祖仁皇帝御製駐蹕薊州城南遠眺山村詩　萬騎驂驔擁薊城，風行雷出遠天清。微霜細草野狐懼，寒露荒烟山鳥鳴。捲幔浮涼侵帳殿，倚牀明月似都京。欣隨聖母遊情曠，深夜還思勉懍誠。

增聖祖仁皇帝御製薊城遇雪詩　涷雲封樹薊城西，玉蕊輕盈亂馬蹄。憶想年年常過此，何曾瑞雪遍山谿？

增乾隆十年御製二月十五日過薊州即事書懷詩　脈起鱗塍淨絶塵，沿塘初見柳條新。薊州西畔經行處，已有江南一段春。矮屋疏籬逕轉斜，寥蕭詩景湊懷賖。當春最有傷春者，何必花朝更看花？朝來快雪喜新晴，添得溪流活活聲。若比去年差較勝，東郊是處可深耕。幾年來往薊州道，不覺髭鬚換少顔。天外遠山常住體，白雲蒼樹只閒閒。

〔臣等謹按〕過薊州御製詩，恭載首見之篇，餘不備録。

原沈遘題漁陽圖詩　燕山自是漢家地，北望分明掌股間。休作畫圖張屋壁，空令壯士老朱顔。西谿集

原王世貞登薊州城樓作　登危不妨蠟屐，踞坐自側烏紗。鐵嶺高天一綫，漁陽落日千家。弇州山人稿

補張永禎薊州道中作　匹馬漁陽道，休嗟行路難。霜林無定葉，秋水有餘寒。古塞斜陽下，征鴻亂葦殘。盤山凝望裏，烟外出層巒。畿輔詩存

原安帝建光元年，初置漁陽營兵。後漢書

補漢安帝延光四年秋七月乙丑，漁陽城門樓災。同上

原禰衡擊鼓作漁陽參槌，蹋地來前，躡馺足脚，容態不常，鼓聲甚悲。易衣畢，復擊鼓參槌而去，至今有漁陽參槌，自衡始也。文士傳

〔臣等謹按〕後漢書禰衡傳作漁陽參撾。注：撾，擊鼓杖也；參撾，擊鼓之法。此作槌，義同。

補天興元年秋七月，漁陽烏丸庫傉官韜聚黨爲寇。詔冠軍將軍王建討平之。魏書道武帝紀

補武德元年，高開道陷漁陽郡，有馬數千匹，衆且萬人，自立爲燕王，都漁陽。舊唐書本傳

原盤安軍節度判官富察集賽，與雞澤縣令温特赫實芳努同守薊州，衆潰而出，集賽、實芳努死之。詔贈集賽金紫光禄大夫薊州刺史，實芳努鎮國上將軍薊州刺史，仍命樹碑，以時致祭。金史忠義傳 按：富察舊作蒲察，從八旗姓譜改正。集賽義見前，温特赫舊作温迪罕，從八旗姓譜改正。實芳努舊作十方奴，今照對音譯改。

補馬宜，建文初爲都指揮，守薊州。靖難師起，宜與鎮撫曾濬閉城堅守。文皇遣將反復諭之，不可。張玉擁衆急攻，宜率衆出戰，陣歿，濬亦死之。忠節録

補弘治癸丑，薊州守臣奏：閏五月既望，辰巳之際，本州忽然晝晦，天雷迅烈，室廬撼動，風勢狂猛，瓦石皆飛，電光交掣，紅紫奪目。見空中雷神無數，形狀不一，顔色難辨，皆披甲胄，各執兵械，或劍斧鎚鑿，或槍刀旗戟，或縲紲枷鎖。攝人起空中，移時復擲下。其震死者身體手足分裂異處，凡九人。又震牛十九頭，亦皆身足分裂，復拔去舌。又在地震死者人牛復有十數。攝上而復擲下者八九十人，皆無恙。皇天震怒，誅譴慘烈，州人戰栗駭隕，不知何以獲罪於天也。治世餘聞録

原州治在城東北，仍遼金舊址，元至正間達嚕噶齊拓而更新之。明初重建，景泰三年，芝産於堂後，知州事姚恭因扁曰靈芝堂。成化間，知州汪溥重修，至崇禎壬午焚燬。薊州志 按：達嚕噶齊舊作達魯花赤。今譯改。

〔臣等謹按〕州治自崇禎壬午焚燬後，本朝順治四年知州文煥重建，靈芝堂已廢。

【原】儒學在州治西北。薊州志

【增】州學在拱星街，洪武七年修整。圖經志書

〔臣等謹按〕薊州學有金正隆元年翰林直學士施宜生撰，漁陽重修宣聖廟學碑，字蹟剥落難考。又有元大德十一年翰林承旨閻復代草加至聖位號制碑，明嘉靖二十七年户部郎中張拱碑，萬曆四年翰林成憲碑，本朝順治七年庶吉士周體觀碑，康熙四十年兵部尚書王宏祚碑，今俱存。

【增】明張拱重修薊州儒學文廟記略　薊州畿内名郡。州西北爲儒學，左方爲文廟，肇建於唐，迄於歷世，或修或燬。洪武初，復建之，間有修葺，久復漸敝。西平王君以東藩副憲提刑兹土，下車展謁，大懼諸所廢失，弗稱具瞻，注意經營，選材立陶，經始於丁未之秋，落成於戊申之夏。帑不加費，民不知勞，而成功可覩矣。王君名誥，由進士歷官中外，所至以興學校爲首務，善政善教，兹不盡書云。薊州志

【增】明成憲重修薊州儒學記略　薊州於京師爲三輔郡，蓋幽燕雄麗之都會也。奇淑所鍾，實生賢哲。士之以功業文章表見者，代有其人。萊陽王侯鴻儒以令尹推守於薊州，先文教，力挽頹風。會晉江蔡君時雍以鄉貢士來署學事，睹學之漸圮，懼無以時居游而聳瞻嚮，偕司訓侯君一貫、李君良輔、程君式以修葺請於州。於是會集程物，鳩工戒徒，涓日將事，越數月厥工乃訖。爲先師殿，爲東西廡，爲戟門，爲櫺星門，爲尊經閣，爲敬一箴亭，爲明倫堂，咸煥然新焉。於其請也，不辭而爲之記。同上

【原】薊州有預備倉。四鎮三關志

〔臣等謹按〕預備倉在城内東北隅，久圮，今即其址改建河神廟。

【原】薊州衛在州治東北，洪武八年建，鎮朔衛在薊州衛西，永樂中建。又營州右屯衛本在

大寧衛境，永樂二年移建州治北。方輿紀要
〔臣等謹按〕薊州鎮朔等衛今俱廢。

原 獨樂寺在州治西南，中有傑閣，設大士像，相傳盤山舍利塔神燈自塔而下，先獨樂而後及諸佛刹云。薊州志

〔臣等謹按〕獨樂寺在城内州治之西，觀音閣大士像今俱存。乾隆十八年賜帑重修，寺内恭懸皇上御書額曰普門香界。聯曰：琳宇近神畿，慈雲廣蔭；法筵傳古蹟，寶月常新。又曰：絶無塵相染初地；定有天花落講臺。旁建精舍，聯曰：短長詩句閒中檢；來往年華静裏觀。皆御書。

原 獨樂寺不知創自何代，至遼時重修，有翰林院學士承旨劉成碑，統和四年孟夏立石。其文略曰：故尚父秦王請談真大師入獨樂寺修觀音閣，以統和二年冬十月再建，上下兩級，東西五間，南北八架，大閣一所，重塑十一面觀世音菩薩像。盤山志

〔臣等謹按〕劉成碑今無考。

補 遼時漁陽有獨樂道院，沙門圓新居之，見盤山感化寺窣堵波記。黄圖雜志

增 乾隆十年御製寄題獨樂寺詩 欲留義御問遷移，便是拈花不語時。丈六金身應好在，春風過客偶相思。禪心遠逐穿雲磬，古蹟空傳没字碑。烟柳絲絲新緑嫩，即看拖地有

長眉。

增 乾隆十二年御製過獨樂寺戲題　我是先憂人，羞稱獨樂寺。獨樂樂無著，先憂憂未塈。寂静彼禪房，往者曾題字。春風馬上看，自哂成何事。梵宇久凋零，落色源流畫。佛有十二源流，僧家多畫於壁間。云胡無礙佛，運亦有隆殺。闍黎志安飽，六檀非所快。頽風不獨茲，若曹奚足怪？

〔臣等謹按〕獨樂寺御製詩，謹繹有關紀述者恭載卷内，餘不備録。

原 廣福寺在州治北，儒學之東。薊州志

〔臣等謹按〕廣福寺今圮，明正統中少傅胡濙、萬曆中祭酒成憲二碑僅存。

增 明胡濙賜廣福寺名記略　夫二儀既判，萬物備周。後漢西方生佛，不化而善，不言而信，法雷聲振於中州，佛日光流於上苑。順天府薊州城中崇善古刹之基，歲久圮墮，敗屋數楹，真澤長老募於檀越，建殿宇，裝佛像，焕然一新。經始於宣德癸丑正月，落成於正統戊午二月。寺既成，蒙恩賜額曰廣福寺。薊州志

增 明成憲修廣福寺碑記畧　蓋聞祇園闡教，流法雨於大千；舍衛傳經，布慈雲於億刧。凡瞻佛日，俱免沉淪；諸被祥光，咸從智慧。薊城街北有寺名廣福，蓋勅賜古刹也。其地西壁學宮，南憑州治，冠蓋往來，士民瞻仰。乃歲久廢弛，日以傾圮。畫像或結伊威，鐘簴將淪蠨蟻。本寺長老名雲光，鄉善人蔣君名菊者，憫古跡之凋殘，悼佛刹之荒廢。共發菩提之心，始葺蘭若之舍。日斯邁而月斯征，棄捐無毁；寸有積而尺有累，誠願愈堅。用是協謀，乃宏茲搆。厥工落成之後，爰徵記事之詞。同上

原 塔下寺在州治西内。同上

〔臣等謹按〕塔下寺一名白塔寺，今廢，塔尚存。

補高承埏宿薊州塔下寺詩 樹色漁陽少，僧廊塔下開。鑪中分佛火，檻外即香臺。露草吟蟲苦，風鈴怖鴿來。雞蘇問遺砦，覽古思徘徊。稽古堂集

原靜安寺在漁山之西，舊名醴泉院，遼道宗賜額淨名寺，金大定間改今名。盤山志

〔臣等謹按〕靜安寺在城外西北三里，今廢。

原香林寺在薊州城北二里，翁同、鵜泉流峙左右，薊亭之勝概也。盤山志

〔臣等謹按〕香林寺明萬曆中重修，有翰林院侍讀馮有經碑記尚存。本朝康熙年間重修。

補馮有經重修香林寺碑略 香林寺距漁陽約二里許，東則鐵嶺龍蟠，西則漁山鳳翥，北則巍峯直矗，南則平臯超忽。蓋創自漢，繕於唐，迨明正統嘗葺治焉。日月易邁，殿宇漸頹。董君懋修發重修之願，邀夫同志，各有所施。因基就制，揆日鳩工。經始於萬歷丙午之二月，落成於戊申之四月。薊州志

原定慧寺在城西二十五里小盤山，一名瓦茶寺，今廢。盤山志

〔臣等謹按〕小盤山在盤山東北，盤之支山也。定慧寺久圮。

原法常寺在亂石莊西，惟石幢古井在焉。盤山志

〔臣等謹按〕亂石莊在盤山南麓。皇上賜名曰玉石莊。法常寺久圮，石幢古井俱無考。

原漁山在城西北三里，高百餘丈，周五里，郡在此山之南，故曰漁陽，水繞山下，故曰漁水。圖經

補漁山多泉，冬夏歕涌成湖，土人因之開爲稻田，菰蒲荇藻，宛似江南也。四正山居志

〔臣等謹按〕漁水一名龍池河。

原　漁陽本漢舊縣，地理志：漁陽郡管縣十二，一曰漁陽，以北有漁水，縣在漁北，因曰漁陽。清類天文分野之書

原　鮑邱水從塞外來，南過漁陽縣東，又南過潞縣西，又南至雍奴縣北，屈東入於海。水經注

原　漁水出漁陽東南，平地泉流，西逕故縣城南，今城在斯水之陽，漁陽之名當屬此。秦發閭左戍漁陽，卽是城也。同上

〔臣等謹按〕清類天文分野之書及水經注所云，則漁陽故縣，當在漁水之西北，而漁陽郡則在漁水之東南也。

原　避暑亭在州西北五里，相傳金章宗避暑於此。寰宇通志

〔臣等謹按〕避暑亭今無考。

原　翁同山一名空同山，在薊州城北五里，上有崔府君祠，又呼府君山。舊有日照寺，寺有圓覆法師舍利塔，金大定九年進士孫設撰記，甃塔之東。其西又有小石碣，列建塔居士沙門姓名。盤山志

〔臣等謹按〕空同山崔府君寺尚存。日照寺久廢。金時石碣塔記皆無考。

原　空同山，相傳黃帝問道之所。名勝志

原遵化南三十里亦有空同，世謂黄帝謁廣成在此，非也。路史注

〔朱彝尊原按〕岷州、原州、肅州、汝州、薊州、贛州皆有空同山。史黄帝本紀：西至於空桐，登雞頭。世以爲隴右之山，無致疑者。左傳，哀公二十六年，宋景公游於空澤，卒於連中，大尹興空澤之士千甲奉公自空桐入。則汝州之山也。山下有廣成城、廣成澤，上有廣成觀。宋宣和中，汝守林時請於朝建立。説者謂襄城具茨，壤地相接，疑軒皇問道當於此地。然稽之爾雅，北戴斗極爲空桐，空桐之人武。司馬彪注莊子亦云：空桐當斗之山。則空桐宜在北矣。且問道之文載於莊子，其初往見廣成子，謂帝不足以語至道，退而築特室，席白茅，閒居三月，復往要之。廣成子南首而卧，帝順下風膝行而進。當日帝邑于涿鹿之阿，去薊甚邇，故不難復要之。又寰宇記，薊縣有笄頭山。空桐、笄頭相去不遠。而陳子昂薊邱覽古詩云：尚思廣成子，遺跡白雲隈。然則薊之空桐，未可定其非黄帝問道之所也。

〔臣等謹按〕空同山，朱彝尊原按據爾雅及司馬彪、莊子云在今薊州，未爲無見。

原白馬泉在空同山下。薊州志

〔臣等謹按〕白馬泉在薊州三里，有明時郡人成憲記。

增明成憲白馬泉記略　白馬泉在空同山之麓，山巔有崔府君祠在焉。俗傳府君常乘白馬飲於此泉，以得名。然不知其何所考也。泉源廣丈許，深可三四尺，水常以盛夏出，歷秋冬始涸。其渟涵澄澈，鑑人毛髮，如寶鏡之出於匣，

其清冷爽利，沁人肌骨，如冰壺之置於室。其流波噴湧而南注，激如喧豗，行如漱玉，聲響清耳，迤邐而不絕。上則古木蔽虧，有陰可蔭，下則豐草蒙密，有藉可眠。蓋薊門一勝地也。州冊

原 薊州邵權平衡於東門之外翁同山之下構一室，命之曰約齋。吳文正集

〔臣等謹按〕約齋遺址無考。

原 鐵嶺在城北十里，石色如鐵，懸澗極深。薊州志

〔臣等謹按〕鐵嶺在空同山之北。

原 廣漢川俗名黃崖川。薊州志

原 泃水在州北四十里，一名廣漢川，發源黃崖口，一支西南流，經盤山之陰入平谷爲泃河。一支東南流，經盤山之陽，過三叉口，入寶坻縣之白龍港。宋廣川郡之名以此。方輿紀要

〔臣等謹按〕廣漢川源出塞外，從州北之黃崖關流入境，水分爲二：一支西南流，經盤山之陰爲獨樂河，平谷靈山泉水注之，入三河爲泃水，過草橋河滙盤山左去之水，至三叉口入寶坻縣之白龍港。一支東南流，經薊南五里橋，滙盤山右去之水，入澱流河。方輿紀要以東南流一支謂入寶坻縣之白龍港，則仍是西南流一支之水矣。謹辨其譌於此。

原 雄武城故廣漢川也。唐書志注

〔臣等謹按〕雄武城今僅存遺址。

原安禄山築壘范陽城北，號雄武城，峙兵積穀。唐書本傳

原禄山歸范陽，築雄武城，外示禦寇，内貯兵器。養同羅及降奚契丹曳落河八千餘爲己子，又畜單于護真戰馬數萬匹，牛羊五萬餘頭。安禄山事蹟

原雄武城在州東北，唐天寶六載安禄山築。其後置軍使於此，爲州境要地。會昌二年，回鶻部將那頡啜南趨雄武軍，窺幽州，節度使張仲武遣軍敗之。廣明初，盧龍帥李可舉、吐谷渾都督赫連鐸共討沙陀，李克用分兵守朔州，自將其衆拒可舉於雄武軍，即此。方輿紀要

補張仲武少業左氏春秋，擲筆爲薊北雄武軍使。舊唐書本傳

原杜甫漁陽詩　漁陽突騎猶精鋭，赫赫雍王都節制。猛將飄然恐後時，本朝不入非高計。禄山北築雄武城，舊防敗走歸其營。繫書請問燕耆舊，今日何須十萬兵。杜工部集

原廣明元年七月，李克用自雄武軍引兵還，李可舉遣行軍司馬韓元紹邀之於藥兒嶺，大破之，又敗之於雄武軍之境。通鑑

原藥兒嶺在雄武軍西。通鑑注

原五里鎮在州西五里，宣德三年駕至五里鎮，遂前行至石門驛，是也。方輿紀要

〔臣等謹按〕石門驛隸遵化州境。

原宣德三年九月，上駐蹕薊州西五里橋，進州官，諭之曰：此漢漁陽郡也，昔張堪爲政，民有樂不可支之歌，流傳至今；古今人才不相遠，爾曹勉之。明宣宗實録

〔臣等謹按〕州西五里橋尚存。

原陽河在州西五里，亦名五里河，源出城西鵝毛臺。臺亦名紙坊山，下流入於沽水，水性暖，遇寒不冰，故曰陽河。相去一里有涼泉，水出地中，方廣丈餘，盛暑彌涼，因名。方輿紀要

〔臣等謹按〕陽河俗名西海子。

原獷平城在州西，漢縣，屬漁陽郡，東漢因之。服虔曰：獷音鞏。方輿紀要

〔臣等謹按〕獷平城遺址無考。

原獷平莽曰平獷。漢書注

原建安十三年，郡烏丸攻鮮于輔於獷平。八月，公渡河救獷平，烏丸奔走出塞。魏志太祖紀

原縣入晉，廢。方輿紀要

原安遠城在城西北，唐末置安遠軍。五代晉將周德威攻燕，拔安遠軍，薊州將成行言等降。方輿紀要

〔臣等謹按〕安遠城今無考。

原雞蘇砦在州西，五代梁開平二年，劉守文以滄州之衆并招契丹吐谷渾共討其弟守光，戰於雞蘇砦，爲守光所獲。方輿紀要

〔臣等謹按〕雞蘇砦今無考。

補薊州舊有黎豁縣，廢置皆未詳。金史地理志

原遼會同九年九月，閲諸道兵於漁陽西棗林淀。遼史

原元天曆元年九月，托克托穆爾與遼東軍戰薊州之檀子山。元史文宗紀

原十月，雅克特穆爾及陽翟王太平國王多羅台戰於檀子山之棗林，唐其勢陷陣，殺太平，餘皆宵遁。元史本傳 按：多羅，蒙古語七數也，舊作朶羅。今譯改。

原尼古勒領軍六百人迎敵通州，會丞相雅克特穆爾至檀子山，與圖們岱爾戰，敗之。同上 按：尼古勒，蒙古語罪孽也，舊作揑古剌。今譯改。

原沙河在城西二十五里，源出盤山，經沙嶺之麓東南會五里河入沽河。薊州志

〔臣等謹按〕沙河一名沙流河。

原瀑水在城西二十五里，出於石山之麓，流經塔山之陰，有泉自石竇出，極清冷，初夏或有冰浮出。薊州志

〔臣等謹按〕瀑水在州西三十里，從盤山之陰而來，南流合白澗泉入沽河。

補薊州三十里至邦軍店，三十五里至下店。松漠紀聞

〔朱昆田原按〕邦軍今志作邦均。下店今志作夏店。

〔臣等謹按〕邦均店在州西三十里。夏店隸三河縣境。

增賢渠泉在賢渠莊之東北，平地有泉涌出，南流至柳子口入沽河。薊州志

〔臣等謹按〕賢渠泉在州西南十六里。

增乾隆八年御製過賢渠莊望盤山詩 馬上看山色，猶記登臨美。他年視今朝，何以異乎此？

〔臣等謹按〕賢渠莊御製詩，恭載首見之篇，餘不備録。

原白澗在城西四十里，發源於盤山西峪，經沙流河，水色澂碧，上有白澗寺。

增州西四十里爲白澗莊，恭建行宮，其東有香華庵。州册

〔臣等謹按〕香華庵正殿恭懸聖祖仁皇帝御書額曰香林法界。乾隆十五年奉勅重修，有御製香華庵記勒石庵中。

增御製香華庵碑記 白澗行宮之左有香華庵，不知其創建所自，蓋舊刹也。乾隆己巳秋，朕奉皇太后幸盤山之便，慈輿偶臨此寺，詢知爲女僧焚修地，因其殿宇湫隘，且就傾圮，因命出内帑新之。越數月工竣，所司立碣石請記歲月。乾竺氏書言，佛法譬如大

雲遍覆一切。其雲所出，一味之水，草木叢林，隨分受潤。一切諸樹，上中下等，稱其大小，各得生長，根莖枝葉，華果光色，一雨所及，皆得鮮澤。蓋雨露所覃，隨在沾被，大小遠近，惟其所受。此天地之所以爲大而具佛慧性者能之。恭惟聖母崇慶慈宣康惠敦和皇太后慈恩溥博，周洽海宇。茲庵在畿甸鄉曲中小招提耳，而以附近離宫，慈駕經臨，得邀修葺，大慈之所流露，隨在作佛事，即此是香臺鹿苑，曾何大小之區分？用是承命敍言，鐫之貞珉。

增乾隆九年御製白澗行宫晚坐詩　離宫迤邐偶停驂，魄月遲遲上遠嵐。象外真詮誰得會，環中佳趣我須諳。山容自寫癡黄幅，徑曲遥通古佛庵。憶昔閒吟瀟灑地，遷無遷處正宜參。

（臣等謹按）白澗行宫御製詩，恭載首見之篇，餘不備録。

欽定日下舊聞考卷一百十五

京畿 薊州二

原 盤山，箕尾之巨鎮也，深維地軸，高逼天門，暖碧凝霄，寒青壓海。絶頂有龍池焉，旱歲能興雲雨；巖下有潮井焉，旦暮不虧盈縮。李仲宣祐唐寺碑

〔臣等謹按〕盤山在州西二十五里，舊名四正山，又名田盤山。舊志稱魏田疇隱居於此，故名。姬翼雲山集則云古有田盤先生自齊而來，棲遲此山，因名盤山。兩説互異。

原 盤山南距滄溟，西盡泃水，東放碣石。自遠望之，層巒叠嶂，岑嵂排空，真爲雄勝。圖經

增 盤山，志舊名四正山，一名徐無山，魏田疇隱居於此，故名田盤山。今不曰田盤而曰盤山者，亦猶匡廬之謂廬山也。其山南距滄溟，西連太行，東放碣石，北負長城，瓣襲蜂攢，面面開生，實仙佛之勝區，乃天壤之大觀也。御定盤山志

原漁陽西北之山本名四正，古有田盤先生自齊而來，棲遲此山，因名爲盤山焉。雲山集

原盤山一名盤龍山，在州西北二十五里，高二千仞，周百餘里。山北數峯林立如削，曰紫蓋，曰宿猿，尤爲奇特。最高者曰上盤，頂有巨石，以指摇之輒動。上有二龍潭，下有潮井，又有澤鉢泉。稍下者曰中盤，東行十餘里，蔚然深秀，怪石突起，曰白嵓，曰暮山光嵐氣，濛濛如雨。上有古寺，山南有小嶺，陡絶難行，曰沙嶺，高二百餘仞，周六里，泉水沿石竇下爲沙河，東流合五里河。名勝志

〔臣等謹按〕盤山有白猿洞，無宿猿峯之名。摇動石在千相寺後，與上盤無涉。沙嶺今爲入山孔道，志稱明萬曆中僧明澄始募資鳩工，鑿石開道。

原盤山水出山上，山峻嶮，人跡罕交。去山三十里，望山上水可高二十餘里，素湍皓然，頽波歷谿，沿流而下，自西北轉注於洵水。竹書紀年，梁惠成王十六年齊師及燕戰於洵水，齊師遁。卽是水也。水經注

原盤山外骨而中膚。外骨故削石危立，望之若劍戟熊虎之林；中膚故果木繁，而松之抉石罅出者𡾟嶔糾曲與石争怒。石之尤怪特者爲鯨甲石，石平坦可布席，容十百人。羣崖飛瀑至此勢忽奔瀉，聲如震霆，與松韻互答。長安客話

〔臣等謹按〕盤山無鯨甲石，當是晾甲石之譌。

補盤山，清明穀雨時，萬壑青松，十里紅杏，天然圖畫。此時煮茗盤石上，看白雲，聽流水，相對忘言，覺五千四十八卷殊饒舌也。四正山居志

補盤山一名東五臺。自來峯，北臺也。先師臺，南臺也。紫蓋峯，中臺也。九華峯，東臺也。舞劍臺，西臺也。晾甲石爲下盤，古中盤爲中盤，雲罩寺爲上盤。上盤之勝以松，中盤以石，下盤以水。同上

〔臣等謹按〕自來峯在掛月峯側。晾甲石相傳唐太宗東征晾甲於此，在行宫西偏，皇上御題曰貞觀遺蹤。餘詳本條下。

增聖祖仁皇帝御製清晨入盤山二首　日出入盤山，宸遊草木閒。村莊人盡望，處處水潺潺。當年乘輦到，今日復來遊。山水不同色，泉聲還細流。

增聖祖仁皇帝御製盤山絶頂三首　上盤絶頂俯神京，九月登山積翠晴。荒寺日高人少至，野林烟静鳥無聲。道中勒馬觀風景，澗下留鑾愛水清。縱目徘徊猶不盡，氤氳縹緲海雲輕。四顧青標高逼天，風雲塞上斂寒煙。遥觀沙漠宣威遠，近控州城作鎮懸。紫蓋山中獨奇秀，雙峯嶺外更緜聯。九秋朗耀幾千里，落葉蕭條滿目前。薄暮東風來返照，游心怡曠動揮毫。題詩數句林光晚，作賦初聯雁陣高。盤道崚嶒難步躡，危巖巀嵲恐身勞。欲歸帳殿還傳語，引路山僧度遠臯。

增聖祖仁皇帝御製再遊盤山詩　薊州城北黃厓前，水甘土厚多平阡。崇山特起矗霄漢，栝柏夾路陰參天。回巒複嶂倍娟秀，幽林邃谷時貪緣。雲藏古寺行未到，樹杪先有鐘聲傳。數峯突兀勢陡絶，上迫箕尾雙星躔。峨峨石狀獸蹲立，因風摇曳如空懸。深潭清冷那可測，知是百尺神龍淵。鉢泉恍惚有海眼，潮井呼吸通百川。不然泛濫亦易挹，何爲萬古清涓涓。神工融結天巧鑿，更逞遠目窮高巔。漁陽古郡最阻阨，屹爲左輔雄幽燕。卽今交河遠置堠，此實堂奧非臨邊。太平粗喜有端緒，石根沙磧皆原田。偶茲登陟聊駐旆，用寄襟抱題斯篇。

增聖祖仁皇帝御製復遊盤山絶頂詩　絶頂巉巖裏，松煙向曉開。片雲生衆壑，虛籟落空臺。寺古人行少，林深鳥亂回。千峯多秀色，遠眺足徘徊。

增御製遊盤山記　連太行，拱神京，放碣石，距滄溟，走薊野，枕長城，是爲盤山。蓋薊州之天作，俯臨衆壑，如星拱北，而莫敢與争者也。昔魏田疇隱居於此，故名田盤。或曰古有田盤先生，自齊來棲止焉。地僻而山秀，樹密而谷深。韓昌黎文所稱太行之陽有盤谷者，無從考其非是，而其爲隱者之所盤旋則一也。山亦有盤谷寺，自唐寶積開堂，代有名宿，憨山、拙庵，後先輝映，爲是山佳話。然吾儒木石居而鹿豕游者，田疇之後無聞焉。四顧梵宇精藍，依山隱谷，鏤峯磨石，刻畫天真，而乏柳州西山之文，杜陵北征之作。嗚呼，是亦可慨也已！乾隆七年秋，因謁陵回鑾，便往遊之。斥警蹕，減儀從。輕輿朝陟，搴蘿扳磴。曉嵐豁開，泉白山青，颯然林空，鬱然松翠。於是停蓋駐鑾，怡情縱目者久之。既而行漏催，吟興盡，夕陽在山，金吾整駕，雖命省騶從，而近御執事者汗雨揮而塵煙騰，向謂隱者之絶少，翻疑隱者之避而遠去耳。乃知千乘萬騎不可以游山，偶一過之，山靈將無笑其不韻也耶！

增乾隆四年御製登盤山口號　千林葉落見山容，翠嶂丹崖歷幾重。漫憶當年曾訂約，今朝果上最高峯。舊作望盤山，有寄語山靈頻訂約，他年擬上最高峯之句。

增乾隆七年御製盤山懷古詩　田疇不賣盧龍塞，李靖空餘舞劍臺。月鏡團圞誰掛得，峯蓮崒嵂自飛來。定光燈影猶飄忽，茶子松精類詭詼。只有開堂傳寶積，求心何處一言該。

〔臣等謹按〕盤山御製詩，謹繹有關紀述者恭載卷内，餘不備録。

增乾隆七年御製經唐太宗晾甲石詩　石名晾甲枕山陂，遺蹟貞觀藉撫追。若使當年無此役，何須重建魏徵碑。

〔臣等謹按〕晾甲石御製詩，恭載首見之篇，餘不備録。

原王衡游盤山記略　盤山離京師百八十里。晡至廣濟寺，走大石澗中，東厓有松，題曰蒼龍。折中盤中，觀松從石罅出。繞北而西爲環翠亭，山松如屏。一峯稍遠，對松立者九華峯也。穿蔡氏巷，西折而陟北岡，長城蜿蜒界山半如綫。自中盤至上方，路百千折，行者相望於石根木杪，有相去數程而望不盈咫者。度松棧而出，有懸石亭，更百尋至舍利塔，則盤山絶頂也。其西峯爲無梁殿，下坂至法藏寺，翠壁若扆，松陰滿庭。又數里，雙峯塔下走，旱麓爲百草窪。東爲天城寺。寺上三里李靖庵。又二里舞劍臺。東走爲東甘澗，西折爲西甘澗。又五里至仙師臺。論盤山之勝，松爲最，泉次之。峻則數上方舍利，幽則數天城。説者謂天窮於大漠，故收靈鬱秀於此，理或其然。緱山集

〔臣等謹按〕環翠亭、蔡氏巷、百草窪，俱無考。懸石亭在懸空石上，明戚繼光建，遺址僅存。

【增】阮旻錫游盤山記　盤山壁立，又名盤龍峯。歲乙卯秋仲，路出三河，踰數嶺至衛公庵，登舞劍臺。考唐史，公爲定襄道總管，豈當日或登此峯歟！至上盤，禮定光佛舍利塔。右一峯，黄龍祖師殿也。暮宿雲罩寺，望上方，僧言九華峯最艷麗，寺曰千像，唐開元寺也。天門開，兩崖相揖，崖懸壑絶，必縋而後可登。戚繼光、袁宏道而後，無繼者。若夫懸空摇動諸石，及潭洞有黑龍白猿之勝，竟以人蹤希絶，悵然者久之。次日從山腰下大中盤，詢寶積大師禪堂道場，荒蕪久矣。山中靈跡，有除夜佛燈之異。燈出自通州孤山塔上，中分爲數千百朶，遠繞盤山諸寺至定光佛塔而止。或曰：此燈即塔中舍利光也。盤山志

【原】高適同吕員外酬田著作幕門軍西宿盤山秋夜作　磧路天已秋，邊城夜應永。遥傳戎旅作，已報關山冷。上將頓盤坂，諸軍遍泉井。綢繆閫外書，慷慨幕中請。能使勳業高，動令氛霧屏。遠途能自致，短步終難騁。羽翮時一看，窮愁始三省。人生感然諾，何啻若形影？白髮知苦心，陽春見佳景。星河連塞絡，刁斗兼山静。憶君霜露時，使我空引領。高常侍集

【原】劉迎盤山招隱詩　溪山不難買，所費千金儲。不如數峯雲，朝昏對吾廬。交游豈無人，轉盼傷離居。不如吾兄弟，相應如笙竽。左侯薊名族，温温器璠璵。身雖市朝寄，心與功名疏。伯也亦可人，文華炳於菟。風神聳魁偉，襟韻含沖虚。平生一片心，塵緣不關渠。相期有幽事，歲晚山林俱。綵服照黄冠，歡呼奉親輿。大婦侍巾帨，中婦供庖廚。諸孫戲膝前，翩然鳳將雛。朝采南澗芹，暮漉西溪魚。烟霞入杖履，風月來窗疏。觀竹上巢雲，禮佛登香鑪。紅龍雪浪湧，白塔蒼烟孤。冰絃寫天籟，茶甌泛雲腴。快哉天下樂，俯仰餘何須。正恐左太沖，招隱昔所無。山林長語

【原】王世貞登盤山詩　禪主空祠恒岳回，誰憐盤嶺抱燕臺？層巒不盡青天去，亂瀑雄争大壑來。共指丹梯安薜荔，還扶蠟屐破莓苔。銀河只在微茫裏，欲取寒杓作酒杯。弇州山人稿

【原】戚繼光登盤山絶頂詩　霜角一聲草木哀，雲頭對起石門開。朔風邊酒不成醉，落葉歸鴉無數來。但使雕戈銷殺氣，未妨白髮老邊才。勒名峯上吾誰與？故李將軍舞劍臺。止止堂集

【原】王衡遊盤山詩　塞北山河百二重，太行雲氣入提封。泉争亂壑時縈馬，谷響虚巖半是松。紫邏烟花當九月，青天雷雨出雙龍。朝来杖策中盤寺，指次經行第幾峯。孤笻短笠乍低昂，翠壁丹楓引興長。片石倒懸流水路，斷厓剛掩薜蘿房。諸天影裏沈西界，斜月林中見上方。緱山集

【原】高承埏望盤山詩　中盤雲氣下盤生，紫蓋峯高晚獨晴。安得時平解塵組？白松樹底飯黄精。稽古堂集

【補】薛瑄遊盤山寺詩　高秋游古寺，俯仰思悠悠。塵土禪燈暗，龍蛇畫壁幽。草深埋石砌，天闊花層邱。欲問無生滅，寒泉日夜流。敬軒集

【增】李攀龍答謝茂秦遊盤山詩　愛爾躋攀處，奇蹤滿報章。山盤元氣出，寺抱翠微藏。拂石揺天影，披花帶雨香。千峯回白首，萬壑步清霜。鼓角關榆暗，旌旗塞草長。陰風來大漠，秋日下漁陽。海色秦城外，邊聲漢苑旁。欲因臨望代，遂得紀金湯。滄溟集

【增】高士奇遊盤山詩　昔讀寰中記，兹山勞夢想。十年思一游，塵事日鞅掌。扈蹕過薊門，承恩恣觀賞。馳馬踰崔嵬，趨途漸深廣。縈迴石徑紆，盤旋下復上。山勢亢嶙峋，奔厓盡骯髒。緩策登危峯，煩襟爲一爽。嚶嚶野鳥鳴，汩汩山谿響。莫春天氣佳，小憩在林莽。松泉臣所須，性志本疏朗。茫茫屬車塵，時曳青藤杖。從來箕潁心，對此聊俯仰。隨輦集

【增】盤山行宫居山之午方，前岡如屏，後嶂如扆。自玉石莊迤邐東達於繚垣之南。垣壘以文石，周遭十餘里，隨山徑高下爲紆直。澗泉數道流垣内，山下設牐，以時啓閉。盤山志

〔臣等謹按〕盤山行宫，乾隆十九年建，皇上御定内八景曰静寄山莊、太古雲嵐、層巖飛翠、清虚玉宇、鏡圓常照、衆音松吹、四面芙蓉、貞觀遺蹤。外八景曰天成寺、萬松寺、舞劍臺、盤谷寺、雲罩寺、紫蓋峯、千相寺、浮石舫。兹恭載御製静寄山莊十六景記及内八景詩於後，而以外八景詩分載原書各條内，俾以類相從云。

【增】御製静寄山莊十六景記　塞外之山，岡巒渾噩，堂阜連延，以雄峻勝。塞内之山，峯

巖峭拔，嵳峩崱屶，以奇秀勝。造物之靈有獨鍾，南北之分鮮兼美也。而惟田盤自太行而來，塞垣依此以築，故界在南北之間，兼收雄秀之粹，卓爲造物奥區焉。乾隆壬戌，賁緣往一遊，自是山川之美不能恝置。然朝往暮歸，僕從侍御之臣不免於勞。乃發内帑建山莊於山之陽，買地繚垣，據景搆舍，高因迥有，僻以幽探。藻繪不施，亭臺間出。園之内得景八，園之外標舊蹟與諸寺復得景八，合爲山莊十六景而名之曰静寄。夫静者山之體，其寄於天地也，恒得常焉。人生而静，則静亦人之體也；而恒不得其常者，則其寄蓋不如山也。余之以是取名，其亦所以自警也。若夫山莊之號，則法皇祖避暑山莊之例，第其去京師較避暑近十之五，爲幅員較避暑僅十之三，尚樸素，屏文繡，適可而止，容膝亦安，守舊規而勉欽承，讀是記者尚知吾繩武之意，而所重固不在卷阿之游歌也歟！

增 乾隆十二年御製盤山十六景詩 人生而静，儒者之言也。人生如寄，達士之旨也。山以静爲體，其寄於天地與人之寄於山等。觀山以觀我生，其體不二，故其寄也恒主乎静。秀木千章蔭，疏峯四面羅。經營成不日，伴奂詠卷阿。藻繪無須急，林泉豈在多。肯堂遵祖儉，是處闊較避暑山莊僅十之四，而程則僅十之三。色養奉慈和。繞砌栽紅藥，開畦灌玉禾。萬緣歸静寄，隔歲一相過。右静寄山莊 當山半，隨高下爲樓館殿室，取唐庚山静似太古顔之。山中出雲，頃刻萬態。人知今之雲不同於昨，豈知伊古以來無日無雲，未嘗少異。雲無古今，山無古今，萬事萬物無古今，曷似之云乎！窗納田盤萬景全，宜人暮靄復朝烟。臨虚標秀琴書潤，因迴爲高坐卧便。適可成圖添粉本，偶然得句勒崖巔。批黄稍暇無餘事，静讀鶴林玉露篇。右太古雲嵐 入山逾深，所見逾遠，千巖萬壑，烟鬟翠螺，環列几案。静寄此間，頗能盡攬兹山勝概。山水有靈，不當驚知己於千古耶！夏屋枕崇椒，林霏互吞吐。徐無無不佳，是惟最佳所。雲起樹中間，泉分山四宇。薈蔚鮮定容，變幻乃爾許。俯仰接諸天，時時落花雨。右層巖飛翠 山莊東少北，傑閣圜搆，是爲上清碧虚玉帝之宇，道家者言姑弗深考。天在山中，其有得於大易之旨歟！地切清虚妥玉真，嶤峯孤迥若爲鄰。行來禹步何嘗慣，却是遊仙天半人。右清虚玉宇 環山皆寺也，其在山莊西繚垣之内者，於古無名。雖不足當鹿苑鴈堂之鉅麗，而於此作佛事，卽是耆闍崛山。户有白雲封，庭餘古樹濃。何須參寶積，藉以續山容。瑞相標圓月，禪心定毒龍。招提隨望是，互答六時鐘。右鏡圓常照 水石間鏘然成韻，爲環珮，爲琴筑，爲笙竽鐘磬，泠泠盈耳。至清颸一過，或長風號空，爲驚濤，爲鸞鳳嘯，漆園氏所謂天籟，意其是歟！伏流飛瀑渾無定，此獨松間滙小池。已覺地琴清越矣，更兼天籟始終之。忘機徐聽韻盈耳，得意閒憑緑映眉。正是八音繁會處，高山何必待鍾期。右衆音松吹 山中一盤一曲，一澗一石，各具奇勝，而遠觀秀絶，莫如諸峯。就岑蔚處爲亭，四望霞表，層湧疊出，圍合若屏嶂。李青蓮於九子、匡廬皆有芙蓉之目，信其工於體物。芙蓉朶朶標銀漢，恰是香爐日照明。千古名山以人重，田盤匡俗兩先生。右四面芙蓉 山以石爲體，有在南澗中者曰晾甲，相傳因唐文皇征遼得名。貞觀去今千餘年，石不泐，名不滅，得失之圖可弗審諸！巨石當其垠，苔泉灑清泚。遺跡傳楷模，在彼不在此。右貞觀遺蹤

〔臣等謹按〕静寄山莊十六景中之内八景，是爲御製首見之篇，恭載卷内。

增 響澗自淨業庵一帶水與礫石相确，鳴聲徹晝夜，瀉至晾甲石下出山。盤山志

〔臣等謹按〕晾甲石迤下欲盡處，横亘若檻，奔赴之水至此踊躍呼擊而出，跳珠噴玉，下注深淵。皇上御題曰千尺雪，並御製記文恭載卷内。

增 御製盤山千尺雪記 昨歲巡幸江南，觀民問俗之暇，流覽江山勝概，尋古跡之奇，文物秀麗區也。其悦性靈而發藻思者所在多有，而獨愛吴之寒山千尺雪。創於明隱士趙宧光，今范氏搆園其地者。境野以幽，泉鳴而冷，題其閣曰聽雪。爲之流連，爲之倚吟，歸而肖其處於西苑之淑清院。蓋就液池尾閭，有明時所作假山喬木，峭蒨噴薄之形似之矣，而乏天然。及秋而駐避暑山莊，迺得飛流漱峽盈科不已者，作室其側，天然之趣足矣，而尚未得松石古意。今春來盤山，遊文皇所爲晾甲石者，滙萬山之水而歸於一壑，

潨潨之湍奏石面，謏謏之籟響松巔，時而陰雨忽晴，衆谿怒勃，則暴漲砰訇，砉焉直下，挾石以奔，觸石以停，鞳然鏗然，激揚涒然，雖千夫撞洪鐘有不足比其壯者。爰相面勢，結廬三間。茲重游而其屋適成。開虚窗，俯流泉，覺松濤石籟，問答親人。迺歎寒山千尺雪固在是間，而勞勞往返營營規寫者，不幾爲流水寒潭笑，未能免俗哉！率筆記之，亦以存高風之慕也。

增 乾隆十八年御製千尺雪詩　飛泉落萬山，巨石當其垠。滙池可半畝，風過生漣淪。白屋架池上，視聽皆絕塵。名之千尺雪，遐心企隱人。分卷復合藏，在一三來賓。寒山、田盤、熱河、西苑皆有千尺雪，各繪爲四卷，合藏而分貯其所，每坐一處，則三景皆在目中也。境佳泉必佳，竹鑪亦可陳。俯清酌甘洌，忘味乃契神。披圖謂彼三，天一何疏親？

〔臣等謹按〕千尺雪御製詩，恭載首見之篇，餘不備録。

原 感化寺有遼乾通七年碑，漁陽南抃撰文，沙門肅回書。碑稱魏太和十九年無終縣民田氏營建。唐太和咸通間，道宗、常實二師繼踵住持，幽州主帥清河張公奏請於朝，因得賜額。寺有金圓新和尚窣堵波記，大定中沙門法詮撰。盤山志

〔臣等謹按〕感化寺舊名寶積寺，遼時南抃碑已泐。明成化中易額曰廣濟。本朝乾隆十年重建於舊基之西一里許，賜勅修感化寺額，正殿恭題皇上御書匾曰妙光演教。

【補】南抃上方感化寺碑略　漁陽古郡之西北，叢岫迤邐曰田盤山，岡巒倚叠，富有名寺。而感化者，魏太和十九年無終縣民田氏兹焉營辦。唐太和、咸通間，道宗、常實二師前季後昆，繼踵而至。故碑遺像，文迹俱存。法堂佛宇敞乎下，禪竇經龕出乎上。野有良田百餘頃，園有甘栗萬餘株。緇屬三百，無城郭乞食之勞，斯爲計久之業矣。薊州志

【原】金上方感化寺，故監寺澄方遺行碑銘，大安七年釋志隆立石。盤山志

【原】元上方感化寺提點賢公長供記，至正八年香山永安寺僧福珪撰文，本山住持海疇立石。同上

〔臣等謹按〕金元時二碑俱無考。

【原】僧福珪記　幽州之分，漁陽西北山曰田盤，出乎雲表，山建十寺焉。上方感化寺其一也。至正甲申，予應命來住是山，創建方丈，四楹五間，賢公提點與有力焉。公諱覺賢，漁陽西花垞子峪人。薊州志

【補】廣濟寺在盤山之麓，寺東一頻婆果樹，大可合抱。居人云，此樹歲可得錢二十千，江南橘柚五十樹不能及也。三易齋稿

〔臣等謹按〕頻婆果樹今無考。

【原】天香妙祥寺唐建，有元時重修石碣。盤山志

〔臣等謹按〕天香妙祥寺元時石碣無考，乾隆九年重建於舊基之西北二里許，賜敕建天香寺額。正殿恭懸皇上御書扁曰無上法味。聯曰：楊柳外曉風殘月；淨瓶中白日青天。

【增】乾隆十年御製題田盤山色圖古天香寺詩　嶂葉緑交軒，岫霧白封殿。隔巖望初地，金

碧時隱見。遥想佳蔭下，春深鳥應囀。何當半日閒，一飽伊蒲膳？

〔臣等謹按〕天香寺御製詩，恭載首見之篇，餘不備録。

原天成寺一名福慶寺，唐建。盤山志

〔臣等謹按〕天成寺，乾隆八年重修，賜勅建天成寺額，爲行在外八景之一。寺門樓額曰江山一覽。大殿曰清淨妙音。皆皇上御書。

增乾隆四年御製登盤山天成寺江山一覽閣作　兩峯天闢仙壺路，到眼江山萬派分。樹匝丹崖空外合，泉鳴碧澗静中聞。緣階犖走秋聲細，裊鼎香飄瑞靄紛。今日身行圖畫裏，六塵幻有等浮雲。

增乾隆十二年御製天成寺詩　自宫門西行，越蓮花池，循山澗北上三里許，曰天成寺。寺門有樓，下瞰山麓，如深巷屈曲，磵泉苔石，歷歷可數。遠眺林巒攢簇，天成圖畫。或曰盤山圖經稱四正山，四山迴合，天然城郭，故舊有天城之名。憶我初度游上盤，問津原自天成寺。是時秋老變山容，霜楓古柏紛丹翠。坐我江山一覽閣，成詩聊寄煙霞意。雲罩萬松高絶處，慮不勝寒迴六轡。從兹結習鎮相縈，頻年便道輒停蹕。叶攀躋涉歷既經慣，幽者畢探遼者至。得愈多愈不忍置，更虞奔走勞執事。因之卜築擇佳勝，雕斲不施敦簡易。朝往暮歸樂無窮，得路安能忘所自？緊余惕若廊廟者，豈宜躭適山林致？田疇大隱倘可招，勤政咨諏共圖治。

〔臣等謹按〕天成寺御製詩，謹繹有關紀述者恭載卷内，餘不備録。

原招提寺，土人目爲先師臺。盤山志

〔臣等謹按〕先師臺在山之正南，又稱南臺，寺址僅存。

原少林寺傳是晉魏間所建，舊名法興寺，元時重修，有沙門圓玉碑記。又有法興寺提點榮公塔銘，沙門圓瑩撰。又少林寺住持威公塔銘，沙門圓讓撰。其南嶺上有菱角石。盤山志

〔臣等謹按〕少林寺，本朝乾隆十年奉敕修。正殿恭懸皇上御書扁曰禪指真趣。元時沙門圓玉等碑記俱無考。菱角石在寺南，皇上賜名曰磬峯石。

原盤山紫峯之下，爽塏明秀，號曰中盤。時膺隆興，崇奉道教，棲霞長春真人應召來燕。門下有棲雲子飛舄擇地，其徒張志格等搜及此山，遂營卜築。丙戌春，請長春真人建醮，因題其額曰棲雲觀。雲山集

補元之棲雲觀，本法興寺，今之少林寺也。四正山居志

補盤山中盤法興寺，亥子年間天兵始過，罕有僧人。甘泉本無元和尚之嗣振公首居上方，橡栗充食，以度朝夕。全真之徒，挾邱處機之力，謀占中盤，乃就振公假言借住，

振公允之。既居久，遂規永定。王道政、陳知觀等拆殿宇，毁佛像，冒奏國母太后立碑額爲棲雲觀。寺内古佛舍利塔高二百尺，及正殿三門，一并拆毁。至乙卯後，上方長老雲公忿其無禮，碎其碑，奏告皇帝，又共那摩大師、少林雪庭福裕禪師朝覲，具陳其事，改正其弊，仍爲僧院。戊午年九月初四也。至元辨僞録

原王志謹，從長春真人北游燕薊，徜徉乎盤山西澗之石龕，草衣木食，若將終身焉。甘水仙源録

原姬翼，字輔之，高平人。遇棲雲王真人，執弟子禮，賜名志真，號知常子。自是從游盤山，所著詩文曰雲山集，及周易直解、道德經總章行於世。同上

增乾隆十二年御製少林寺詩　是處由來初地，盤山雖屢經駐蹕，而少林寺則初到。會心都契法源。巖懸水出嵌隙，路轉人度松門。少林名自少室，是一是二堪參。忽坐壺中天半，下臨萬壑千嵐。俯仰自霑花雨，布施非爲福田。是寺將廢圮，因略爲修飾之。幽閒自彼無俗，山林於我有緣。

〔臣等謹按〕少林寺御製詩，恭載首見之篇，餘不備録。

補元釋圓讓盤山北少林寺威公禪師塔記略　師之燕居萬壽主藥藏，是時盤山法興虚席，師至新巢雲軒，因以巢雲自號。宣政院使托克托具奏朝廷，有旨更法興爲北少林禪寺。薊州志

原黑塔峪，唐志閒禪師居此。盤山志

〔臣等謹按〕黑塔峪在少林寺東北里許。

欽定日下舊聞考卷一百十六

京畿 薊州三

原紫蓋峯在盤山中央。盤山志

〔臣等謹按〕紫蓋峯，居人又稱爲中臺，今爲行在外八景之一。

增乾隆十二年御製紫蓋峯詩 一峯踞中臺，圓峭離立，單椒秀澤，蔚如華蓋，諸峯駢羅，若拱而伏，於形勢爲特尊。鼇柱千秋鎮太寧，諸峯拱伏儼來庭。疇人試問應難測，華蓋垣中第幾星。

〔臣等謹按〕紫蓋峯御製詩，恭載首見之篇，餘不備録。

增古中盤在紫蓋、蓮花、毘盧三峯之間，相傳寶積住静處。御定盤山志

〔臣等謹按〕古中盤寺，乾隆十四年奉勑重修，四十年賜名慧因。寺内恭懸聖祖仁皇帝御書額曰門外一峯。殿前恭建聖祖御製詩碑亭。殿内額曰槃阿精舍。聯曰：階下泉聲答松籟；雲間樹色隱峯螺。崖石上勒萬象迴薄四字。皆皇上御書。

【增】聖祖仁皇帝御製古中盤望蓮花峯詩　中盤遥望蓮花峯，日映山林氣色重。老衲吟詩渾半偈，翠輿臨發又從容。

【增】乾隆十二年御製古中盤詩　塔院經行石磴紆，灑然精舍出塵區。雲容自在舒還卷，山色何妨有若無。只有天高萬象低，登臨拾級一攀躋。僧人白足石橋畔，三嘯還如過虎溪。門外一峯積翠浮，寺中門外一峯扁，聖祖御賜也。淙淙玉乳澗邊流。常時怪底雲霞護，四字標名聖蹟留。試掐山花佛鉢澆，偷閒聊爾坐僧寮。開窗慢爲山深慮，山越深斯見越遥。

【增】乾隆四十年御製遊古中盤僧以寺無名乞額題之曰慧因寺詩以誌事　徑入松門别一天，道旁古松插巘，虬榦旁出，騎行其下，宛若松門。千巖萬壑靄春烟。且教清蹕停牆外，遂易輕輿進寺前。古佛無言惟默坐，山僧自謂不參禪。慧因允請爲題額，七字誌從乙未年。不識無名勝有名，憐他屈膝一番誠。慧非定慧曾參透，因是何因可悟明？須解了心應放下，漫誇題額以爲榮。東廂精舍試清憩，憑牖聊抒暢攬情。

〔臣等謹按〕古中盤御製詩，謹繹有關紀述者恭載卷内，餘不備録。

【補】青溝居盤山之中，羣峯圍繞，水滙於一，逆流而西，自天成寺水口出山。四正山居志

【增】盤谷寺即青溝禪院，康熙十年僧智朴建。御定盤山志

〔臣等謹按〕盤谷寺在青溝，舊名青溝禪院，爲行在外八景之一。康熙十七年聖祖仁

皇帝勅賜盤谷寺額。殿前恭立聖祖御製賜僧智朴詩，並皇上御製恭依元韻詩碑。殿内額曰定力周圓。聯曰：一聲清磬動耶静；萬疊浮雲假也真。又聯曰：虚窗不礙疏還密；詰逕何妨静以深。皆皇上御書。

增聖祖仁皇帝御製甲申春謁陵回鑾路經盤山有僧智朴呈接駕詩卽用原韻二首　廿載常輕步，年華去莫從。古松分遠近，老衲自春容。問及當時景，猶疑隔嶺重。山高勞脚力，來往遍雲峯。鈴鐸鳴山下，田疇雨露恩。經聲連静舍，法語閉柴門。隱跡安無意，清思禮世尊。春風來拂面，依舊是乾坤。

增乾隆七年御製盤谷寺恭依皇祖聖祖仁皇帝原韻　時巡行夏令，秋稔賴天恩。試閱田盤處，言瞻法海門。璇題今尚焕，叙脚古稱尊。敬識當年意，豐碑鎮厚坤。

增乾隆十二年御製盤谷寺詩　盤谷居盤之中，羣峯屏繞，山泉瀑下，滙流爲一，逆折而西，又名青溝，居人謂之上甘澗。繚谷一盤一曲，精舍三間五間。翠雨飛時林静，白雲開處僧還。暫遊宛探月窟，到此可破天慳。珍重韓愈李愿，曾否烟磴躋攀？

〔臣等謹按〕盤谷寺御製詩，謹繹有關紀述者恭載卷内，餘不備録。

增御製濟源盤谷考證　讀書所以明理修身制事也。陶淵明好讀書而不求甚解，予以爲在淵明則可，在他人則不可。彼其高尚避世，理有所不必明，身有所不屑修，事有所不足制，故可耳。若予之讀書，凡涉疑必求解其疑而後已，此或有合于韓昌黎解惑之説乎？昌黎之送李愿歸盤谷也，其事本在濟源。祇以盤山亦有盤谷，而太行山實爲天下之脊，西南發崑崙，東北走遼海，盤山亦在太行之陽也。故予向居田盤，每假借用之。而昌黎詩中所云燕川方口，又雅合田盤之境。然無以證其實，終屬疑似，且不知濟源之果有盤谷否也。因命豫撫阿思哈親至其地訪焉。至則若谷若寺，若李愿之居，若韓愈之文之刻於石者，一一詳繪以進。於是憬然悟曰：盤谷實在濟源，而不在田盤，予向之假借用之者，誤也。豈惟予誤，蔣溥等之輯盤山志，二三其説而未歸一是者，非不明於學，則有所面從，亦誤也。夫古人事蹟，亦何繫於今時？而有如適所云者，則予不惟憬然悟，而且惕然懼矣。予故曰陶淵明之不求甚解，在彼則可，在他人則不可，而在爲人君者益不可。因書其事，命於濟源、田盤磨崖兩泐之。

增 甘澗有三青溝，前爲上甘澗，其下隔一小山，東爲東甘澗，西爲西甘澗。御定盤山志

〔臣等謹按〕上甘澗在盤谷寺前。東甘澗有觀音庵，康熙年間葺治，乾隆十四年奉勅重修。西甘澗有淨土庵，明時創建，康熙年間重修。

增 乾隆十三年御製東甘澗詩 常時空向詩中詠，題慎郡王盤山十六景圖内雖有東甘澗詩，而其實未到，今始遊云。今日初從畫裏游。正喜軒窗無俗韻，更當風物報高秋。西甘澗接東甘澗，薜荔蒙茸澗路幽。迴首

天成白雲外，鐘聲遥自翠微流。

增又御製西甘澗詩 此路乃初路，探奇越得奇。當秋坐精室，尋古得殘碑。石底幽泉漱，松梢宿霧披。人心欣創見，我意也因遲。

〔臣等謹按〕東甘澗、西甘澗御製詩，恭載首見之篇，餘不備録。

增浮石舫在上甘澗東北峯頂，狀如海船，烟雨晦冥時望之浮浮欲動。御定盤山志

〔臣等謹按〕浮石舫爲行在外八景之一。

增乾隆十二年御製浮石舫詩 山中雲氣，鬱勃瀰漫，浩浩如雪海峯巒，出没其中，如烟檣乘風。上甘澗東北峯頂有石如艨艟萬斛，當雲起時，幾欲駕飛濤凌溟渤矣。孤撑不繫幾千秋，雲海波濤任拍浮。學士小哉惟識畫，將軍往者漫稱樓。武陵舍處今溪口，靈鷲飛來古渡頭。放眼縱看天以外，覆杯何異芥爲舟！

〔臣等謹按〕浮石舫御製詩，恭載首見之篇，餘不備録。

原李靖舞劍臺石最堅不可鑿，有唐李從簡來遊數字刻焉，字徑五寸。帝京景物畧

〔臣等謹按〕舞劍臺爲行在外八景之一，石上字今已泐。臺東舊有李靖庵，聖祖仁皇帝賜額萬松寺，並頒御書樂天真三字於正殿。乾隆十年奉勅重修，亦爲行在外八景之一。殿簷恭懸皇上御書額曰慈育萬物。寺左有仙人橋，右有橐佗石。

增聖祖仁皇帝御製晚過李靖庵二首　兩崖石壁出秋雲，野草寒林有鹿羣。古刹斜陽人寂寂，香烟飄處雜紛紜。蒼茫絶頂樹參差，落日還營過竹籬。念及淩煙留姓字，獨於古壁一題詩。

增乾隆七年御製題李靖舞劍臺詩　壯士今何在，空餘舞劍臺。名隨流水去，客共白雲來。松韻雄風謖，川明匣水開。幾多評古意，清詠久徘徊。

增乾隆九年御製萬松寺三首　磴道行行赴，峯容面面殊。來看後凋色，得領小年娱。謖籟林端瀉，蟠虬壁罅扶。三間白板閣，萬里納徐無。上方棲碧巘，松徑破煙登。堪與僧爲侣，何勞竹作朋。濤聲將俗遠，黛色得雲凝。古蹟供詩料，苔碑尚可徵。木落見山容，葱葱色獨濃。有聲皆作鐵，無我不成松。寫霧衣應濕，盤陰草尚茸。苾芻無半偈，讓爾占高宗。

增乾隆十二年御製萬松寺詩　山外石而中膚，松生石罅，或偃或攲，或横出，或倒懸，或屈曲夭矯，或竦特直上，負奇鬬異，古秀不可名狀。昔人遊盤山謂山之勝松爲最，良信。蒼翠復清臞，仙山别一區。誰知圓覺佛，也愛老成儒。以石爲胎古，因風泛籟紆。此間來亦屢，興會幾番殊。

增又御製舞劍臺詩　萬松寺西一逕陡絶，緣藤上北岡，爲李靖庵，庵西爲舞劍臺，石盤陀高聳平敞，足展襟抱。澗看玉色抽，泉是霜鋒淬。秋風驍然鳴，想見英雄槩。

〔臣等謹按〕萬松寺、舞劍臺御製諸詩，謹繹有關紀述者恭載卷内，餘不備録。

增李靖舞劍歌 陟崇岡兮望四圍，闕閃闕兮斷虹飛，嗟嗟三軍唱凱歸。御定盤山志

補張弼舞劍臺送客詩 舞劍臺前木葉飛，蕭蕭涼思欲侵衣。天涯萬里孤鴻遠，且對黃花醉落暉。東海集

原雙峯寺，唐貞觀十八年建。盤山志

〔臣等謹按〕雙峯寺在雙峯下，舊名重巒禪院，相傳唐貞觀中尉遲敬德監造，乾隆十九年奉勅重修。正殿恭懸皇上御書額曰勝功德林。聯曰：萬壑泉聲，廣長傳妙諦；千峯雲影，空有現真如。

增乾隆二十年御製雙峯寺詩 層椒覓路敂禪關，仄徑流泉度幾灣。幾暇聊因閒策馬，春陰端是稱遊山。平陵傑閣真宜眺，背峙嶤峯杳莫攀。好景山靈藏不得，何人奇句破天慳？

〔臣等謹按〕雙峯寺御製詩，恭載首見之篇，餘不備録。

原王嘉謨盤山雙峯寺詩 遠眺翠微近，雲木澹清姿。石華浮半空，飛泉激流澌。其陽鐃怪石，小大紛參差。萬嶺鬱相錯，孤雲亭不移。中峯搆翠龕，一一能仁祠。山僧衣蘿薜，雜以松蘚皮。導我磨蒼崖，覽古生遐思。薊邱集

原青楊峪在法藏寺南，上有青峯寺。盤山志

〔臣等謹按〕青峯寺，聖祖仁皇帝賜額，乾隆十九年奉勅重修。寺内恭懸皇上御書額

曰耆闍分秀。聯曰：鎮留嵐氣閒庭貯；時落鐘聲下界聞。

增 乾隆二十年御製青峯寺六韻　初地今初到，青峯最上峯。千秋金相好，一朵翠芙蓉。松籟風中静，莎茵雨後濃。福田非所慕，是寺新爲修葺。淨業偶相從。境是琉璃界，僧忘洞濟宗。詩成跋馬去，雲外聽鳴鐘。

〔臣等謹按〕青峯寺御製詩，恭載首見之篇，餘不備録。

增 無名氏青峯庵題壁詩　陰陰泉脈出僧房，爇茗松烟隔舍香。自對雙峯看宿黛，石橋槲葉午風涼。偶因休沐乞身閒，除目鄉書更不關。試問使君新事業，日游一寺徧盤山。御定盤山志

原 挂月峯在舍利塔之西，又西爲茶子庵，又西爲法藏寺，其南有松蓬譚禪石。盤山志

〔臣等謹按〕挂月峯爲山之最高處，定光佛塔在其巔。法藏寺舊名茶子庵，非兩寺也，乾隆十九年奉敕重修。寺内恭懸皇上御書額曰法雲常住。聯曰：山容經雨鬟初沐；松吹因風籟益清。譚禪石在古中盤南古松棚下，上刻談禪石三字，距法藏寺甚遠。今寺前有石上刻法船石三字。原書所載，殆法船石之譌也。寺内有盤龍松。

增 乾隆二十年御製法藏寺詩　雙峯法藏近尺咫，石棧縈紆能令遠。一帶禪林欲畢遊，雲扉蘿徑窮委宛。草亭静對盤龍松，太古色滿清聽滿。圖其大概歸細吟，坐久恐防行漏晚。

增 又御製盤龍松歌　何處無松？盤山之松天下松之宗。盤山何處無松？法藏之松盤山羣

松之祖龍。十餘年來將謂田盤大略吾遍考，孰知盤龍之名今日吾方曉。乃知理境本無窮，誰能一一研精討。昨夜不曾夢非熊，胡然而遇渭濱老？盤之龍，之而鱗甲拏雲空。傳神如遇陳所翁。龍之盤，偃蹇天矯蟠空山，設色不須楊契丹。偓佺曾此食其子，香聞應遍一百里。述異記云，千年之松，香聞十里。田疇不賣盧龍塞，其時佳蔭之下常徙倚。是松真龍，非龍不盤。宇宙萬劫，雲翠濤寒。

〔臣等謹按〕法藏寺、盤龍松御製諸詩，俱恭載首見之篇，餘不備録。

原 王嘉謨盤山法藏寺詩 折坂殿懸崖，悠然縱鞍韉。綿綿谷口雲，飄堕白如練。峯巒忽相冒，奇石還驚眩。大者數十尋，小或等冠弁。峯巔有紺宇，歷歷皆可見。永懷僧棲樂，倍覺塵情倦。稀逢采芝侶，獨立幾回盼。薊邱集

原 盤山之巔有雲罩寺，相傳爲寶積禪師卓錫地，一名降龍庵。東嶺有舍利塔，中藏戒珠十六顆，佛牙一具。遼太康中，釋惠源，明成化中，釋本源，嘉靖中，釋圓成，萬曆中，釋真開，以次營葺，並有碑記。又有彌勒殿黃龍殿。每歲除有神燈之異。盤山志

〔臣等謹按〕雲罩寺爲行在外八景之一。東上卽定光佛舍利塔，在挂月峯上。乾隆七年奉勅重修，刑部尚書臣張照撰記。寺内恭懸聖祖仁皇帝御書額曰盤山秀峯，又額曰雲峯法界。皇上御書額曰金界常明，又額曰住智慧山。聯曰：青山白雲常自在；禪悦法喜悟無生。彌勒殿在塔前。黃龍殿詳本條下。遼、明時碑無考。

增 乾隆七年御製雲罩寺作 應接真無暇，山川果有靈。谷烟披亂絮，瀑水瀉懸屏。錦片

千章紫，蓮花萬朶青。徐無最高處，極目偶延停。

[增]乾隆九年御製登雲罩寺定光塔詩 視下曾無地，言高只有天。常時雲外影，今日塔前禪。步步煙霞路，行行般若船。問誰經到此，尚有俗塵躅。

[增]乾隆十二年御製雲罩寺詩 拄月峯巔浮圖，矗峙天際，曰舍利塔。寺居其側，雲滃然若擁若覆，自下觀之，或見雲不見寺，而寺中或不復見山云。山雲罩寺寺生雲，形色誰能與判分？恰似拈花便微笑，説無説處不聞聞。

〔臣等謹按〕雲罩寺御製詩，謹繹有關紀述者恭載卷内，餘不備録。

[補]明王道正重修雲罩寺碑略 盤龍山峯巒之奇，甲於京東。山巔有雲罩寺，其来久矣。有塔曰舍利，寶積禪師卓錫地也。皇帝承聖母慈聖宣文明肅貞壽太后慈命，印施藏經。特命乾清宫常侍尚膳监太监吕公誠葺治之，不日告成。殿廡寮室，井井改觀。

[增]張照重修盤山雲罩寺舍利塔碑記略 盤山頂雲罩寺，唐釋道宗禪棲之所也。記云荼毘得舍利數千，塔於寺之東南隅，蓋靈蹟至今存。乾隆七年皇上恭謁山陵禮成，還至山，減騎從，徹雉葆，穿松緣泉，躋於峯巔。謂此寺殊勝。命葺其垣墉，新其棟宇，大都因寺之舊而少整飾之。舍利塔已就圮，因重加甃石，衛護神物，標靈兹山，俾永千古。既成，庀工之臣礱石請記，皇上以命臣照。臣惟佛道，窮三際，亘十方，人不能游乎方之外，而膠其識情，封以自蔽，迺疑爲荒唐謬悠。否則愓於禍福，艷其靈奇，是皆不可以爲智也。儒生齗齗謂舍利爲無有，此非珠非玉，流光晶瑩，入火不滅者，現在目前，安得曰無有也耶？若謂崇奉之可獲福利，則又惑也。山有玉，水有珠，人之百骸，皆地之屬。其有舍利，何足多異？夫知舍利與珠玉同類，則不特焚頂膜拜之徒之爲愚，而韓愈欲投諸水火者亦爲少所見多所怪矣。夫良珠美玉，雖聖人亦必韞匵而藏之。然則今日之爲釋道宗舍利起塔者，後世亦可無惑矣。臣照既因扈蹕得覽山川諸奇，兹復蒙恩命勒貞石，謹序其事而記之。

[原]僧掩室開寶積頌 山舍無塵分外清，石榴花發透簾明。槐陰滿地日卓午，夢覺流鶯時一聲。指月録

原僧愚谷囦頌　依依楊柳欲藏鴉，社後東風捲落花。理策邀朋何處好？山南山北看桑麻。同上

原盤山異蹟，有除夜佛燈。燈出通州孤山塔上，分爲數千百，遠繞盤山諸寺，至定光佛塔而止。或曰塔中舍利光也。燕山紀遊

增僧智朴佛燈紀異　按宇内名勝，僉有佛燈，如五臺、九華、峩眉、普陀、匡廬、南嶽、百花山，人常言之；即盤山之燈，人亦常見之。丙辰春二月，張灣居民洪應廣及二客僧夜話，見燈現於山西南樹杪。狀如蓮花，大如車輪，燄色披敷，下有練光數丈，摇曳而西。己未八月夜將半，朴出户，甫啟簾，見燈大如屋，起澗中，紅光燄燄，照衣裾作赭色。召諸禪侣共相瞻望。壬戌二月，見燈二現於屋角東南，大小各一，去人僅丈許，若可攀攬，久之而没。乙丑六月二十九日，晚課畢，見燈現於正南方，初如斗，忽大如山，如烟如雲，倏起倏墮。遍山南面作雨後霞色，其光中隱隱有大悲菩薩千手相，光外重光東射，莫可名狀。禪者瞻禮，歎未曾有。戊辰四月夜，厲風作，壬子于北部見紅光團團如車輪横空而過。要知佛燈之異，不止除夜，時時有之，即厲風暴雨隆寒溽暑之夕亦嘗有之。但人酣眠長夜，苦不自覺耳。御定盤山志

原黄龍祖師殿在盤山絶頂。殿六角，以象天圓地方，每方各闊一丈，通高二丈九尺，層檐複栱，皆以甎爲之，建於正統十四年。成化間鑄鐘一，重二千斤，覆以樓。盤山志

〔臣等謹按〕黄龍祖師殿久圮，鐘及樓俱無考。

原謝榛登盤山絶頂謁黄龍祠作　薊北來游第一山，上連七十二禪關。人行巨壑泉聲裏，馬度層崖雲氣間。石徑蕭蕭松吹冷，萬折千迴臨絶頂。鐘響時傳下界遥，鳥飛不到諸天迥。無勞漢使泛槎心，揮手銀河能幾尋。歷歷邊城紛蟻垤，明明滄海一牛涔。老僧笑指烟霞外，此意沉冥誰與會。風生平地本無因，雲點太清猶是礙。弔古踟躕空石堂，黄龍西去杳茫茫。珠林不見菩提影，寶塔長含舍利光。壁塵拂去獨留賦，下嶺回看迷曉霧。放浪人間那復來？月明夢繞盤山路。四溟山人集

原金山寺，唐光啟二年七月建，有石碣存，稱薊州大夫張公修造此寺。又有國子祭酒張峒題詩勒石。薊州大夫，峒之仲孫也。盤山志

〔臣等謹按〕金山寺一名四門塔，在雲罩寺北三里許。石碣無考。

增乾隆十年御製題田盤山色圖金山寺詩 造物無盡藏，環中有獨得。偶爾寄林泉，誰云娱翰墨？心與空宇閒，身在孤松側。維摩明示予，萬古田盤色。

〔臣等謹按〕金山寺御製詩，恭載首見之篇，餘不備録。

增上方寺，唐太和二年戊申，道宗大師結茅於此。道宗遺行碑現存寺東南隅。御定盤山志

原唐釋知宗盤山上方道宗大師遺行碑 師諱道宗，俗姓田，唐千牛將軍賓庭之後。元和九年，師年弱冠，於燕庭金閣寺受戒，禮志敬寺如琳爲師。後至永泰大師所，與師契合，謂師曰：薊門舊里田盤靈山可搆淨居。師蒙指教，驚喜難名。太和二年，屆盤山，峯頂多逢獸跡，莫面人蹤，境類虎溪，地蟠龍腹。師止棲處所如在四禪，柏茶半斤，稻米數斗。二年所食，一半猶存。皎月銀河，借爲燈燭；松風石溜，指作笙簧。息煩焰於塵塗，瑩戒指於巖岫。曾遊絶岳，墜地無傷。山現蓮池，龍降香水。猛虎每蹲於坐側，巨蛇長繞於階前。一上雲嶺，兩更歲華。偶因樵采之夫，始見住持之跡。初傳鄉里，漸達州邦。千里風聞，四衆雲集。方伯太尉相國清河張公仲武，遥瞻道德，渴想音徽。專飛簡章，特有招辟。師以松蘿誓節，雲水堅懷，三十九年不下棲隱。侍中清河張公允伸大闡釋風，遠欽道行。頻馳清奉，累降尺書。命建豐碑，以崇盛德。於是沙門知宗撰文，節度判官梁知至書石。咸通七年暮春之月，師化緣時畢，説偈整衣，悄然靈脱。至咸通九年荼毘於靈壇，獲舍利數千，塔於寺之東南隅。薊州志

〔臣等謹按〕上方寺在蕉蕘峯東。朱彝尊原書載唐僧道宗遺行碑於感化寺條下，因感化寺亦名上方感化寺，且同爲道宗曾住持處，而譌合爲一也。金碑雖無存，據智朴盤山誌則碑當在上方寺中，謹移正於此。寺於乾隆十七年奉勅重修。正殿恭懸皇上御書額曰雲濤花雨。聯曰：石潤蒼苔皆佛性；松摇暗籟有禪機。

增乾隆十七年御製上方寺詩 雲罩威紆石路盤，上方始到愜清歡。一龕古佛鐘魚寂，半

榻天風衣袂寒。奇句不期當境得，好山常似逆人看。苾芻六度知初品，道左殷勤冀悉檀。梵典，施舍云悉檀，般若六度中爲第一品也。

〔臣等謹按〕上方寺御製詩，恭載首見之篇，餘不備録。

增 連嶂鬱律，巨石無根著，磽然懸其巔，仙人清無影曾巖棲焉。緱山集

原 盤山之石，皆鋭下而豐上，故多飛動。崖前有懸空石，石粘空而立，青削到地。長安客話

〔臣等謹按〕懸空石在上方寺西。

增 東竺庵在松樹峪，舊名彌陀庵。御定盤山志

〔臣等謹按〕東竺庵，乾隆十年奉勅重修。正殿恭懸皇上御書額曰大泥洹光。聯曰：請問庭前柏樹子；莫瞞扇上犀牛兒。

增 乾隆十二年御製東竺庵詩 策騎循羊腸，盤紆歷嶕嶢。卻望挂月峯，聳入雲端遥。陽阿泉已壯，陰崖雪未消。精舍枕林楚，蔽虧古木喬。遠聞疏鐘聲，下見旛影飄。攬結既云富，僕御亦已勞。此間泉石佳，小憩山僧寮。海棠開笑靨，杏花剪絳綃。未見天女散，得毋谷神要？問其意云何，報我今花朝。

〔臣等謹按〕東竺庵御製詩，恭載首見之篇，餘不備録。

增 淨業庵，萬曆中蔡來峯建，崇禎中無暗律師重修。御定盤山志

〔臣等謹按〕淨業庵，康熙四十三年聖祖仁皇帝御題爲雲淨寺，乾隆十五年奉勅重修。寺内恭懸皇上御書聯曰：六檀非所論；萬景得教全。又聯曰：淨業真稱白；好山不改青。

增乾隆十三年御製雲淨寺詩　精藍東竺東，峭蒨倚青葱。妙契得初到，徐觀迴不同。開窗延爽籟，俯檻眄秋空。尋勝勝無盡，生涯那有窮。

〔臣等謹按〕雲淨寺御製詩，恭載首見之篇，餘不備録。

原九華峯最麗，寺曰千像。天門開，兩岩相揖，厓懸壑絶，必縋而後可登。燕山紀游

〔臣等謹按〕九華峯一名東臺，一名削玉峯，聖祖御製詩有中盤遥望蓮花峯之句，因定名蓮花峯。千像寺即祐唐寺，今名千相寺，爲行在外八景之一。乾隆十年，奉勅重修。正殿恭懸皇上御書額曰雨花福地。天門開在白猿洞上，摩厓三字明北海劉應節書。

原祐唐寺，遼乾亨二年寺僧希悟重修，於溪谷澗石上刻千佛像，一名千像寺。有統和五年碑，知薊州軍事判官文林郎試秘書省校書郎李仲宣撰文，沙門德麟書。盤山志

〔臣等謹按〕遼李仲宣碑尚存，惟字多剥蝕。

增乾隆十二年御製千相寺詩　祐唐寺建自開元，相傳有尊者挈杖遠至，下有澄泉，見千

僧洗鉢，因刻千像谿谷間。東坡詩：溪聲便是廣長舌，山色豈非清淨身。刻像大是鈍置。何來龍像侶，說法禮山神。卽景欣幽托，隨緣悟靜因。門迎松落落，路轉石磷磷。千相卽非相，誰容辨假真。

增乾隆十年御製如來影詩　盤山千相寺石上有如來影像，詩以詠之。如來無物不如來，無物不如本無物。豈於石上獨留跡，得毋此石非真佛？無物非佛，石豈獨非？亘刦色相，不長苔衣。君不見：古德跏趺背佛殿，自謂能參言語斷。此事瞞人那易瞞，識者嗤爲擔板漢。

〔臣等謹按〕千相寺、如來影御製詩，恭載首見之篇，餘不備錄。

補遼李仲宣祐唐寺講堂碑略　盤山舊有五寺，祐唐其一。自昔相傳有尊者挈杖遠至，求植足之所，僧室東北隅巖下有澄泉，恍惚之間，見千僧洗鉢，瞬息而泯。因茲搆精舍，厥後於谿谷澗石之面刻千佛之像，以顯殊勝焉。薊州志

增李霨遊千佛寺詩　俯臨絶谷仰巑岏，木杪行来路幾盤。亂石縱橫疑虎伏，怪松詰曲學龍蟠。飛梁澗溜泠泠雨，重閣天風冽冽寒。却恐山靈嫌俗客，忍抛嵐翠事征鞍！坦園集

增袁宏道遊天門開詩　發足自髻石，彎環可四里。一步一驚魂，路荒不容跐。黏背行刀脊，下視深無底。狂嵂搆虛空，癡石綴瘢痏。其沙生以墳，其骨汗而泚。其草油以絲，其樹糟而圮。忽然磽确巖，忽然奔騰水。忽而没九天，忽而九淵起。健夫引長繩，半日一移趾。四肢互相用，臂行三以視。或如鴨折身，或如丁旋尾。或如鷇出㲉，或如蟹引跪。又如研古繪，蟲蠹食絲理。又如讀殷盤，聱牙飣奧詭。當其快心意，虛空躍繩伎。少焉筋力疲，蚊虻撼犀兕。鬚髮生烟嵐，肌膚碎荆杞。百苦到天門，相對惟口哆。雙壁削青銅，飛鳥不能止。一匣銜古光，方空如水洗。陰陽工刻轢，霜雪恣摩砥。萬古貯雲霞，石紋繡青紫。敗桐蛇腹段，古鈕蠐螬蠡。詰曲史籀畫，斑駁硃砂蘂。僧言三十年，兹石未沾履。往時戚將軍，架空一游此。長老傳白猿，今來猿亦死。是時七月初，寒肌生粟子。引指人人危，回家面面思。歸来問僮僕：髭鬚白餘幾！破網取珊瑚，拚命競奇傀。袁中郎集

原千像寺，唐開元間寺也。寺後半里，一石縱二丈，廣丈有五尺。一人推之則動，衆人

推之則不動。帝京景物略

〔臣等謹按〕搖動石在千相寺北，撼之輒動。帝京景物略謂衆人推則不動，蓋傳聞之訛。

原 瑞雲庵，始建歲月莫考，金大安中重修。西有朝陽洞歸雲洞。盤山志

〔臣等謹按〕瑞雲庵向在千相寺西，今移建於山麓。

增 報恩寺在千相寺東，明正統四年戊午重修，萬曆四十五年丁巳，尼宏存再葺。御定盤山志

補 米萬鍾重修塔院莊報恩寺碑　城西北二十里盤山之麓，塔院莊有報恩寺。東枕洵巖，西通千像，北控西方庵，號稱古刹，不知其創自何年也。正統四年修治，萬曆八年再新，迄今三十年，殿宇漸頹，尼僧宏存募金百兩補葺之。勺園集

〔臣等謹按〕報恩寺尚存米萬鍾碑，今已泐。

原 白巖寺建自唐貞觀中，至遼天顯十一年復建，金大定中重修，有元僧恒志碑記，又有慶壽提點裕公塔銘。盤山志

〔臣等謹按〕白巖寺在盤山東盡處，元時碑記、塔銘俱無考。

原 純慧大師嬰足疾，乃遯跡盤山，敷課大白傘蓋，每宴坐誦持，常有山神部從敬侍。尋克痊復，遂於重熙八年召赴闕。奉福寺石幢記

〔臣等謹按〕遼僧真延奉福寺石幢記，載純慧大師名非獨，字貞照，遯跡盤山，敷課

大白傘蓋。考藏經，有大白傘蓋之名，原書於字，蓋大字之訛。

原遼會同二年二月，獵於盤山。統和七年十二月獵於薊州之南甸，釣魚於曲水濼。八年三月，幸盤山諸寺，獵西括折山。遼史

〔臣等謹按〕遼太宗紀，會同二年無獵盤山事。聖宗紀，統和七年十二月釣魚於沈子濼，獵於好草嶺。八年三月亦無幸盤山事。彝尊所引，未稔何據，今附辨於此。

〔又按〕曲水濼在州南。西括折山無考。

原金大定二十六年八月甲午，秋獵。九月庚子，次薊州；辛丑，幸仙洞寺；壬寅，幸香林、淨名二寺。九月甲辰朔，幸盤山上方寺，因徧歷中盤天香、感化諸寺。金史

〔臣等謹按〕仙洞寺無考。淨名寺卽靜安寺，見靜安寺條下。

原報國寺元大德中重修，寺前有黑龍池，東有燕子石。盤山志

〔臣等謹按〕報國寺無考。黑龍池、燕子石尚存。

原龍泉寺在盤山西，去平谷縣三十里。元至正四年建，今稱暗峪寺。平谷縣志 原在平谷縣卷內，今移改。

增龍泉寺一名暗峪寺，元至正中僧順結茅，明成化六年僧悟興開建，正德五年重修，殿前古樹皆千年物。御定盤山志

補明張維新龍泉寺修造碑 盤龍爲畿東大山，蜿蜒以西，又十里爲暗峪。峪間夾兩崖，有泉如練，自東北折。每春夏，雲英英騰上，頃刻徧山，下視平谷，茫如大海，人目曰龍泉。泉之北，巉巖壁立，空翠撲人，左右諸峯皆相顧

拱揖。黄精赤茯，雜植其間。元至正中，僧順公結庵其處。入國朝百有餘年，日漸榛莽。成化己丑，營州中屯衛指揮使景潭出金興復，草創而已。僧悟興始建如来大殿於中，左爲伽藍，右爲祖師，右東爲居僧之所。簴鐘枹鼓，以樓以亭、湢浴堂廚，各有次第，偉然一大叢林矣。興之徒曰本寬、本源，源之徒曰真讓，能承師志，作大士殿於主山之眉，建浮圖於案山之龍泉，寺遂甲薊州域内。薊州志

原香水寺，唐建，有頭陀大師靈塔實行碑，金正隆六年中都寶墖寺沙門知心撰，善進書。文曰：師諱行及，海東新羅常興人。覽茲香水，偶然挂錫，創石頭庵，山精自竄，拓靈源脈，巖虎他之。於廣明元年仲夏無疾而終。門人惠超等塑以真像，塔而藏之。其後塔龕盡阤，恒淨等視之不忍，重修巨塔表焉。盤山志

〔臣等謹按〕香水寺在盤山西南二十餘里，康熙年間僧德心重修，寺後有香泉故名。金時塔碑無考。

欽定日下舊聞考卷一百十七

京畿 薊州四

原 甘泉山在州西北七十里，一名石獒山。方輿紀要

原 山頂有大石，狀類犬，故名，上有甘泉寺。薊州志

〔臣等謹按〕甘泉寺，本朝康熙年間僧雨石重修，有禮部侍郎沈荃碑記。至朱昆田補遺卷内所載唐時郎肅、金時釋圓照二碑俱已泐。

增 普濟寺一名甘泉寺，相傳昔爲毒龍湫。唐太和中有曉方禪師結茅於此，龍讓之，徙山後，迄今三潭爲龍居也。御定盤山志

〔臣等謹按〕龍潭在甘泉寺後之蔣福山。

補 唐郎肅甘泉普濟禪寺靈塔記 故甘泉禪院大師諱曉方，蘇州常熟縣人。師事五泄山靈默大師。慈悲以濟物，勇猛以化人。横身塞河决之波，舉手正山岡之勢。碎裂魔網，高張法雲。得岸拋舟，不師文字；上天燒尾，别創風雷。方岳公侯，連城守宰，偃風渴道，靡不皈依。百草滋甘露之芽，三獸極淺源之渡。皇哉巍乎，則置院之碑詳矣。咸通十一年三月十日，遷神於此山，報齡七十七，僧夏五十八。門人法順等肇建靈龕於院西南百步盤龍山首焉。咸通十二年，歲次辛卯，閏八月，盧龍節度衙前兵馬使、前朝議郎、試大理司直、中山郎肅記。州志

【補】金釋圓照甘泉寺通和尚塔序略 師諱行通，俗姓張氏，雲中人。天會間，聞辨公倡法燕都，參示仰山。大定四年，退居三河白塔。次年擬上盤山，道經甘泉，衆請師住，未幾怡然而化。塔在寺之正北高阜。

【增】沈荃重修甘泉寺碑記略 盤山在薊州，羣峯陡絶，行者盤旋而上，故曰盤。皇上有事園陵，嘗駐蹕於彼，題詩中盤，因勒石於殿左。山中佛寺甚多，最勝者曰甘泉，創自唐代，盛於宋元，至明初燬於火。琳宮紺殿竟爲荒烟蔓草，已三百年矣。雨石和尚過之曰：嘻！余責也。迺結茅募修，備歷辛苦，久之大殿告成，禪堂、廚庫，以次畢具。和尚囑余作記，次其本末。康熙二十二年癸亥月日。

【原】薊州甘泉寺有蛇曰小青龍，虬之屬也。與人馴狎，時盤宿僧榻，禱之能致雨。燕山叢録

〔臣等謹按〕僧智朴盤山志，辨徐昌祚燕山叢録條云，甘泉寺曾未聞小青禱雨之説，惟西山潭柘寺舊傳潭龍捨宅於唐華嚴祖師衍公，今殿角鴟吻，潭所涌也。龍子青蛇，日傍僧居。又秘魔巖旁有潭大如鬴，覆以巨石，深窅莫測，即當日大小青侍盧師行雨化龍處也。據此，則甘泉寺之小青龍爲傅會，謹附識以備考。

【原】漁陽有桃花山，山頂有泉流遶山麓，入泃河。泉上有桃花寺，自此十里，沽河、草橋諸水滙焉。名勝志

【原】桃花山去薊州南二舍，今城東別有桃花山。桃花寺寺旁亦有泉，繞山而下，清淺可愛。長安客話

〔臣等謹按〕桃花寺，乾隆九年奉勅重修。皇上御題八景，曰湧晴雪，曰小九疊，曰吟清籟，曰坐霄漢，曰雲外賞，曰滌襟泉，曰點筆石，曰繡雲壁。寺內恭懸御書額曰清淨法界，又額曰雲外香臺，又闕聖殿額曰忠貫人天。

增 桃花寺旁恭建行宮。薊州册

增 乾隆十年御製桃花寺行宮作　招提據嶺複，望望紅霞殷。行宮搆其旁，來往止頓便。昔我少年時，題詩松竹間。歲久日就圮，不復税征鞍。往往過其下，輒爲重留連。去歲稍修治，剪除棘與萑。匪同賦經始，成亦不日焉。春風二月半，輕輿歷薊田。山容宛相迎，軒榭堪周旋。泉聲共松韻，似話夙昔然。惟有緋桃花，含胎遲芳鮮。物應有深意，脈脈誰爲宣？寂寥見賞稀，容華詎久妍？如來特拈來，示我如是禪。

增 又御製桃花寺八景以題爲韻　濟南趵突泉爲宇内名勝，然自平地湧出，此得之山半尤奇。澄澄滙鑑池，淙淙出乳穴。始訝古琴鳴，乍惜明珠裂。聲色摐摐地，坐對兩清絶。積素在高峯，是復湧晴雪。右湧晴雪　飛厓懸水，冬夏不涸，康王谷香鑪峯豈以大小殊觀？曾聞峯有鷲，不數溪稱書。洗鉢走白龍，之而振髯鬣。復如延津劍，騞然出其匣。底須憶匡廬？愛茲小九叠。右小九叠　倚松爲軒，謖謖有韻。倚松架三楹，屏風抱其外。山靈茯苓潤，風古笙簧會。偶來坐白晝，爲我吹解帶。是地可消夏，旦夕吟清籟。右吟清籟　横檻據岑蔚處，遠延野緑，披襟坐眺，良足攄我懷抱。虚窗納萬景，攬結供吟翰。寫霧出我楹，歸雲入我幔。觸目契静悟，妙偈無全半。却愛考功詩，開襟坐霄漢。右坐霄漢　寺以桃花名，政不必問武陵春色幾許。因拈唐人語題之。有桃卽武陵，何必尋

源上？叶忘俗卽丹臺，何必求方丈？虛齋古而朴，福地蕭且爽。得彼環中妙，樂此雲外賞。右雲外賞

山門左側，石竇間有泉，渟然可鑑，輪廣徑三尺許，不假疏鑿。清泚呈圓照，虛明向遠天。無山遮户外，有水到階前。氣合烟霞潤，聲諧竹柏傳。塵纓無可濯，坐對潄襟泉。右潄襟泉

盤山之勝以石，此其左障，骨脈相屬，往往露奇石。藉松爲傘蓋，掃苔作茵席。俯眺一川白，平臨衆皴碧。時聞鹿鶴聲，而無車馬跡。得句卽書之，恰有點筆石。右點筆石

連峯列嶂行宮後，儼如畫屏，杜陵絶壁過雲開錦繡之句殆爲此設。山川果有奇，圖畫真難敵。複嶺翠且丹，壺天閴其寂。消閒臨晉帖，習静觀周易。物物皆達摩，面我繡雲壁。右繡雲壁

〔臣等謹按〕桃花寺行宮及寺内八景御製諸詩，謹繹有關紀述者恭載卷内，餘不備録。

補方豪游桃花寺詩　聞說桃花寺，征人興不禁。桃花今不見，流水尚堪尋。石徑穿雲曲，僧房入樹深。寂寥須載酒，緩坐聽秋禽。棠陵集

補無名氏薊州桃花寺題壁詩　舊有桃花樹，人傳寺故云。石危秋鷺上，灘遠夜僧聞。汲井連黄葉，登臺散白雲。燒丹勾漏令，無處不逢君。明詩統

原清池在城東十五里，周一頃餘，四山圍繞，瀲灧於中，水色如藍。薊州志

〔臣等謹按〕清池今存。

原別山在城東南三十里，西臨沽水，東據無終，行旅所出。雖有山名，而無高阜。薊州志

〔臣等謹按〕別山爲州之東南境，與玉田縣接壤。

原 元天曆元年九月，遣薩敦拒遼東兵於薊州東沙流河，戰於薊州兩家店。元史 按：薩敦，滿洲語親家也，舊作撒敦。今譯改。

〔臣等謹按〕沙流河卽沙河，在州西。

原 漁陽縣東南七十里有北平城，倚燕山爲版築。括地志

原 漢右北平郡治平岡，或以爲卽此城也。方輿紀要

原 漁陽有北平故城。漢將軍李廣爲郡守，出獵，遇草中石，謂是伏虎，引弓射之没羽，卽是此處。隋圖經

〔臣等謹按〕北平故城遺址無考。燕山距州東南五十五里，與遵化玉田接壤。

增 隆福寺在州東六十里。薊州志

〔臣等謹按〕隆福寺内有金泰和三年呂卿雲重修碑記，乾隆九年奉勅重修，刑部尚書臣汪由敦撰記。寺内恭懸皇上御書關聖殿額曰浩然正氣。佛殿額曰真如本相。又額曰無住慈雲。

增 隆福寺之右恭建行宫。薊州册

〔臣等謹按〕隆福寺右行宫，皇上御題六景，曰翠雲山房，曰翠微室，曰碧巘丹楓，

曰天半舫，曰挹霞叫月，曰翼然亭。

增乾隆十年御製題翠雲山房詩 於隆福寺右建行宮一區，爲止頓之所。峭壁環抱，松柏特秀。題曰翠雲山房，而系以詩。勝地偏宜六轡停，山靈爲我列雲屏。心於静會塵應遠，耳與神謀籟可聽。一室虚生無限白，四時不改總常青。土階何意希堯儉，陋矣端惟有德馨。

增乾隆十二年御製隆福寺行宫六景詩 林巒積翠，蔚爲行雲，朝飛暮凝，在我几牖。山嘘氣爲雲，而山以雲而潤。昌黎雜説中，龍以雲靈，妙合斯旨。底事名山無定容，夕陰朝晦變千峯。霑衣常帶濛濛雨，作蓋還依落落松。夢入楚王春一枕，詩成張尉酒千鍾。谷神當令豐隆讓，不信昌黎善説龍。右翠雲山房。 山鄰田盤，高僅及其半，隨意點綴，殊引人入勝。因取爾雅語名吾室，劉禹錫云：山不在高。良然。巖腰卜築緑雲圍，絶勝江樓坐翠微。視聽之娱足以極，沖容而静於焉歸。天倪道筦參元要，木疏禽經辨是非。疑有廣成丹鼎跡，幾回翹首眄林扉？右翠微室。 山中雜樹蓊蔚，而楓居多。秋晴經霜，朱紫絢爛，與青山白雲相映。荊關得意筆，殆難爲工。錦樹經秋設色工，絶非畫裏碧兮紅。頓教絢爛雲霞上，却在尋常指顧中。愛聽鳴禽聲迴别，每看過鹿友相同。朝嵐夕靄山容幻，妙悟隨時景不窮。右碧巘丹楓。 依巖爲樓，極目無際，杜甫詩云：春水船如天上坐。未若此横出雲表，真泛虛舟矣。虛舟何處不堪拏？雲水由來總一家。興到真教輕杜句，眼空直擬泛張槎。幾羣鸞鶴隨吟管，四面芙蓉入緑紗。佳處會心原不遠，高眠風月棹烟霞。右天半舫 東山初吐，流光入帷，開軒招之，冉冉欲下。挹流霞與同賞，結契獨深。横陳西嶺據崇臺，不設窗櫺面面開。寫霧出楹招便止，高山得月喚應來。聊因曠朗堪成伴，詎爲淋漓共舉杯？識得住行原一貫，幽情暢敘幾徘徊。右挹霞叫月 出西軒面横嶺，亭中設便坐，近納嵐翠，遠延野緑，仿佛香山來青景色。峯有飛來亭豈無？天然踞此不南圖。藉松爲幄陰偏秀，倚石成章興迴殊。茶鼎烟飛雲半野，棋枰聲雜瀑千珠。寄言縱目搜吟客，莫認琅邪巖畔途。右翼然亭

〔臣等謹按〕隆福寺行宮御製諸詩，謹繹有關紀述者恭載卷内，餘不備録。

增金吕卿雲薊州葛山重修龍福院記 爾時釋迦如來以勝善天人生爲刹利王子。初求出家時，居檀特山，又居象頭山，同諸外道日食麻麥，經於六年，然後證無上果。自世尊以降，凡修道者莫不先屏紛華，隱於山林，期造玄境。於是有鳥窠、雲巢、木食、澗飲之流，或發大慈悲，運大神力，建大功德，啟大道場，使四衆有所歸依，學者有所棲止，此亦先達成道度人之意也。薊州之東有山曰葛山。昔唐初有智嘉禪師者，玉田人也。生而超異，幼慕空宗，恒誦妙法蓮華經，洞究厥旨。又喜平治道途橋梁，不憚勞苦。師一日自歎曰：吾太區區生，豈若遁跡烟霞以休心乎？於是杖錫雲遊，遍歷林壑，將選勝地。至葛山之下，覩兹有大乘氣象，裵回不忍去，乃穴巖以居。師一夕月下誦經，俄有鐘聲自半山來。師驚異曰：地固無寺，寧有此聞？因尋聲而往，才及山腹，見廢寺故基，壞壁間有龍福院額，石泉數處，清淺可愛。詰旦，師結茅其上。方半載，忽夜有女子詣師作禮。師問曰：婆夷何來？答曰：某實非人，蠆所化也。於此受諸苦惱，不知紀極。比者吾師讀誦聖教，某一心聽受，是諸苦惱悉得解脱，且無以報德，將令左右五里永絶蠆毒。言既而滅，事果有驗。由是遠近歸嚮，布施惟恐其後。乃因舊址爲起殿廡，俄成寶坊，得未曾有。及師示寂，居多名僧。大安間，有感禪師者，自東徂西，届於是院，喜其清幽而駐錫焉。師又居仙洞及醴泉院，即今大静寺是也。嘗往來此三處。道宗聞其名，召至禁中，延訪移晷，仍賜紫方袍，加號寂照大師。師勞讓數四，不

獲已而受之。退即敞褐，光而不耀。奚霫之人，舊號難化，師將入其部。或患之。師謂曰：孔子不云乎：言忠信，行篤敬，雖蠻貊之邦，行矣。時院中有引辭法師及師之神足左録大師圓亭，皆得法眼，因謂曰：吾去後，汝二人協力住持。遼帝重師所居，特勅有司，山門林麓禁其樵蘇。左録公門人善初、善元、善定繼居之。天慶間，歲荒民饑，寇盜充斥，緇徒逃難解散，院宇爲之一空。逮國朝肇興，削平禍亂，慧日重光，元風復暢。初等三人却返故山，見其焚爇之餘，惟存瓦礫，相顧悲泣。因謂曰：先師嘗以此院傳付我輩，不幸殘毀，盍復修而崇起之？乃共請檀那數十百人，告之曰：夫教有時而廢，亦有時而興，汝等得脱兵厄，皆諸佛之所佑也。今欲經營遺緒，於意云何？衆聞是語已，皆大歡喜，踴躍讚歎。於是富者施其財，貧者輸其力，智者計其用，巧者殫其工。期月之成，斬斬一新，制度輪奂，有加於初。正隆左録殊公亦久其處。今在院同温法師者，俗姓畢氏，遵化人也。自幼出家，兩以讀經受具足戒。都東施仁關觀音院嘗請師爲宗主。未及二載，厭其塵囂，徑歸舊院。藁席陶盂，冀終老焉。温師念兹院始創以迄於今，數百年間，替而復隆，如是非一。不有文以序之，曷以信後人？乃因余弟貞一求紀其事，故不可拒。若夫佛道變化，罪福果報，已詳見於瞿曇氏之書，兹可得而略也。第取温師所言，外一辭不贅。

增 汪由敦隆福寺碑略　隆福寺在薊州東，去孝陵一舍而近。因山爲基，堂廡略具，山僧三數人，香燈僅續，少過之者。天子以朝陵，數經其地，乾隆九年，建行殿於寺之西，因命撤而新之。山門翼然，石磴雲叠，殿宇深靚，堦墀周淨。明年春，皇帝有事於孝陵，禮成至行宫駐蹕，入寺禮佛。將作以寺工落成，礱石請記重修時日。臣由敦承旨，敬爲之記。按寺故有金泰和三年文林郎守左拾遺兼應奉翰林文字同知雲騎尉賜緋魚袋呂卿雲碑記，言是山名葛山，寺創於唐初。曰智嘉禪師者，恒誦持妙法蓮花經，選勝至此，穴巖以居。夜半聞鐘聲，心異之，尋至山腹，見廢寺故址，壁間有龍福院額，遂結茅其地，持誦弗輟。階前伏蠆，日聞經聲，忽得解脱，中夜化爲女子，禮師稱謝，且言使左右五里永絶蠆毒，以報其德。已果有驗。由是遠近信嚮，寶施雲集。此建寺所由也。閲遼至金天慶、正隆，屢加修葺，其見於碑刻者如此。臣謹惟昌瑞山安奉祖陵，佳氣鬱葱，靈秀鍾聚，兹山其餘支也。山之名曰葛，不列於圖經志乘，蓋前人所略而弗載，非寺碑幾莫得而詳矣。臣叨與扈從，得以文字之役，載名翠墨，被天章之餘光，與卿雲相次。他日志畿輔紀名藍者，尚其有考於文。薊州志

〔臣等謹按〕一統志，昌瑞山本名豐臺嶺，葛山乃其餘支。圖經不著葛山之名，或統於豐臺嶺歟？

增 薊州東北九十里有洪水守捉，又東北三十里有鹽城守捉。新唐書地理志

增 洪水城，唐書地理志，薊州東北九十里有洪水守捉，又東北三十五里有鹽城守捉。大清

原洪水城在州東北九十里，唐所置守捉城也。新唐書州有洪水守捉，又東北三十里卽鹽城守捉也。方輿紀要

〔臣等謹按〕唐書地理志：薊州南二百里有靜塞軍、雄武軍，東北有洪水守捉、鹽城守捉。唐書兵志：唐初兵之戍邊者，大曰軍，小曰守捉。薊州既設靜塞、雄武二軍，而於二三十里之内又設洪水、鹽城兩守捉者，蓋自鹽城守捉東北渡灤河，有古盧龍鎮，自古盧龍鎮北至奚王帳止六百里，故其防戍尤嚴。洪水、鹽城當東北防戍之衝，故連置兩守捉也。又考新唐書云：鹽城守捉在洪水守捉東北三十里。一統志作三十五里，所計道里各異。今洪水城、鹽城遺址皆無可考矣。

原州北之黃崖營，州西之白馬泉、鎮國莊，州東之馬伸橋、夾林河，州西之別山舖，夾陰流河以至陰流淀，皆可疏渠爲田也。屯政考

〔臣等謹按〕黃崖營卽黃崖關，白馬泉在州北。鎮國莊無考。馬伸橋下泉名隅頭泉，在州東三十五里。林河州志作淋河，源出灤州，經遵化州至州東五十里之淋河莊入境。別山舖在州東南三十里。陰流河、陰流淀，州志作潎流，在州南十二里。今俱疏渠以資灌溉。

原醫無閭山碑在州城平津門外，碑文洪武三年太祖御製，封醫無閭山神者。輿地碑目

〔臣等謹按〕醫無閭山碑，州志稱在州南門外，後爲水沖刷無存。

原翠雲寺在城南六里，今廢。薊州志

原龍池河在州城南，一名漁水，源自州北盧兒嶺口流入，南合遵化縣之梨河，經玉田縣入寶坻縣之白龍港。成化間，西北盤山水發，始合州境之沙河、窰河及五里河並入沽水。方輿紀要

〔臣等謹按〕龍池河在州南一里。盧兒嶺、梨河俱在遵化州境内。白龍港在州南七十里，與寶坻縣分隸。窰河卽龍池河下流。

原漁水西南入沽水，又南與螺山之水合，水出漁陽城南小山。魏氏土地記曰：城南五里有螺山，其水西南入沽水。水經注

〔臣等謹按〕螺山今隸玉田縣境，與州境東南接壤。山下有泉，流經州界入沽河。

原螺山在州城東南四十里。薊州志

原螺山亦曰洪螺山，又曰紅羅巘。長安客話

原金大定二十九年十月，獵次羅山。金史

原沽河在州南五里，自陽河以西、泃水以東，諸水皆入焉。其下流經新開河至直沽，達於

海，漕運泝流而上直抵城南。通典：漁陽有鮑邱水，又名潞水。卽沽水矣。後漢興平二年，幽州牧劉虞爲公孫瓚所殺，虞從事鮮于輔等合兵攻瓚，破瓚於鮑邱水，是也。方輿紀要

〔臣等謹按〕沽河源出塞外，其在州境者，東接遵化玉田界，西南合泃河，接玉田、寶坻界。

原 沽河在城南，一名西潞水，一名東潞水。或曰在通州東者曰西潞水，在薊州南者曰東潞水，下流皆合於寶坻縣，兼有鮑邱水之名。建永濟橋於其上，故又名永濟河。薊州舊志

〔臣等謹按〕永濟橋，明天順中重建，萬曆中增修。有監察御史李敏、祭酒成憲二記，載州志。橋久圮，今於其地置渡船二。

增 明李敏永濟橋記略 橋之創，無文可考。永樂間水大作，河因徙於北，而橋淤塞爲平地。正統戊午，守土者嘗併力疏通，未幾復南決。天順庚辰，署都指揮僉事劉公輔請於朝，發附近軍二千人開故道，塞旁流，鑿平地爲河者凡二里八十步，深二尋，廣十丈，復壘石爲橋。始工於是年二月，落成於三月，因以永濟名橋。薊州册

增 明成憲增修永濟橋記略 薊城之南五里有沽水，爲運河，河有石橋，不知造自何年。永樂間，河北徙，橋淤爲陸。天順庚辰，撥軍夫二千人治之。其詳具載監察御史襄城李公敏記中。迄今百有餘年，橋漸傾頹。高唐杜公奉命飭兵於薊，捐俸募夫，經始於萬曆甲辰五月，訖工於丙午四月。自舊橋增修石橋，長二十丈五尺，廣二丈一尺五寸，崇一丈九尺餘。其堅若礪矢，矯若長虹，而舊橋得新橋爲倚護，若增而固焉。同上

原 海運一十三衞管駕遮洋船，於大名府衞河兑糧，由直沽海口開洋，涉歷海道，運至薊州，以給軍費，歲有疏虞。天順二年，以大河衞百户閔恭言，命都督僉事宗勝、御史李敏、工部主事李尚，發軍夫萬餘開河，自新開沽起，至薊州，長四十里，舟行無虞，定

例三年疏濬一次。漕河圖志

原 薊州官軍餉，國初每歲用遮洋船由直沽出海，轉運而至，風濤甚險。天順二年，發薊州等衛軍萬人鑿河四十里，自新開沽起直達薊州。三年三月始事，僅一十三日而工成。水部備考

〔臣等謹按〕新開沽至薊州四十里河道，明季漸淤。本朝康熙三十四年重濬，以供陵糈。乾隆三十年，以山水驟漲時，輓運維艱，奉旨飭後豫東二省運薊米石改折，惟三色米石仍赴通州兑收，薊運遂停。

原 明李賢新開運河記 大河諸衛，歲運三百六十餘艘，直抵薊州，爲倉而貯之，以便支用。往時由直沽循海道，難免漂蕩覆溺之患。天順改元，巡狩薊州諸君深慮此患，詢之父老，云海濱有二沽，一名水套，一名新開沽，相去纔十里，可以開通，以便運艘。於是具陳其事。上命右參將都指揮僉事馬榮、監察御史李敏、工部主事李尚共莅其事。迺協謀相度，起薊州寶坻軍夫萬人，於是歲三月甲午始事，丙午訖功。人以爲成功之速，必有神默相之，遂建天妃宮於新河之左，立石紀其事於旁。古穰集

〔臣等謹按〕李賢碑及所建天妃宮俱湮廢。

原 宣德九年六月，築薊州之溵流、黄蠟錫等處堤岸。明宣宗實録

〔臣等謹按〕溵流卽溵流河。黄蠟錫未詳其處。

原 漁陽有平鹵渠，傍海穿漕，以避海難。又其北漲水爲溝，以杜契丹。皆神龍中滄州刺史姜師度開。唐書注

原神龍二年，滄州刺史姜師度，於薊州之北，漲水爲溝，以備契丹、奚之入侵。又約舊渠，傍海穿漕，號爲平鹵渠，以避海難。通糧者至今賴焉。（唐會要）

原司農卿姜師度明於川途，善於溝洫，嘗於薊北約魏帝舊渠，傍海新創，號曰平鹵渠，以避海難，餽運利焉。時太史令傅孝忠明於乾象，京師爲之語曰：傅孝忠兩眼闚天，姜師度一心看地。言其思穿鑿之利也。（大唐新語）

原杜子美昔遊詩：幽燕夙用武，供給亦勞哉。吳門持粟帛，汎海淩蓬萊。後出塞云：漁陽豪俠地，擊鼓吹笙竽。雲帆轉遼海，粳稻來東吳。按唐會要：開元二十七年李適爲幽州節度河北海運使。唐書：姜師度穿平鹵渠以避海難。蓋元之海運，自崇明抵直沽；唐時海運，則自登州轉而平州以達於薊。故子美云然也。（辛齋詩話）

原白龍港在州南七十里，亦曰白龍江，繞桃花山下，泃河、沽河諸水皆滙焉。入寶坻縣界亦名潮河，以河通潮汐也。（方輿紀要）

〔臣等謹按〕白龍港與寶坻縣分隸。

原博陸城在州西南。（方輿紀要）

原洳水出北山。山在傂奚縣故城東南，東南流逕博陸故城北，又屈逕其城東。世謂之平陸城，非也。漢武帝璽書封大司馬霍光爲侯國。文穎曰：博大陸平，取其嘉名而無其縣，食邑北海河東。薛瓚曰：按漁陽有博陸城。謂此也。今居山之陽，處平陸之上，匝帶川流，面據四水，文氏所謂無縣有嘉美名也。水經注

〔臣等謹按〕博陸城遺址無考。泃水在今平谷、三河、寶坻三縣境。傂奚城在密雲縣東南，遺跡亦無考。

補 漁陽白檀寺幡刹，日中有影，月中無影，不知何故，因號怯夜幡。雲仙散録

〔臣等謹按〕白檀寺今無考。

欽定日下舊聞考卷一百十八

京畿 香河縣

原香河縣在府東南一百二十里。明一統志

〔臣等謹按〕香河縣，明洪武間省入漷縣。十三年復置，屬順天府。本朝因之。

增縣東西距四十五里南北距五十五里。東至寶坻縣界三十里，西至通州界十五里，南至武清縣界二十五里，北至三河縣界三十里，東南至武清縣雀黄口營七十里，西南至武清縣治六十里，東北至薊州界九十里，西北至通州治七十里。大清一統志

原在漕河之東八里。漕河圖志

原香河本武清縣之孫村，遼於新倉置榷鹽院，居民聚集，因分武清、潞縣置。遼史

增清泰三年，晉祖以遼主有援立之勞，遂以山前後十六州遺遼，改爲燕京，因置新倉鎮。其後居民漸聚成井肆，遂於武清北鄙孫村，度地之宜，分武清、潞縣、三河之民置香河縣，仍以新倉鎮隸焉。新建寶坻縣記

〔臣等謹按〕遼之新倉鎮，即今寶坻縣城也，在香河縣東六十里。金大定十二年，始即其地置縣。遼時寶坻境地亦屬香河。

【增】遼分武清、三河、潞縣三邑，於孫村置縣。縣東南濱水，多生芰荷，夏秋之間，其香馥郁，因名香河。圖經志書

【補】宣和四年，更香河縣名清化。宋史地理志

〔臣等謹按〕宋更縣名，後不四年即入於金，故清化之名，志沿革者類不及之。

【增】邑疆域本廣，自金大定十二年設寶坻縣，割邑以東，地始狹。香河縣志

【原】遼屬析津府，金初屬大興府，承安三年屬盈州。元初屬大興府，至元十三年，置漷州，遂割以來屬。洪武元年屬漷州，今隸北平府。清類天文分野之書

【補】宣和七年十二月，沃哩布陷清化縣，壞鹽場。時宣撫使蔡靖與運使呂頤浩、李興權修葺城隍，固結人心，以爲守禦之備。使銀牌使奏朝廷，大臣謂郊祀在邇，匿其奏不以聞。北盟會編

【原】宋褧香河偶成　朔風初定曉霜晴，獨坐寒廳日轉楹。怪得無人來訴訟，羽林獵騎盡還營。燕石集

【原】縣舊爲土城，正德二年始易以甎。嘉靖四十二年，知縣事范經增高之。城門四：東曰淑陽，南曰永明，西曰迎恩，北曰拱極。香河縣志

〔臣等謹按〕縣城於乾隆三十二年重修，南門額改曰永清，餘仍舊。

【原】縣治在城之西，儒學在縣治之東，洪武四年，知縣韓琚所建也。香河縣志

增文廟在西街，舊偪近市。萬曆二十年，知縣陳增美議更之，至次年春，大興土木，視前湫隘，焕然閎深矣。同上

〔臣等謹按〕縣治、儒學俱在城之西，明邑令陳增美重修儒學記，載縣志。本朝康熙八年，邑令邱應登重修，有通政使司通政使邑人袁懋德碑記。

增射圃在儒學東，洪武五年創築。圖經志書

〔臣等謹按〕射圃久廢。

增白潞河在城西八里，南流經武清縣境，至小直沽入於海。圖經志書

〔臣等謹按〕白潞河卽運河也，自邑之西北與通州接壤處流入境，至武清縣界出境。小直沽今隸天津。

原駱駝港在縣北八里，源自三河縣之兔兒山，流經縣界，入白河。名勝志

〔臣等謹按〕縣北有前駱駝港，距城十里，後駱駝港距城十四里。三河之兔兒山在港西北。

原扳罾口河源自通州之孤山麓，流經縣西，入於白河。名勝志

〔臣等謹按〕扳罾口在縣西十里運河之旁，每夏秋水漲，通州以南之水皆滙於窩頭河，至扳罾口入運河。非孤山之麓别有泉源也。

增 蒼頭河在城西北二十里。香河縣志

〔臣等謹按〕蒼頭河今名窩頭河。伏秋之交，通州烟郊以南之水皆滙於窩頭，分爲二支：一支南流入扳罾口運河，一支東流至吴村，滙於百家灣、蒲石河等處，經七里莊入寶坻界。雍正四年，世宗憲皇帝命王大臣相度疏濬窩頭河，起縣境之百家灣至寶坻之八門城，計長九十五里。

原 嘉靖十四年十一月，香河縣郭家莊自開新河一道，長一百七十丈，闊五十一丈有奇，較舊河近十餘里。有司以聞，命祭告海神。明世宗實録

〔臣等謹按〕郭家莊在縣西北八十二里，距運河北岸不遠。明嘉靖中自開新河一道，今湮。

原 百家灣在縣北，其水無源，四時不竭。相傳有居人百家淪没於此。風雨昏晦，尚聞雞犬之聲。長安客話

增 百家灣形如半璧，深不可測。夜晴月照，萬頃瀠波。明萬曆壬午，知縣王訪種紅白蓮，勒碑銘鐫詩詞以誌其勝。香河縣志

增 蒲石河在城東，下流至寶坻縣入於海。圖經志書

〔臣等謹按〕蒲石河在城東十五里，又名蒲池河，上承百家灣、見各莊、駱駝港三處

水，下入牛家港，達寶坻境。

原 香河縣境南有大龍灣、小龍灣二水，夏秋始合流，經寶坻縣界，入七里海。相傳遼時海運故道。長安客話

〔臣等謹按〕大龍灣今名青龍灣，在城南四十里；小龍灣在城南四十五里。雍正八年，奉旨開青龍灣引河，自縣治南中營莊歷寶坻境，直達寧河之寧車沽，計長九十里。境內之水藉以宣洩。七里海今在寧河縣境。

原 至元十一年十一月，以香河荒地千頃置中衛屯。元史

〔臣等謹按〕元時中衛屯今廢。

原 營州前屯衛在香河縣治東。本在舊大寧衛境，永樂元年移於此。方輿紀要

〔臣等謹按〕明時衛署久廢，今城內東北隅尚有前衛後衛地名。

原 隆安寺在縣治東，明成化中重修，有禮部郎中直文淵閣關西倪讓碑，中書舍人直文淵閣廣昌王禮書。香河縣志

〔臣等謹按〕隆安寺在城西，俗名東大寺，以其在縣治之東，故得此名也。寺漸就頹圮，明時倪讓碑尚存。

增 靈塔在隆安寺方丈。塔廢，僅存銘，石高四五尺許，八角，闊徑尺，元時僧定仁塔

也。香河縣志

原元大都路香河縣坊市西道院仁公塔記畧 師諱定仁，淑陽人，俗姓陳氏。幼出家禮隆安爲師，得法於幽居道人，至元七年八月示寂。大德三年八月比邱僧定書丹。同上

增縣治西隆興寺前塔高十餘丈，建自元時，圮於明嘉靖間，僅存遺址。至萬曆壬子，知縣徐一鳴壘石高之，以爲文筆峯。同上

〔臣等謹按〕隆興寺在城西北隅，俗名西大寺，寺及塔俱漸頽廢。明時邑教諭馬如龍重修碑記，萬曆四十年立，今尚存。

原鐵佛堂在縣東南十六里。香河縣志

原香河鐵佛寺舊有鐵佛像，高丈餘。元至正中，佛見夢於僧曰：吾緣法不當住此，將辭汝去。僧以鐵鎖鎖佛臂。一夕竟移去東光寺，獨所鎖臂存，至今爲寺供養。燕山叢録

原香城塔在縣南二十里。香河縣志

〔臣等謹按〕香城塔今尚存，高五丈餘。塔之左有寺曰棲隱寺，内有康熙六十一年住持僧德意重修碑記，稱寺與塔係遼時建，未知何據也。

欽定日下舊聞考卷一百十九

京畿 霸州一

原 霸州在府南二百一十里。明一統志

〔臣等謹按〕霸州明屬順天府，本朝因之。在府南一百八十里。

增 東西距一百八十里，南北距四十里。東至天津府靜海縣界一百里，西至保定府新城縣界十八里，南至保定縣界十五里，北至固安縣界二十五里，東南至文安縣治六十里，西南至保定府雄縣治九十里，東北至永清縣治五十里，西北至涿州治一百二十里。大清一統志

原 霸州本秦上谷郡地。太平寰宇記

原 漢屬渤海郡，後漢屬廣陽國河間郡，晉屬章武國，後屬河間燕郡。輿地廣記

原 後魏屬章武郡。方輿紀要

原 隋初屬瀛州，大業初屬河間涿郡。清類天文分野之書

原 唐初屬幽州，天寶初屬范陽郡，五代石晉時入於遼。方輿紀要

原 周顯德六年夏四月庚寅，韓通奏自滄州治水道入遼境，柵於乾寧軍南，補壞防開游口三十六，遂通瀛莫。辛卯，上至滄州，即日帥步騎數萬發滄州，直趨遼之境。壬辰，至乾寧軍，遼寧州刺史王洪舉城降。己亥，至獨流口泝流而西。辛丑，至益津關，遼守將終廷輝以城降。自是以西，水路漸隘，不能勝巨艦，乃舍之。癸卯，入瓦橋關。於是關南悉平。通鑑

補 周以數千之師伐遼，不血刃而取益津關，繼取瓦橋關，又繼取高陽關。是三關者，晉人棄之以爲遼之元首，非特爲其右臂也。嵩山集

補 世宗由滄州北順水而行，先降益津關，次瓦橋關，次瀛州。演繁露

原 五月，以益津關爲霸州，割文安、大城二縣隸之，地望爲中州。五代會要

原 發濱棣丁夫數千城霸州，命韓通董其役。辛亥，以侍衛馬步都指揮使韓令坤爲霸州都部署。通鑑

原 益津關本幽州會昌縣，唐天寶中改永清縣。續通典

原 宋景祐元年，省永清縣入文安，徙文安縣爲州治。皇祐元年，仍徙舊地。九域志

原 遼高勳爲南京留守，宋略地益津關，勳擊敗之。遼史

原 政和三年，陞永清郡。靖康初，入於金。天會七年，置信安軍，屬河間路。貞元二

年，屬中都路。元屬大都路。（清類天文分野之書）

【原】明初以益津縣省入，仍曰霸州。（方輿紀要）

【增】漢置益昌縣，屬涿郡，後漢廢爲安次縣地。唐爲永清地。周顯德六年，收復益津關，置霸州。宋亦曰霸州。金大定間，復置益津縣，爲州治。元亦曰霸州。中統四年，省益津縣入州治，至元二年復置。明洪武初，仍省縣入州，屬順天府。（大清一統志）

【原】州以霸水名。（郡縣釋名）

【原】州城舊傳燕昭王所築。（名勝志）

【原】霸城，宋將楊延朗修葺以控遼，當時號爲北方重鎮。沿城有七十餘井，亦延朗所鑿，謂之護城井。（長安客話）

〔臣等謹按〕七十二井今僅存十井。

【原】景泰五年四月，修霸州土城。（明景帝實録）

【原】州舊有土墉，蓋金元時所築。弘治中始磚甃北面，正德中復修完三面，嘉靖十九年增修。（城邑考）

【原】城高三丈五尺，周環六里餘，堞一千五百一十有二，城下濠深一丈二尺，廣七尺。門三：東曰臨津，南曰文明，北曰瞻極。北甕城門曰迎恩，東曰旭升，南曰向離；西不設

門而樓臺具焉。霸州志

補顧清霸州修河繕城記 霸州在京師南二百餘里，厥壤卑下，西北諸山水散行燕趙間，比其合皆滙於是。既滙而盈，然後東流出丁字沽，會白河以入於海。其源衆而委迫，遇霖潦則溢而上，壞民田廬舍，歲用不登，氓以告病。州之城，築以土，無甎石之固，水至則齧之，歲久益壞。弘治戊午，東魯劉君珩來治是邦。是歲築河堤，起涿州東境，接固安揚先務、荆垡等村，至州之趙村務臨津水口，經州南關過保定文安蘇家橋，抵大城縣之辛張口，總三百餘里。廣尋有二尺，址倍之，崇丈有八尺，旁植柳以爲固。其間爲水口一百六十有七。堤既成，水乃無患。己未，甓州城，先北面當水衝者，以次及其餘。城舊無南門樓，至是新作之，并爲樓於北城，與故東西二樓相望，皆飾以丹漆，基以剛石，可久弗壞。其外爲深濠，跨四橋於濠上，當城之門。城之高丈有七尺，周六里三百二十步。濠之深如城之高而殺其一尺，其上爲固防，防之上亦樹以柳，凡一十七月而堤與城俱竣。二役所費薪膏楗瓦木石之類，爲錢以四十萬計，皆官自經紀，不以煩民。既訖工，又以其餘力作大橋於州東苑家口，以濟往來之人。新州學祭器、師生會食器，作順天府行府太僕分寺馬神廟及諸藏庾廨舍壇壝衢路，以次一新。而民不知費，可謂得佚道使民之義矣。東江集

原州治在城西隅，洪武庚戌建。儒學在州治東，元初建。皇慶三十年置贍學田，有碑。霸州志

原王思誠重修廟學記 爲政之道，其所始在於厚風俗。厚之之本必由於學校。是以教隆於上，則俗美於下，理之必然也。百里之邑，千里之郡，推而至於天下，豈異是哉？國家崇儒重道，內立監學，外而郡邑皆設學官，誠以風化之所係也，人才之所出也。至正十一年春，奉訓大夫兗州王公從善來守霸郡，視篆之初，即拜謁先聖廟。見其牆垣廢傾，齋舍罔有，講席無所施，迺顧瞻太息，謂學正孟之晉曰：學校不治，則風俗何自而易移，人才何由而作興？豈非承流宣化者之責與？於是令民子弟之俊秀者卽入學肄習，權葺一室，使之受業。公首捐俸金以作新學校，而謀於同僚，同僚僉允，亦各捐俸以助，民之好義者效其力，不日而得錢若干緡。遂市瓦木，重修講堂三間，創建東西齋舍十有二楹，築牆周圍，務以堅固，改月而功畢。上不費於公帑，下不擾於民庶。昔也荒蕪如彼，今也輪奐若此。使師生有所依，教養有所設，將見風俗淳美，人才輩出，公之承宣德意，可謂知本矣。公前任松江府推官，治獄明恕，平反甚衆，人人誦其廉明，自南而來者口不絕稱。今公之守霸郡，甫下車，善者趨而迎，奸者畏而遁。革弊起廢，號令一新。士庶歌於途，農民樂於野。修堤堰一十八里及南北兩關橋道，井井有法。民之感戴，其能已乎？之晉以狀來，盛稱公念念不忘於學校，不可不記其事，壽於金石，俾異時爲政者有所取法，幸爲之記。予聞而韙之，則復之曰：昔文翁治蜀，至今聲名照映簡册者，以爲治之有所本也。王公以學校爲先，其文翁之心哉！余亦有說焉，興作學校，固郡守之職。然典教者能以守之心爲心，則教養可期其效。苟非其人，則亦徒爲虛舍，爲守者能不憾歟？今之晉乃鄒國公五十二代孫，德性純厚，文學充裕，則教養之施，公可無憾矣。公字仲祥，世居兗之滕村，性鯁直，

決疑剖事無留難，此特記其政事之大略爾。當有執史筆者詳書之。至正十一年立石。同上

〔臣等謹按〕州志，明嘉靖丁亥，知州劉璋修學，建尊經閣及學舍，郡人兵部郎中賈銓有記，其啓聖祠、敬一亭，嘉靖丁未副使周復俊所建。

〔又按〕州志，學田，明副使周復俊、梁有年遞增置之。明末以修築取土，漸爲渾水充斥，今存二頃餘。

原州城南十五里宫家莊舊有益津書院，元時宫君祺建，翰林學士黄溍記之。萬曆初，如臯錢藻備兵霸上，移建城内，即公館一區加黝堊焉，仍扁曰益津書院。長安客話

〔臣等謹按〕州志，明萬曆間，參政顧雲程重修益津書院，都給事中劉爲楫記，今廢。

原黄溍宣聖廟學記 霸州之益津人宫君祺，即其西鄉所居宫哥莊作學舍，合韓謝莊子弟肄業其中，且爲廟像先聖先賢，以春秋旦望奠謁，如學宫法。念無以示永久，爰狀其事走京師，請奎章閣侍書學士内翰虞伯生爲之記。公方有大論撰，未暇如君祺請，乃以狀授溍，俾執筆而書之。溍惟古之施教導民，有本有原，必由鄉以達於國。是以六鄉之吏，去民愈近者，爲教愈詳。一歲之中，州長之屬，民讀法者四，黨正七，族師十有四，而閭胥則無時焉。若夫二十五家之間，則又有門塾，而以仕焉而已者爲之左右師，雖閭胥弗親也。故上之教不煩，而民之爲仕者恒足賴。其詩曰：攸介攸止，烝我髦士。人生其時，獨何幸歟？今郡邑用著令既咸得立學，承宣德意而崇厲之，厥有師帥，而鄉閭之教希闊弗講。雖朴茂之資何以培其根而達其枝也哉？君祺不自耀其材以取顯仕，而主昌平之候館，固非有長民者之責。乃能汲汲焉圖所以私淑其人如此，可謂有志於古矣。昔者魯修泮宫而春秋不書，説者曰：此有國之常事爾。君祺之爲，蓋禮之以義起而出於常事之外者也。可無書乎！凡廟學總爲屋十餘楹，費錢若干緡，經始於至順二年春二月，而落成於秋八月。翰林直學士趙公子昌與君祺居相望，實有以相之。其來請記，則冬十二月也。至順三年立石。黄文獻集

【原】益津廢縣今州治。方輿紀要

【原】州城東北隅有瀦水，故益津縣治也，廣三里許，中有東岳祠，武廟時巨璫張忠所建。廟東水曰鹽廠河，每歲冰泮，輒有水鳥千羣容與其上。霸州志

【原】霸臺舊在州署後圃，其後改題於州治左譙樓之臺。長安客話

〔臣等謹按〕譙樓遺址今尚存。

【原】瓦河與城南之沙、唐二河合，即五渠水也，俗謂之長鳴溝。名勝志

【原】霸城南沙河與唐河合流處，俗呼飛魚口，即漁津窪也，一名五渠水，又名長鳴水。長安客話

〔臣等謹按〕長鳴水久淤。今城南八里有漁津窪村。村南里許即玉帶河。

【原】後魏延興初，文安縣人孫願捕魚於五渠水，有羣魚自西來，共以柴塞之。忽有人謂願曰：須臾當得大魚，若欲多求，宜勿殺也。願下網，果得大魚，狀如鯉而頭大，殺食之。俄風雨晝昏，唯聞鳥飛聲。比風息雨霽，有人乘船至，云見羣魚無數，飛入於海，願遂不復漁矣。因呼入海之處爲飛魚口也。三郡記

〔臣等謹按〕孫願，州志願作碩。

【原】王樂善五渠晚度詩：野潦浮平楚，扁舟續馬蹄。揚舲風漸緊，落日望全迷。林暝漁燈出，天空雁陣低。叩舷歸意懶，清興屬幽栖。扣角集

原引馬洞，楊延朗所穿，始自州城中，通雄縣。名勝志

原州舊有神霄宫，在州治之南，丁真人嘗居之。長安客話

〔臣等謹按〕縣志，引馬洞今湮廢。

原霸州酒務四，熙寧中榷三萬貫。熙寧酒課

〔臣等謹按〕神霄宫今廢。

原澄清街舊有酒樓。元華亭管訥爲學正，有東城酒樓花滿烟之句，今廢。霸州志

原宋端拱二年，詔置榷場於霸州，便南北界貿易。同上

原遼軍馬三萬餘匹，歲牧於雄霸間，謂之南征馬。意欲夸示中國，實備燕雲緩急之用。謀夏録

原巨馬河舊在州北，宋界河也，自保定府雄縣流入。方輿紀要

增巨馬河在州北，自蘆溝橋經州境東合界河，後徙南孟店，北至直沽入海，今淤。霸州志

原霸在宋時蓋與遼分界處，若今靖邊諸城，一垣之外即敵境也。州北一里舊有界河，相傳楊廷朗建草橋於此，關因以名。長安客話

增界河在州北一里，上接蘆溝，下通東海，即宋遼分界處，今淤。草橋關基址不可考。霸州志

原塘濼，緣邊諸水所聚，因以限遼。河北屯田司、緣邊安撫司皆掌之，而以河北轉運使兼都大制置。凡水之淺深，屯田司季申工部。其水東起滄州界，距海岸黑龍港，西至乾寧軍，沿永濟河，合破船淀、灰淀、方淀爲一水，衡廣一百二十里，縱九十里，至一百三十里，其深五尺。東起乾寧軍西信安軍永濟渠爲一水，西合鵝巢淀、陳人淀、燕丹淀、大光淀、孟宗淀爲一水，衡廣一百一十里，縱三十里，或五十里，其深丈餘，或六尺。東起信安軍永濟渠，西至霸州莫金口，合水紋淀、得勝淀、下光淀、小蘭淀、李子淀、大蘭淀爲一水，衡廣七十里，或十五里，或六里，其深六尺，或七尺。東北起霸州莫金口西南保定軍父母砦，合糧料淀、迴淀爲一水，衡廣二十七里，縱八里，其深六尺。霸州至保定軍並塘岸水最淺，故咸平、景德中遼軍南牧，以霸州信安軍爲歸路，東南起保安軍，西北雄州，合百水淀、黑羊淀、小蓮花淀爲一水，衡廣六十里，縱二十五里，或十里，其深八尺，或九尺。東起雄州，西至順安軍，合大蓮花淀、洛陽淀、牛横淀、康池淀、疇淀、白羊淀爲一水，衡廣七十里，縱三十里，或四十五里，其深一丈，或六尺，或七尺。東起順安軍西邊吴淀，至保州，合齊女淀、勞淀爲一水，衡廣三十餘里，縱百五十里，其深一丈三尺，或一丈。起安肅廣信軍之南保州西北，畜沈苑河爲塘，衡廣三十里，縱十里，其深五尺，淺或三尺，曰沈苑泊。自保州西合鷄距泉尚泉爲稻田

方田，衡廣十里，其深五尺，至三尺，曰西塘泊。（宋史河渠志）

補 雄、霸、景、德之間，塘水初不相接，因名東塘、西塘。二塘之交蕩然，可以爲遼人入界路，遂置保定軍界於景、德二州，以當敵。衝決後，開導不已，二塘相連，雖不甚浩渺，而敵路亦稍梗矣。（太平治迹統類）

原 淳化四年春，詔六宅使何承矩等督戍兵萬八千人，自霸州界引滹沱水灌稻爲屯田，用實軍廪，且爲備禦焉。（宋史河渠志）

〔臣等謹按〕滹沱故道由河間至任邱五官淀，出茅兒灣。按：五官淀在今保定、文安二縣界。河渠志所云自霸州界引滹沱水，當因保定、文安原屬霸州，統州屬而言，非專指州界也。

〔又按〕今滹沱河改由大城縣子牙河入淀歸海，不復由茅兒灣故道。

原 往歲六宅使何承矩議，因陂澤之地瀦水爲塞，欲自相度，恐其謀泄，日會僚佐，泛船置酒，賞蓼花，作蓼花游數十篇，因命座客屬和，畫以爲圖。傳至京師，人莫喻其意。自此始壅諸淀。慶曆中，內侍湯懷敏復踵爲之，至熙寧中，又開徐村柳莊等濼。於是自保州西北沈遠濼，東盡滄州泛枯海，幾八百里，悉爲瀦潦。其闊處有及六七十里者，至今爲藩籬，而澱淤之處皆變斥鹵爲美田，而魚蟹菰蒲之利，人亦賴之。（夢溪筆談）

原泰定三年，都水監言：河間路水患，古儉河自北門外始，依舊疏通，至大城縣界，以洩上源水勢，引入鹽河；古陳玉帶河自軍司口浚治至雄州歸信縣界，以導淀濼積潦，注之易河；黃龍港自鎖井口開鑿，至文安縣玳瑁口，以通濼水，經火燒淀轉流入海。計河宜疏者三十處。元史河渠志

增州城之南太堡村有淀神祠。州冊

〔臣等謹按〕東西兩淀向無神祠，乾隆三十二年六月奉敕建淀神祠。額曰甸流承祐。聯曰：澤藪奠堯封，溥利綏予千里；坊庸準豳蜡，肇殷秩彼百川。觀音閣額曰智淵普鏡。皆御書。

增御製淀神祠碑文　畿南之地，廣衍多隰，衆水所鍾，翕之渟之，呀然成淵，而以時輸壑者則惟淀。淀之名始見於左思魏都賦，所謂掘鯉之淀是也。字亦爲澱，水經注、新唐書志皆云九十九澱。酈道元又稱爲清河。後世約其數爲七十有二，其名皆不可臚舉。其散見宋遼金史者，今或淤廢，或傳聞譌舛，所可指者不過四十餘。其他或曰泊、曰窪、曰窩、曰港，隨方俗所稱，而統言之，則東西兩淀。西淀之大周三百餘里，概州一縣四，東淀尤大，周四百里而贏，概州縣七。其爲藪澤也廣，故畿内之水大則沽渝濡滱，泒滋易淶，小則山泉澗流，無所不容，而旁境之溝澮汙涔亦無所不赴。其受水多，故兩淀

又各有經河以條貫釃導之。依城溫義亢其首，四角引其吭，玉帶會同緣其督，扼以茅灣，掖以中亭十望，絡以南北中三股，歙於臺頭，滌於大清河，趨西沽爲尾閭之洩焉。其上則千里長堤，控界維鞏，下則格淀堤以拒子牙、六郎諸堤，以障永定，而牐，而涵洞，羅布節宣者，無弗具於是。兩淀無渾流之患，而專清水之利，黍疇稻畦，既膏既溉，厥惟上腴。舟航是通，懋遷列隧，而菰蘆蔆蕅鳧魚之屬仰資生者億計。非有宰其化者，孰使我民利賴若是？記有之，山林川谷爲民取財用皆曰神。蓋淀之有神昭昭矣，人第習焉不察，廟闕未舉。歲丁亥，朕敬循皇祖成憲，巡覽淀海，爰自趙北口御安福艫，沿蘇橋而東，歷揚芬港至於天津。嘉文安窪之既涸，懲渾河故道之不可復，則有詠。而三灘里淀堤之弗屬者，出帑繕之，亦爲紹我祖烈以求民寧。維時春水方渙，和飇習颿，烝徒弗勩，緊川祇實昭厥佑。爰進大吏，詔之曰：惟淀縈薄左輔，衺延且千里，理大物博，用阜乂我畿内民，曷可弗重以神事？其相地飭祠用饗。迺發外府金二萬五千，卜度兩淀中，庀材經始之，閲再朞工蕆。堂廡既崇，煇庖咸列，以妥以恪，式副彝典。大吏復籲以明年春莅而落之，且以碑辭請。則又繹告之曰：惟淀實嘉利我甸人，匪今斯今，食神之福，而淀左右耆庶婦孺，歲時祈報，走廟下，則自今始神實凴而歆之。惟是毋霪毋潦，毋有菑沴，豐殖錫康，俾我民其永利利用，光我秩祀。有司亦無怠祠事，毋弛民功，益迓神惠而溥淀之利，識其詳謹肇祀也。

增乾隆三十五年御製淀神祠瞻禮紀事成什　江湖河海各神司，豈淀而無神莅之？向命東西中擇陸，是祠建於東西兩淀適中之地。今看爽塏處成祠。贊天宣佑靈哉沛，行地安瀾福以綏。虔奉瓣香申慶落，康田功籲錫民釐。

增乾隆三十八年御製淀神祠瞻禮疊舊作韻　贊天端藉萬神司，兩淀惟資神祐之。舟泛清流通一水，岸瞻禎宇到叢祠。肅茲三叩精誠達，冀我蒸民安樂綏。鳳舸載臨同致敬，永陪福履沐鴻釐。

〔臣等謹按〕淀神祠御製詩，謹繹有關紀述者恭載卷内，餘不備録。

增太堡村恭建行宮。州冊

〔臣等謹按〕太堡村行宮，乾隆三十五年建。行殿額曰澄懷鏡治。聯曰：行慶順輿情，那居同樂；來巡籌溥利，廣淀資安。東次間聯曰：麗日和風春澹蕩；花香鳥語物昭蘇。西次間聯曰：不生波處心恒足；大寂光天相總融。御題行館八景：曰静寧齋、曰頤慶堂、曰惠暢樓、曰互鏡軒、曰問源亭、曰延清閣、曰澄淥池、曰引薰廊。頤慶堂聯曰：四海爲家欽養志；萬年介祉永承歡。惠暢樓聯曰：無邊生意歸芳甸；有象晴明繪野郊。皆御書。

增乾隆三十五年御製題淀祠旁行館八景詩　淀池旁搆此數楹，爲臨憩治事之所，既靜而寧，式愜觀民深意。祠旁隙地搆軒廳，慶落斯干翠蹕停。成事由來遵不説，（地方吏於神祠旁近葺行館，以工用無多，初未入奏，迨臨視時，則勢已屬成事矣。）輿情亦祇付權聽。詎欣室宇茲臨憩？實願波瀾永靜寧。大吏傳宣前席問，水鄉民氣可蘇醒？（右靜寧齋）春巡，掖輦行慶，順輿情也。斯堂安適，用祝頤和。江國悠而遠，淀池近且便。三春奉游豫，一例御舟船。祝嘏吏民切，頤和定省虔。歡心同衆籲，慈壽永千年。（右頤慶堂）登樓矚遠，宛然江鄉景物，順時布惠，兼暢心神。惠風和暢日，春水緑波時。物意皆自得，吾民可若斯！（右惠暢樓）軒跨兩池間，夾鏡光融，足資互照。兩水夾明鏡此同，跨河中搆敞軒通。却因喻鑑思唐帝，不是臨風懷謝公。（右互鏡軒）疏渠引流入牆，東注爲沼，坐此可悟源頭活水。引淀進牆閘，閘處斯源耳。若論淀之源，奚啻千百里？拘墟源則近，達觀源則瀰。隙中觀鬬者，勝負安知彼？子瞻著名言，早揭斯亭旨。（右問源亭）閣臨碕岸，瑩澈無塵，固是延攬清吟之助。雲廊一曲一折，碕岸既高既低。延得三春清景，遂成六字新題。（右延清閣）方池渟瀦，淀波淨淥，澄涵安瀾之義斯在。春冰既泮，春水方新。澹澹澄淥，依依可人。七十有二，名難盡識。淀祠卜茲，會極歸極。踠絲緑柳，罨畫紅欄。日麗風和，亦不波瀾。有魚於淵，或躍以起。觸景成吟，如是而已。（右澄淥池）曲廊引薰解阜，實省方先務，詎惟揣稱命名。溪上有樓亦有

堂，誰其引之曰有廊。展步既平循窈窕，游目無閡賞煙光。南風薰兮將作矣，茅土時兮安有此？右引薰廊

〔臣等謹按〕行宫八景御製詩，恭載首見之篇，餘不備録。

欽定日下舊聞考卷一百二十

京畿 霸州二

原 巨馬河自盧溝河分流，經固安縣，過州治北，東合曰溝河，後徙流州治西，會霸水至直沽入海。今霸水淤塞，巨馬、琉璃諸河復合流經州治北，東入東安永清縣界。方輿紀要

原 成化七年十一月，霸州知州蔣愷、固安知縣賈貴奏：霸州城北古有草橋界河一道，上接渾河，下至小直沽，順流東注於海。永樂間，渾河改西南流，道經固安、新城、雄縣，沿至霸州新河一帶，水勢不順，漸已淤塞，累衝決爲居民患。近日決孫家口，東流入河，又東抵三角淀、小直沽入海，乃其故道。請因其就下之勢，修築堤岸，使順流注海。上從之。明憲宗實録

原 琉璃河在州西北五十里，自良鄉縣合上流諸水東南流入州界，會於巨馬河。方輿紀要

〔臣等謹按〕琉璃河即古聖水。太平寰宇記：聖水俗名迴城水，源出良鄉縣西北玉石山。明一統志：琉璃河在良鄉南四十里。金史作劉李河。舊志謂古聖水自房山龍泉

峪流至霸州入拒馬河，今按大清一統志，涿州西三十里東岸，有渾河決口。土人云，舊時渾河從固安故城村決而西南，至茨村東北，合琉璃河，復分爲二。後渾河漸徙而東，至康熙二十七年琉璃河南入新城縣界。近年隨宜修治，凡琉璃河所經涿州、固安、永清、東安、霸州故道，皆爲渾河之經流矣。

原 沙城堤西至臨津固安縣界白廟，東抵清口永清縣界信安，緜亘八十里。明洪武中，知州梁伯常築，萬曆甲戌，副使錢藻增修。霸州志

〔臣等謹按〕沙城堤在霸州北，明洪武十六年築，以障渾河，今廢，有沙城村。

原 楊奐晚至青口作 長年困行役，短髮易飄零。世事驚春夢，交親散曉星。燒痕侵路黑，柳色夾堤青。落日明霞底，原情動脊鴒。還山遺稿

原 沙城、臺山二村皆平壤也。土人語云：臺山無山，沙城無城。臺山村在州東。長安客話

原 普濟寺在州東門外，至正二年建。霸州志

〔臣等謹按〕普濟寺遺址尚存。

原 栲栳圈在州東十五里，隆慶戊辰建安濟橋。霸州志

〔臣等謹按〕安濟橋在中亭河上。

增 中亭河在霸州南，一名新挑河，又名栲栳圈。河上自蓮花臺，下達臺山，綿亘數十里，歲久淤塞。明嘉靖間，副使陸坤循故道修濬，後復淤。本朝康熙三十八年，聖祖命

河臣王新命重濬，上接十王堂，下入臺山，分減玉帶河水勢，築上下六工堤以衛州治。雍正四年，復開支河一道以廣灌溉。乾隆九年，自岔河口至魚津村復行挑濬，二十八年，於中亭河北岸設涵洞四座。（大清一統志）

增乾隆三十二年御製中亭河詩 中亭入玉帶，玉帶卽清河。中亭洩渾漲，壑窄難容多。蕩漾沙遠留，至此爲澄波。受小不受大，此理信不磨。嘉淦（孫）督直時，（在乾隆庚申年。）謬聽人言訛。謂渾河故道，卽此實非他。建議放乎此，千村歎淪過。知誤乃改爲，（嘉淦議開永定南岸，復渾河故道，後渾流下注，浸溢田廬，旋於辛酉春堵塞。）民已嗟蹉跎。不十不變法，語誠不我詑。經過得親見，（中亭河受永定金門牐盛漲分減之水，消納無多，及至玉帶河則已成清水。孫嘉淦誤聽人言，於金門牐之上開放南岸，水由牤牛諸河下注中亭，至不能容，遂趨窪地，村民受潦，因命急堵築決口，方不爲患。今親臨閱視，益知嘉淦前議之謬，向曾有詩紀事，因詳識而正之。）悔過成新哦。

增乾隆三十八年御製中亭河二首 中亭原是淀支流，偶洩渾河水漲秋。誤聽人言昔致患，（乾隆庚申，朕誤聽孫嘉淦建議，於金門牐之上開放南岸，水由牤牛諸河下注中亭，至不能容，窪地村莊受潦。隨於辛酉春堵塞。及丁亥親臨閱視，益知前議之謬，有詩紀事。）未經親見事難籌。萬事都胥親見之，當無暇給應（去聲）爲遲。重華明目達聰者，未必勞勞日若斯。

（臣等謹按）中亭河御製詩，謹繹有關紀述者恭載卷内，餘不備録。

增牤牛河卽廣陽、鹽溝二水之會流也。二水至良鄉縣城東南，合流爲三叉口，南流至任村西南入大清河。一遇水漲，奔騰衝突，土人謂之牤牛河。良、涿、固、霸之間，累被其害。雍正四年，於任村之南開濬新河，東南逕涿州界東，固安縣西北，循盧溝故道，南逕霸州之南孟等村，抵栲栳圈，入中亭河，長二百餘里，自是潦水有歸。大清一統志

〔臣等謹按〕牤牛河道，乾隆九年奉旨復加開濬。

原會同河在州東十八里，上接玉帶河，下至蘇橋，衆流至此合而爲一，所謂苑口秋濤也。景泰癸酉，建苑家口關。弘治甲寅，知州事徐以貞造舟三十艘，聯以鐵索，上布以板，隨水升降以通輿馬。霸州志

增今諸河俱改流，上流惟中亭一支與玉帶河南北相望。其下自霸州東三岔口分爲三派：一東北流逕臺山會中亭河，又東出紀家淀，逕勝芳鎮，曰勝芳河，爲北派；一東流由趙家房逕托裏淀，出郭家窪，會勝芳河，爲中派；一東流，由下馬頭逕崔家房、張家鮝，抵左家莊，泊石溝河，爲南派。大清一統志

〔臣等謹按〕會同河卽通濟河，至蘇橋而下，分爲三派：一由千里長堤轉東北入淀，名南支河；一由趙家房村歸淀，名中支河；其正河由臺山村會中亭河至文安之勝芳鎮，合南中二支河入海。

原苑家口，洪濤瀰望無際，或謂之夾河。方輿紀要名勝志

原夾河源自上谷涿鹿山合胡良河至州界。

原通濟河由苑家口達栲栳圈，經關王堂、山川壇折而北入護城河，蓋逆流也。每秋潦溢，舟楫直抵城下。霸州志

〔臣等謹按〕州志，通濟河今由苑家口經蘇家橋入北股河，至文安小河泊，其入護城河故道今淤。

原橫堤在城東十八里，南抵苑家口，北抵栲栳圈。西來諸水至此壅阻，歛入會同河。河口狹，流卒難速洩，致上游爲災。副使顧褒議盡決此堤以殺水勢，使回臺山注信安。或阻之，乃止。霸州志

〔臣等謹按〕州志，橫堤，本朝順治年間因河水沖決，堤廢。

原臨津堤自涿州東境接固安揚先務、荆垡，至州之趙家務、臨津，經州南關抵苑家口，緜延百里。弘治戊午，知州事劉珩築。霸州志

〔臣等謹按〕臨津堤今廢。

原普和寺在煎茶舖。城東二十五里堤，自劉化營經州城北抵信安鎮。知州毛實增築。霸州志

〔臣等謹按〕普和寺及煎茶舖今皆無考。

原平曲城在縣東三十二里，漢景帝封公孫渾邪爲平曲侯，即此地。太平寰宇記

〔臣等謹按〕州志，城東二十里有平曲村。

原 平曲侯公孫渾邪以將軍擊吴楚，用隴西太守侯。漢書

原 平曲城，公孫渾邪卒，葬於此，俗名花達墓，在霸州東二十五里。長安客話

原 莫金口城，漢封公孫渾邪爲平曲侯，即其地。九域志

原 莫金山相傳以莫金二姓居此而名。宋設莫金口寨於此，俗名口頭村。方輿紀要

增 莫金山在州南十二里，宋設莫金寨於此。大清一統志

原 桃花寨去莫金口五里。元混一方輿勝覽

原 州東二十里曰臺山，九河水所經也，臺基三如鼎峙。又五里曰雁頭山。名勝志

〔臣等謹按〕州志舊稱南山、臺山、莫金、雁頭諸勝，後經河水衝齧，皆成平陸。

原 雁頭山在州城東南三十五里。明一統志

原 宋有劉家渦、刁魚、莫金口、阿翁、雁頭、黎陽、喜渦、鹿角八砦。政和三年，改劉家渦砦曰安平，阿翁曰仁孝，雁頭曰和寧，喜渦曰喜安。宋史地理志

原 馬務堤在城東四十里田家口，由棘針墳至信安鎮。霸州志

〔臣等謹按〕馬務堤相傳宋楊延朗所築，堤形尚存。棘針墳今不可考。

原 信安城宋之信安軍也。名勝志

〔臣等謹按〕今州東四十五里有信安鎮。

原 城在州東五十里，唐置淤口關，後没於遼。周世宗收復，置淤口寨。方輿紀要

增 漢景帝六年，隴西太守公孫渾邪封平曲侯，即此城也。同上

原 太平興國六年，以霸州淤口砦建破鹵軍。景德二年，改爲信安。宋史

原 信安軍砦六，周和軍西五里，刁魚軍北三步，田家軍東一十里，狼城軍東五十里，佛聖渦軍東五十里，李詳軍東六十里。九域志

原 元豐四年，割鹿角砦隸信安軍。宋史

原 金初因宋爲信安軍，大定七年降爲信安縣，隸霸州。金史地理志

原 興定四年，張甫封高陽公，以雄、莫、霸州、高陽、信安、文安、大城、保定、静海、寶坻、武清、安次縣隸焉。金史本傳

原 元光元年，伊喇仲夾努移屯信安。張甫因奏，信安本臣北境，地當衝要，請權改爲府以重之。詔改信安爲鎮安府。二年，仲夾努及張甫同保鎮安，各當一面，遂全鎮安。未幾，仲夾努奏，鎮安距迎樂堌海口二百餘里，實遼東往來之衝。高陽公甫有海船在鎮安西北，可募人直抵遼東，以通中外之意。賞不重不足以使人，擬應募者遷忠顯校尉，仍賞錢五千貫。詔從之。金史本傳 按：伊喇舊作移剌，從八旗姓譜改正。仲夾努舊作衆家奴，今對音譯改。

【原】張仁義金末徙家益都。元太宗下山東，仁義乃走信安。時燕薊已下，獨信安猶爲金守。其主將知仁義勇而有謀，用之左右。國兵圍信安，仁義率敢死士三百開門出戰，圍解，以功署軍馬總管，守信安踰十年，度不能支，乃與主將舉城内附。元史張禧傳

【原】楊傑珠格從額蘇倫攻信安。信安城四面阻水，其帥張進數月不降。傑珠格曰：彼恃巨浸，我師進不得利，退不得歸，不若往說之。凡三往，乃降。元史本傳 按：珠格，蒙古語閒散也，舊作只哥。額蘇倫，蒙古語和也，舊作阿术魯。今俱譯改。

【原】元時府縣俱廢。方輿紀要

【原】信安軍有永濟渠，宋咸平中置塘濼以爲邊備，今廢。同上

【原】南山在霸州城東七十里，喬松修竹，周匝十里，内有亭臺，爲一郡之勝。明一統志

【原】高橋淀在州東七十里，周三十里。西爲栲栳圈，衆流所聚也。州壤卑下，西北諸山之水多滙於州境，然後東流，出丁字沽，注白河，以入於海。弘治中，築河堤，起涿州東境，接固安，至州境之趙村務臨津水口，經州南關，長二百餘里，旁植榆柳以爲固。其間爲水口一百六十有七，至文安縣之蘇家橋、大城縣之辛家口而止。今多崩壞。方輿紀要

〔臣等謹按〕高橋淀今名大浪淀，久淤，高處已成沃壤。

【原】回淀水東西二十七里，南北八里，霸州至保定軍沿塘岸行，其水最爲淺狹。元混一方輿勝覽志

原楊應詢知霸州，塘濼之間地沮洳，水潦易集，居人浮板以濟。應詢增堤防爲長衢，濬其旁以洩流，民利賴之。宋史本傳

原丁罕，潁州人，淳化中知霸州。河溢壞城壘，罕以私錢募築，民咸德之。萬姓統譜

原伊喇益爲霸州刺史，郡東南有堤久頹圮，水屢爲害。益增修之，民以爲便。金史本傳 按：伊喇益舊作移剌益，今譯改。

原狼臧城去信安城三十里，又十里爲拆城，宋將楊延朗屯兵拒遼於此。名勝志

補伊喇鼐爾詣太祖軍門獻十策，帝召見，問：爾生何地？對曰：霸州。因號爲霸州元帥。元史 按：伊喇義見前，鼐爾，蒙古語和也，舊作移剌涅兒。今譯改。

補舒穆嚕拜達勒仕金爲霸州平曲水砦管民官，木華黎率師至霸州，迎降。同上 按：舒穆嚕義見前，拜達勒，蒙古語形像也，舊作石抹孛迭兒。今譯改。

原大良驛在州東八十里。方輿紀要

〔臣等謹按〕大良驛今無考。

原古南關城，圖經云趙武靈王所築，以朝鮮有關城，故此云南關城。大城志

〔臣等謹按〕古南關城今無考。

原沙河在州南，與瓦河、唐河合流而東，蓋九河之水滙流於安州雄縣之界，溢而旁出者

也。方輿紀要

〔臣等謹按〕沙河與瓦河、唐河合流處，卽魚津窪也。

原 宣德六年二月，順天府尹李庸奏：永樂中，決新城縣之高從周口，衝激泥沙，遂已淤塞霸州桑園里、朱家莊、張貴莊，約四里餘，每年水漲，無所通洩，湧漫倒流，北灌海子凹、牛闌佃等處，其地不得耕種。請量役民丁修理。從之。明宣宗實錄

原 霸水在州南三里，白溝河之支流也。自雄縣流入境東，會於巨馬河，今湮廢。方輿紀要

原 霸去都近，去海亦近，凡雲、朔、恒、代諸山之水由天津入海者，必經流霸出丁字沽，總稱霸水。長安客話

原 口外諸山之水，自京西盧溝橋而下，經固安、永清至於信安，滙於三角淀，達於直沽，入於海。良、涿九川之水會於胡良河，自楊家務而下，經北樂店，東過辛店，至於信安，此霸州以北之水也。宣府紫荆、白溝諸水自新城而下，滙於茅兒灣，經保定玉帶河達於苑家口，至於信安直沽，入於海。易、安、苑、肅、唐、蠡九河之水自雄縣而下，東過茅兒灣，入於苑家口。山西五臺之水，自河間而下，經任邱滙於五官淀，亦入於苑家口。此霸州以南之水也。南北二川，束狹淤淺，堤岸蕩蝕，不足以容萬泒之流。水至則瀰漫無際，溢入文安、大城，積爲巨浸，民不得耕。治之之法，不以壅而以導，

不先於決口而始於下流。按直沽之上有大淀，有小淀，有三角淀，廣延六七十里，深止四五尺，若因而增益之，又爲之堤以停蓄衆水，而以委輸於海。水有所受，然後濬治舊川，爲長堤以東之，高廣倍於前功，使水有所行。又多開支河，聯絡相屬，使水有所分。見在窪淀不下數十處，各深而堤之，使水有所積。則雖有淫潦，大川瀉之，支河析之，諸淀瀦之，高堤防之，可以無患矣。潞水客譚

〔臣等謹按〕朱彝尊引潞水客談所載口外諸水，自盧溝而下至信安者，即永定河下游也。今已北徙。其州北良、涿九川會於胡良河，經北樂店至信安者，久淤，今則自新城而下會於白溝河。其州南之水自河間而下至苑家口者，即滹沱故道也，亦久淤。今則自真定南至深州衡水，北折而逕獻縣入子牙河達直沽。惟宣府紫荆、白溝及易、安、苑、肅各河之水自雄縣而下滙於茅兒灣入苑家口者，故道不改。

原 王世貞霸水夜泊詩 高帆去不極，天際見人家。繫網青楓樹，藏身白荻花。迴風喧雁鶩，隙日出魚鰕。亦有垂綸地，兵戈敢自誇。弇州山人集

原 漢光禄大夫周堪墓在城南二里。九域志

〔臣等謹按〕周堪墓今無考。

原 雙柳東西二寨相去十餘里。元混一方輿勝覽

〔臣等謹按〕雙柳二寨今無考。

【原】正德五年九月，霸州劉六、劉七、齊彦名，原係謀逆太監劉瑾門下。瑾敗，遂糾賊衆，流劫地方。後又增入楊虎、趙鐩號趙風子、劉惠等共二十五名，分爲二十八營，共有人馬一十七萬五千，各授僞官，張打奉天征討元帥旗幟，上以金書聯對云：虎賁三千，直抵幽燕之地；龍飛九五，重開混沌之天。又於老營以大紅綵緞書英雄吞海嶽，氣勢轉乾坤。攻破州縣幾二百，殺死總兵馮禎，參將王杲，都指揮王保、詹濟、潘翀，同知郁采，指揮、知縣雜職數十員，姦淫婦女，礫挫兇殘，不可言也。所過獄囚即放爲助，庫藏兵甲即取爲用。又每題詩各地，有平欺敵將虎擒羊，縱横六合誰敢捕；又有幾回月下敲金鐙，多少英雄喪膽寒之句。大略劉六、劉七、齊彦名等多在河南湖廣，而劉惠、趙鐩、楊虎多在河北山東，彼此間奔走，直至山西南直隸方絶。時七年冬矣。楊虎、劉六、劉七爲水渰死，齊彦名陣亡，劉惠射傷自焚，獨趙鐩僧服逃至江夏生擒。嗚呼！擾亂六省，延踰二年，豈非數也哉！七修類稟

【補】馬録霸州城行　霸州城外水繞牆，霸州城頭戍卒强。四門高樓接烟霧，縈迴十里多垂楊。去年豺虎滿天地，此城南北皆戰場。至今落日照白骨，血霑野草猶淋浪。當時别縣人皆走，此城之人苦相守。五馬使君身姓王，募招壯士犒牛酒。遂令萬夫同一心，彎弓罵賊不絶口。固安與霸爲隣縣，此事分明眼中見。乃知設險可守邦，區區省費非民便。百愚集

【增】李哥，霸州倡女，年十二三時，母教之歌舞，泣不肯學。母告以業不可廢。哥曰：若此聽母，母亦當從我好。否則有死而已爾。母陽許之，因是不粉澤，不茹葷，所歌多仙曲道情。有召者，先詢主客姓名，然後往。人亦相戒毋戲狎。哥凝立筵前，酒行歌闋，目不流盼。與之酒，弗飲。州判官嘗忤哥，徑還，誓不與見。孟津縣達魯花赤厚賂哥母，夜抵舍。哥懷利刃閉卧内，罵之曰：汝職在牧民，而狗彘之不若，可急去，勿污吾刃矣。慚怒以回。明日知州聞之，嘆曰：州有貞女而吾不知，是一失也。吾次子明經舉秀才，真若配，以禮聘娶之。未幾，紅巾入寇，夫婦被執，見哥妍麗，將殺其夫。哥走前抱夫項大呼曰：吾斷不從賊求活。寇並殺之。續文獻通考